GOLDMANN

Buch

Dinah Kaufman ist Drehbuchautorin und eigentlich ganz erfolgreich. Sie hat nur ein Problem: Sie liebt stets nur die Männer, die sie
verlassen. Als sie aufgrund eines Autorenstreiks in Hollywood
unfreiwillig Ferien hat, beschließt sie, in den Hamptons einmal
richtig Urlaub zu machen. Natürlich läuft sie gleich am ersten
Abend ihrem Exmann Rudy Gendler in die Arme, der dort gerade
mit seiner neuesten Eroberung die süßen Seiten des Lebens ge-
nießt. Und sofort beginnt sich das Karussell der Liebe von neuem
schwindelerregend zu drehen.
Mit *Beziehungsweise Liebe* hat Carrie Fisher wieder einen gnadenlos scharfsichtigen und zutiefst geistreichen und humorvollen
Roman über die Fallgruben der Liebe in unserer Zeit geschrieben.

Autorin

Carrie Fisher, Tochter von Hollywoodstar Debbie Reynolds und
Sänger Eddie Fisher sowie Exfrau von Paul Simon, wurde mit ihren
Rollen in der *Star-Wars*-Trilogie sowie in den Filmen *Hannah und
ihre Schwestern* und *Blues Brothers* international berühmt. Mit
ihrem ersten Roman *Grüße aus Hollywood*, der mit Meryl Streep
und Shirley MacLaine verfilmt wurde, gelang ihr auch als Schriftstellerin ein sensationeller Erfolg.

Außerdem von Carrie Fisher im Goldmann Verlag erschienen:
Grüße aus Hollywood (9310)

Carrie Fisher

Beziehungsweise Liebe

Roman

Aus dem Amerikanischen
von Friedrich Mader

GOLDMANN VERLAG

Die amerikanische Originalausgabe erschien unter dem Titel
»Surrender the Pink« bei Simon & Schuster, New York

Deutsche Erstveröffentlichung

Der Goldmann Verlag
ist ein Unternehmen der Verlagsgruppe Bertelsmann

Made in Germany · 2/92 · 1. Auflage
Copyright © der Originalausgabe 1990 by Deliquese, Inc.
Copyright © der deutschsprachigen Ausgabe, 1992 by
Wilhelm Goldmann Verlag, München
Umschlaggestaltung: Design Team München
Umschlagfoto: Frank Schott
Satz: Compusatz GmbH, München
Druck: Elsnerdruck, Berlin
Verlagsnummer: 41261
Lektorat: Anne Rademacher/AK
Herstellung: Felicitas Hübner
ISBN 3-442-41261-1

Die Wahl des Partners
gleicht eher einem bitteren Waffenstillstand
als einer freiwilligen Umarmung.

> CHARLES DARWIN

Des Mannes Lieb ist nicht des Mannes Leben,
Sie ist des Weibes Welt.

> BYRON

Die Liebe in der Wirklichkeit
ist rauh und schrecklich
verglichen mit der Liebe im Traum.

> FJODOR M. DOSTOJEWSKIJ
> *Die Brüder Karamasov*

Dinah Kaufman verlor ihre Unschuld gleich dreimal. Nicht weil sie so ein Unschuldslamm war, daß sie dreimal zur Schlachtbank mußte. Nein, sie vermutete eben einen tieferen Sinn hinter dem Verlust der Jungfräulichkeit, und so brauchte sie drei Anläufe, um in die Sache auch nur ansatzweise etwas hineininterpretieren zu können. All ihre Probleme mußten ausgerechnet beim Sex zum Vorschein kommen, dem angeblich so sicheren Weg zur Liebe. In jeder anderen Beziehung schien sie völlig normal; außer vielleicht, daß sie zuviel Persönlichkeit für nur einen Menschen und zuwenig für zwei hatte. Aber in der Liebe – da lief bei ihr einfach alles schief.

Dinah wußte nicht mehr, wann sie zum erstenmal etwas über Sex gehört hatte. Eines Tages kam sie aus der Schule – sie war damals vielleicht sieben – und erzählte ihrer Mutter, was auf dem Handballfeld geschrieben stand: das Wort *Ficken*. Auf der Heimfahrt im weißen Kombi fragte sie dann: »Was heißt das eigentlich?« Ihre Mutter zögerte. »Das kann ich dir jetzt nicht erklären, das muß ich dir später mal aufzeichnen.« Sie löste ihr Versprechen nie ein, aber Dinah vermißte eigentlich weniger die Aufklärung als die Zeichnung. Sie hatte das Gefühl, daß ihr so eine Skizze von Zeit zu Zeit vielleicht aus der Klemme geholfen hätte.

Mit zehn bekam sie ein Buch mit dem Titel *Für Mädchen* in die Finger, in dem sie neben dem Kapitel »Dein Menstruationszyklus« auch beschrieben fand, wie Mann und Frau ein Baby zeugen. Der Mann steckt seinen Penis in die Vagina der Frau und bewegt ihn solange vor und zurück, bis er Milliarden und Abermilliarden winziger Samen ausstößt. Dinah entnahm dieser Schilderung, daß während dieser unheimlichen und magischen Verrichtung der unteren Körperhälften die oberen den Namen des Kindes erörterten. »Nennen wir es Robert?« fragt er und stößt noch einmal zärtlich in sie hinein. »Oder Helene?« sinniert sie und zuckt zusammen. Nachdem Dinahs Schulfreundin Laura Avchen von der ganzen Penis-und-Vagina-Geschichte Wind bekommen hatte, wollte sie wissen: »Und die Hoden? Bleiben die draußen oder dürfen sie auch mit rein?«

An ein Gefühl aus ihrer Kindheit erinnerte sich Dinah ganz deutlich: eines Tages würde sie groß sein und genau Bescheid wissen; alles würde sich nach Maßgabe eines inneren Homo-Sapiens-Kodex irgendwie zum Besten fügen. Bei den Parties ihrer Mutter hatte sie den Erwachsenen zugesehen, wie sie dastanden und sich unterhielten, Gläser in der Hand, lachend und voller Selbstbewußtsein, als wüßten sie immer genau, was sie machen mußten und warum.

Dinah ließ sich als Kind und später als Jugendliche eine Menge gefallen; denn sie glaubte fest daran, daß ihr nach diesen Prüfungen der gerechte Lohn gewiß sei: die übernatürliche Gelassenheit und Zuversicht der Erwachsenen. Sie würde die Schule abschließen, einen Beruf erlernen, einem Mann begegnen, heiraten, Kinder kriegen, schließlich alt werden – und das alles ohne große Aufregung und Hektik.

In einem Punkt behielt sie recht. Sie schloß die Schule ab. Ihre Mutter richtete das Hauptaugenmerk in der Erziehung Dinahs auf ihre Jungfräulichkeit. Als könnte man damit einen Haufen Geld verdienen. »Die Männer wollen alle nur das ›Eine‹. Und wenn du es ihnen gibst, lassen sie dich einfach sitzen, und deine ganze Selbstachtung nehmen sie mit.« Dinah stellte sich einen Mann vor, der ihre Selbstachtung in einer kleinen Tüte für Hundehäufchen davontrug. Behutsam und ohne damit den Körper zu berühren, als würde sie stinken oder gleich auslaufen.

Mit sechzehn bekam sie von ihrer Mutter zu Weihnachten einen Vibrator. »Ideal zum Strümpfestopfen«, meinte Dinah, als sie das Geschenk in ihrem Zimmer auspackte. »Für Großmutter hab ich auch einen besorgt«, bemerkte Mrs. Kaufman, »aber sie will ihn nicht benutzen. Sie meint, wenn sie es so lange ohne Orgasmus ausgehalten hat, wird sie den Rest auch noch schaffen. Außerdem hat sie Angst vor einem Kurzschluß in ihrem Herzschrittmacher.«

Dinah probierte es mit dem Vibrator. Sie lag auf dem eiskalten Fliesenboden im Bad, hinter verschlossener Tür und ohne Licht. Das Wasser lief, um das verräterische Summen zu übertönen, und es gefiel ihr, es gefiel ihr wirklich. Dummerweise mußte sie dauernd an ihre Mutter denken, ihre Mutter, die den Penis als »den Baum des Lebens« bezeichnete und die Hoden als »Paradiesäpfel«.

Dinah versuchte, aus den Aussagen ihrer Mutter über Sex und Beziehungen, die sie als Kind und später als Teenager in aktualisierter Fassung aufschnappte, das Wesentliche herauszufiltern. Das Ganze erschien ihr äußerst wirr und widersprüchlich. Sex war etwas für Männer und die Ehe etwas für Frauen und Kinder, so eine Art Rettungsboot. Anscheinend hatten also Männer und Frauen ganz entgegengesetzte Ziele.

Kurz nach der Vibratorepisode erlitt Dinahs Mutter einen leichten Herzanfall und hatte auf einmal schreckliche Angst vor dem Sterben. Vielleicht war ihr der Tod bisher undenkbar erschienen, oder aber er war ihr gerade die ganze Zeit präsent gewesen. Auf einmal war sie jedenfalls wie besessen. Sie verfiel in tiefe Depressionen. »Hör nicht auf deine alte Mutter«, jammerte sie. »O Dinah, Dinah, das Leben ist so kurz. Die Zeit vergeht so schnell. Laß das Leben nicht einfach so an dir vorübergehen. Schau mich an; was hab ich aus meinem Leben gemacht? Ich hab überhaupt nicht gelebt. Ich war nur mit zwei Männern zusammen. Ich hab immer nur hier in California Valley gehockt. Dinah, du mußt mehr aus deinem Leben machen als ich. Ich hab viel darüber nachgedacht, und ich bin zu dem Schluß gekommen, daß du nicht als Jungfrau in die Ehe gehen darfst. Wozu denn? Dein Vater hat mich trotzdem verlassen. Also, wenn du mit einem Jungen schlafen willst – tu dir keinen Zwang an. Ich werde einen Termin bei Dr. Semel für dich ausmachen, der soll dir ein Diaphragma oder die Pille verschreiben.« Sie legte eine dramatische Pause ein, um sich einen ordentlichen Schluck Bier zu genehmigen. Dinah war mehr als beunruhigt. Sie appellierte an das früher von ihrer Mutter vertretene Keuschheitsideal.

»Hey Ma, mal langsam, ich hab doch gar nicht gesagt, daß ich... mit jemandem schlafen will. Mir geht's auch so ganz gut.«

»Du darfst kein Leben führen wie ich. Wozu denn, frag ich dich? Ich hab ein Leben wie meins geführt, und schau mich an! Ich hab gesehen, wie du diesen Mickey in deinem Jazzkurs angeguckt hast. Ich könnte es so einrichten, daß du mit ihm schläfst und ich alles aus der Nähe überwache.«

Dinah rannte hinauf in ihr Zimmer, so schnell sie nur konnte, die Angst im Nacken. Kaum hatte sie die Tür zugemacht, schoß sie schon hilflos auf einer Welle aus Furcht dahin, die, statt zu brechen, immer höher stieg. Sie kannte dieses Gefühl, und wie immer versuchte sie, sich an angenehme Dinge zu erinnern. Letzte Woche im Auto zum Beispiel, auf der Heimfahrt von der Schule. Es war ihr großartig gegangen, sie hatte gerade eine Eins bekommen. Bäume hätte sie ausreißen können. Aber alle Anstrengungen, sich in diese Stimmung zurückzuversetzen, blieben vergeblich. Sie hatte die Grenze zur Depression bereits überschritten. Bäume ausreißen ging nicht mehr. Sie hätten ihr leid getan.

»Mach's dir doch nicht so schwer, mein Schatz«, war alles, was ihrer Mutter dazu einfiel.

»Ach! Was soll das nun wieder heißen? Ich dachte, man muß es sich schwer machen. Und jetzt bist du auf einmal anderer Meinung? Man lernt nie aus bei dir – öfter mal was Neues, oder? So ungefähr dreihundertfünfundsechzigmal im Jahr! Also hab ich's mir in meiner Freizeit zur Entspannung schwer gemacht. Aber jetzt bist du anderer Meinung. Also gut, von mir aus. Hör ich eben auf damit.« Ihre Mutter warf ihr einen Blick zu. Sie hatte für fast jede Gelegenheit den passenden Blick und ging auch nicht gerade sparsam damit um.

Immer wenn sie etwas nicht verstand, was Dinah gemacht oder gesagt hatte – eine Laune oder einen Wutausbruch – gab sie Dinahs abwesendem Vater die Schuld. »Das ist eben das jüdische Erbe, mein Engel.«

Dinah konnte mit Männern nicht umgehen, und das kam so: Als sie noch sehr klein war, ungefähr zwei, zog ihr Vater aus. Danach sah sie ihn kaum noch, vielleicht einmal im Jahr. Also, er und ihre Mom kamen eben nicht klar miteinander, und dann wohnte er ja auch noch weit weg. Dinah jedenfalls wartete darauf, daß er zurückkam. Sie lebte nur noch für seine Rückkehr. Und dann, wenn er endlich zu seinem jährlichen Besuch kam, zeigte sie sich von ihrer allerbesten Seite, damit er sie auch richtig lieb hatte. Sie sah ihn so selten, daß sein Bild immer größere Dimensionen annahm – sie liebte diesen Phantasievater, sie betete ihn an. Und so wucherte der väterliche Tumor in ihrem Kopf, bis sie zuletzt zwei Ungeheuer geschaffen hatte: den Vater, den sie nie gehabt hatte und die Tochter, die er nie hätte verlassen dürfen.

Deshalb geht also bei ihr mit den Männern alles schief. Sie sehnt sich nach ihnen. Sie liebt sie, bis auch sie ihr verfallen sind. Wenn sie zu Besuch sind, zeigt sie sich von ihrer besten Seite, damit die Männer sie auch richtig lieb haben. Aber sie weiß einfach nicht, wer sie sind, denn alles, was sie in ihnen sieht und sich von ihnen erwartet, geschieht in ihrer Abwesenheit. Ungeheuer eben, Fremde wie ihr Vater. Und wenn sie nicht von selbst gehen, sorgt Dinah dafür, damit sie sie wieder zurückholen kann. Und wenn sie nicht gehen, geht sie, weil sie es nicht lange zusammen mit ihnen aushält. Sie weiß nur, wie sie es anstellen muß, um sie zurückzuholen. Deshalb also kann Dinah mit Männern nicht umgehen.

Dinah begegnete Rudy zum erstenmal auf der Party zum fünfundfünfzigsten Geburtstag von Charlotte, ihrer Chefin. Ungefähr einen Monat zuvor war sie bei *Herzenswunsch* eingestiegen, einer neuen Fernsehserie, die erst im vergangenen Jahr in New York angelaufen war. Charlotte lebte in einer riesigen Dachwohnung abseits der Hudson Street.

»Laß mich nicht allein«, flehte Dinah und klammerte sich an Connies Arm, als sie aus dem Aufzug in das hellerleuchtete Treppenhaus traten. Connie Sorkin war siebenunddreißig und zum zweitenmal verheiratet; ihr Sohn war schon erwachsen. Sie hatte strähniges blondes, schulterlanges Haar und dunkelblaue Augen. Sie war kurz angebunden, aber zuverlässig, verstand etwas von ihrem Metier und verbreitete sich ständig über ihre Menstruationsprobleme. Die Party war bereits in vollem Gang. Hektisches Stimmengewirr lauerte hinter der Tür, dröhnte Dinah bedrohlich in den Ohren. Connie warf ihr einen belustigten Blick zu. »Das kommt aber plötzlich«, bemerkte sie und klingelte. »Wir kennen uns doch kaum.«

»Wenn ich dran denke, wie gut ich die da drinnen kenne, dann bist du meine beste Freundin«, sagte Dinah.

»Du kennst doch Charlotte und Nick und Ogden und Bob.«

»Ich arbeite doch erst seit einem Monat mit ihnen zusammen.« Dinah hätte am liebsten losgeheult. »Das kann man doch nicht als Kennen bezeichnen.«

»Mit mir arbeitest du doch auch erst seit einem Monat. Egal, glaub mir, ist nicht viel dran an denen«, fuhr Connie fort, als ein blonder Mann mit Brille die Tür öffnete und den Blick auf einen Teil des Partygeschehens freigab. »Mehr als einen Monat braucht man nicht, um ihnen auf die Schliche zu kommen.«

»Hier kommt der Drachen!« rief ihnen der kleine Mann an der Tür entgegen und fuchtelte mit seinem Glas in der Luft herum.

»Hallo, Mel!« Connie küßte ihn leicht auf die Wange. »Das ist Dinah Kaufman, unsere neue Co-Autorin. Dinah, darf ich dir Mel Metcalf vorstellen, unseren Geschäftsführer. Obwohl er eher das große Wort führt als die Geschäfte.«

»Charmant wie eh und je, die liebe Connie.« Mel schien ungerührt. Seine Nase war anscheinend nur deshalb so lang und spitz, um den Rest des Gesichts vor Angriffen zu schützen. »Hallo, Dinah! Ist sie nicht hinreißend? Ich dachte, Schriftsteller sehen immer so vertrocknet und verschroben aus wie unsere gute Connie, oder sie ähneln einem Elefanten wie unser Geburtstagskind.« Bei den letzten Worten zeigte seine Nase in die entgegengesetzte Ecke des Raums, dorthin, wo sich die Leute am dichtesten drängten.

Charlottes Loftwohnung bestand aus einem riesigen, kahlen Raum mit seltsamen, exotischen Pflanzen und spärlicher, trübsinniger Beleuchtung. Die lebensgroße Statue eines Akrobaten hing an einem Seil über dem brechend vollen Raum, und die Rolling Stones plärrten aus strategisch postierten Lautsprechern. »I been walkin' Central Park, singin' after dark. People think I'm crazy.«

Connie und Dinah schoben sich langsam durch das Gewühl in Richtung Charlotte und Bar. Auf halbem Weg entschloß sich Dinah, etwas zu trinken. Genauer gesagt, sie schloß den Entscheidungsprozeß ab. Eigentlich vertrug sie ja keinen Alkohol, sie wurde viel zu schnell betrunken, und gelegentlich war sie sogar schon umgekippt. Aber in der Not kam sie manchmal auf den Alkohol zurück und redete sich ein, daß es ausgerechnet diesmal gutgehen mußte. Und angesichts dieses bis zum Rand mit fremden Leuten gefüllten Raums war der Notfall ja wohl gegeben.

Charlotte unterhielt sich mit einem Mann in Jeans und dunkelblauem Pullover. Er wirkte sehr ernst – seine Augen fielen Dinah sofort auf. Hellblau und weit weg, die Augen eines Adlers. Der winzige Punkt der Pupille in heller Pastellfarbe. Augen, die dich gnadenlos auszogen, die dir den Kopf kahl schoren und dich bei lebendigem Leib sezierten. Die messerscharfen Gesichtszüge paßten ins Bild. Und dann hatte er noch etwas an sich, was Dinah an Dinah erinnerte. Wie ein entfernter Verwandter mit fernem, unverwandt starrem Blick. Attraktiv, schrecklich hager, selbstsicher.

Nun war Charlotte nicht gerade die kleinste. Sie hätte sich ohne weiteres als Abwehrrecke beim Football verdingen können, wenn sie sich nicht auf Fernsehschnulzen verlegt hätte. Nick, der

Regisseur, nannte sie immer Giraffenhals, wenn er sie ärgern wollte. Und dennoch schien dieser Mann Charlottes Größe turmhoch zu überragen.

Angeregt plaudernd hielt sie seinem unbewegten Blick stand. Dunkles Haar, die Arme schützend vor der Brust verschränkt, mit dem verschlossenen Gesichtsausdruck einer ungeöffneten Konservendose. Charlotte war sichtlich froh, als sie Dinah sah. Oder Connie.

»Connie! Dinah! Da seid ihr ja. Connie – Rudy Gendler, aber ihr kennt euch ja sicher schon, nicht?«

»Ich glaube nicht.« Connie reichte ihm die Hand. »Es ist mir ein Vergnügen, Mr. Gendler, ich bin eine große Verehrerin Ihrer Kunst.«

Rudy wandte sich höflich an Connie. »So groß wohl doch nicht.« Er lächelte. Charlotte lachte. »Ich bin die große Verehrerin.« Sie tätschelte ihren Bauch. »Connie ist nur eine Verehrerin in Normalgröße.«

Rudy nickte Connie zu. »Freut mich, Connie.« Die blauen Augen verengten sich, es klang fast wie eine Frage.

»Und hier haben wir noch Dinah Kaufman, die neu angefangen hat bei unserer Truppe.« Charlotte zeigte voller Stolz auf Dinah. Dinah fuhr sich nervös mit der Hand über ihr kurz geschorenes rotes Haar und mit der Zunge über die trockenen Lippen. Die volle Wucht seines Blickes traf sie mit der wortlosen Aufforderung: »Du bist dran.« Dabei sah er sie an wie eine Fehllieferung.

Oder bildete sie sich das nur ein?

Sie senkte den Kopf. »Guten Tag, Mr. Gendler.« Das Schulmädchen wie es im Buche steht. Rudy zog die Augenbrauen leicht nach oben.

»Mister – warum nennen mich heute abend alle Mister?« Er betrachtete Dinah beiläufig. Ihr wurde ganz heiß, in ihrem Kopf begann es zu summen.

»Das ist nur der Respekt vor dem gefeierten Dramatiker.« Charlotte legte schützend den Arm um Dinah. »Ist doch so, Dinah?«

»Äh, ja… er hat so was Mistermäßiges an sich«, bemerkte Dinah, ohne sich direkt an jemanden zu wenden. *Wo ist nur diese verdammte Akte?* Sie war einem Schreikrampf nahe. *Die Party-akte? Wo all die passenden Sprüche drin stehen für neue Leute und vor allem für Männer.* Gäste kamen vorbei, lachten und unterhielten sich.

»Vielen Dank«, sagte Rudy, und dann: »Oder?« Er nippte nachdenklich an seinem Drink und studierte sie sorgfältig über den Rand seines Plastikbechers hinweg.

»Wie wär's mit einem Drink für euch zwei?« Charlotte lenkte Dinah und Connie zur Bar.

Mit einem »Schön, Sie kennengelernt zu haben« in Rudys Richtung beendete Dinah ihren ersten, nicht gerade brillanten Gedankenaustausch.

»Ja«, hatte er dazu gesagt.

An der Bar bestellte sie eine Ladung, die ausgereicht hätte, um ein Nilpferd aus dem Verkehr zu ziehen.

Sie lag auf Charlottes Bett neben all den Mänteln und versuchte sich dazu durchzuringen, wieder zu den Feiernden hinüberzugehen. Aber es war so schön, ausgestreckt dazuliegen und einfach der Musik und dem Stimmengewirr hinter der Trennwand zuzuhören. Wie damals, als sie auf nächtlichen Heimfahrten von den Stimmen ihrer Mutter und ihres Stiefvaters in den Schlaf gelullt wurde. Sie stellte sich das Leben der Leute im Nebenraum so interessant vor. Ein gleichzeitig beruhigender und beunruhigender Gedanke. Sie lächelte und legte sich anders hin.

Die Mäntel rochen nach Staub und Parfüm, ein warmer, wohltuender Geruch. Jemand setzte sich neben sie. Widerwillig öffnete sie die Augen.

»Mr. Gendler«, murmelte sie.

»Bleiben Sie ruhig liegen«, sagte Rudy.

»Nein, es geht schon.« Sie lächelte. »Ist die Piñata schon aufgeschlagen worden?«

»Ich glaube nicht.« Rudy legte die Beine übereinander. »Was ist das, eine Piñata?«

»So was Mexikanisches, man schlägt mit einem Stock drauf und lauter Spielzeug fällt raus«, erklärte sie. »Früher habe ich mir gern meinen Kopf als Piñata vorgestellt – einfach aufschlagen und...«

»Spielzeug und Süßigkeiten, klar.« Rudy nickte leicht. »Sie sind nicht aus New York. Woher kommen Sie?«

»Nicht *nur* Spielzeug und Süßigkeiten, sondern...« Sie seufzte. »Aus Los Angeles.«

»Aha. Das erklärt die mexikanische... Anspielung«, meinte Rudy. »Die mexikanische Anspielung«, wiederholte er gedankenvoll, damit Dinah es auch mitbekam. »Wär das kein guter Titel?«

Ein wummernder Rhythmus setzte ein. Irgendwo mittendrin die Bee Gees. Rudy hustete.

»Was würde aus Ihrem Kopf herausfallen?« fragte Dinah. Sie stützte sich auf einen Ellbogen und legte den Kopf auf die Hand. Sie sah ihn an, so gut sie konnte.

»Wann?«

»Wenn ich ihn aufschlagen würde.«

»Reizende Unterhaltung.« Rudy sah die Wand an. »Kommt wohl drauf an, welche Seite Sie treffen. Aus der linken Hälfte Mathematik, aus der rechten ein großes weißes Kaninchen. Wieviel haben Sie eigentlich getrunken?«

»Ich beantworte Ihre Fragen, wenn Sie meine beantworten«, sagte Dinah.

Rudy sah sie an. »Ich habe Ihre gerade beantwortet.«

Dinah seufzte. »Für mich ist fast jedes Quantum eine Überdosis«, räumte sie schließlich ein.

»Dann verstehe ich nicht, warum Sie...«

»Immer wenn ich anfange, kommt's mir wie eine Superidee vor.«

»Kommen Sie, ich bring Sie nach Hause.« Rudy half ihr auf die Beine, die irgendwie viel weiter unten waren als sonst.

»Sie wissen doch gar nicht, wo ich wohne.«

»Dann sagen Sie es mir.« Höflich aber bestimmt führte Rudy

seinen zögernden Zögling aus dem Zimmer. Sie suchte mit den Augen nach Charlotte oder Connie, um ihnen zuzuwinken, aber schon schwebten sie durch die Wohnungstür und standen vor dem Aufzug, ohne sich verabschiedet zu haben. Wie eine gehorsame Squaw folgte sie Rudy. Unten auf der Straße hielt ihr auf einmal jemand die Tür einer Limousine auf.

»Sie haben eine Limousine«, stellte sie fest.

»Ich fürchte ja.« Mit einer Handbewegung bat er sie einzusteigen.

Sie nannte Rudy ihre Adresse, und er gab sie weiter an den Fahrer. Als der Wagen losfuhr, lehnten sie sich zurück.

»Wie alt sind Sie?« wollte Rudy wissen.

»Zwanzig.«

»Sie sollten nicht trinken, wenn es Ihnen nicht bekommt.«

»Das können Sie aus meinem Alter schließen?« fragte sie. Dann glättete sie den Rock über ihren gekreuzten Beinen. »Ich dachte nur, wenn ich schon auf eine Party gehe…«

»Eine Party mit lauter Leuten, mit denen Sie erst seit kurzem zusammenarbeiten.«

»Ja…« Plötzlich war ihr alles schrecklich peinlich. Sie wurde wachsam, ihr Mund war trocken. »Aber ich hab doch nichts Schlimmes angestellt, oder?« Panik ergriff sie, als ihr einfiel, daß sie vielleicht bloß nicht mehr so genau wußte, was alles abgelaufen war.

Rudy räusperte sich, die Hand als Faust vor dem Mund. »Ich wollte nur sagen, Sie sollten vorsichtiger sein.«

»Ich verspreche es.« Rudy schien ein solches Maß an Selbstsicherheit zu besitzen, daß man es kaum noch als solches bezeichnen konnte. Ein Zustand jenseits des Selbstvertrauens, der für Dinah unerreichbar bleiben mußte.

Schweigend fuhren sie an mehreren Häuserblocks vorbei. Rudy räusperte sich erneut.

»Und wie alt sind *Sie*?« fragte sie ihn schließlich.

Rudy sah sie an. »Vierunddreißig.«

»Vierunddreißig.« Als sei ihr jetzt alles klar. Noch einmal

sprach sie ihm die Zahl nach, leiser diesmal, und sah durchs Fenster auf den vorbeisausenden Park.

»Ich mag Ihre Stücke. In der Schule habe ich mal in *Sieben Ansichten Ezras oder die Verzweiflung am Möglichen* gespielt.«

»Nicht gerade eine meiner Lieblingsarbeiten«, sagte er. »Welche Rolle spielten Sie?«

»Den Geist.«

»Wirklich? Den Geist? Die Rolle hätte ich Ihnen nicht gegeben.« Seine Hand lag jetzt auf ihrer Rückenlehne. Er sah geradeaus, seine Augen glitzerten wie Steine, unbeeindruckt und fanatisch. Seine Unnahbarkeit bezwang Dinah, ohne sie zu bezaubern. Als er sie ansah, senkte sie den Blick.

»Eigentlich hätte ich gar nicht mitmachen sollen«, sagte sie schnell. »Ich hatte am Bühnenbild mitgearbeitet, und das Mädchen, das für die Rolle des Sofas vorgesehen war, wurde krank, also…« Sie zuckte mit den Achseln. »Naja, so kam's eben. Sie waren verzweifelt, und ich war entsetzlich schlecht. Das heißt, so schlecht nun auch wieder nicht, das geht ja gar nicht in einem so gut geschriebenen Stück. Trotzdem…«

»Sie waren bestimmt besser, als Sie meinen.«

Sie sah ihn an. »Seien Sie sich da nicht so sicher.«

»Entschuldigung, eine schlechte Gewohnheit von mir.«

Sie mußten lächeln. Seine Augen leuchteten auf wie bei einer lebhaften Erinnerung. Dinahs Herz schlug wie rasend. Sie sah wieder zum Fenster hinaus. Sie waren fast da.

»Mein Lieblingsstück von Ihnen ist *Der unschuldige Wilde*. Das hat mir wirklich gut gefallen.«

Rudy nahm das Kompliment mit einem höflichen Nicken zur Kenntnis. »Charlotte sagt, daß Sie eine begabte Autorin sind.«

»Oh ja«, antwortete sie. »Von Schnulzen. Proben meines Könnens erscheinen diese Woche im *New Yorker*.«

»Nein, sie meinte etwas anderes, was Sie über Ihre Stimmungen schreiben.«

»Das hat sie Ihnen erzählt?« Dinah wurde rot. »Wie kommt sie dazu? Was hat sie gesagt?«

»Ich habe nach Ihnen gefragt, und da hat sie es mir erzählt.«

»Sie haben nach mir gefragt?«

»Sie sagte, Sie haben Namen für Ihre Stimmungen. Pam? Pam und…« Er wußte nicht weiter.

»Roy«, ergänzte Dinah knapp. »Pam und Roy. Roy ist der wilde, übermütige Galopp, und Pam ist der Bodensatz, das Weinen am Strand. Der eine das Festessen, die andere die Rechnung.« Sie rasselte alles wie auswendig gelernt herunter und starrte dabei auf ihre im Schoß gefalteten Hände. »Manchmal bin ich so deprimiert, daß ich nicht mehr weiß, wen ich kenne«, sagte sie leise. Draußen in der Nacht erklang eine Sirene. Dinah folgte dem Heulen; mehrere Straßenzüge lang blieb ihr Bewußtsein daran hängen.

Es war nicht immer so, nur manchmal. Wenn Pam, ihre düstere Stimmung, über sie kam, wenn ihr alles viel zu kompliziert erschien und völlig hoffnungslos. Alle Anstrengungen verliefen im Sande, ihr Meer aus Selbstvertrauen verlandete. Pams Schulstunde hatte wieder begonnen, und sie mußte einfach auf das Klingelzeichen warten. Selbstquälerisch ermahnte sie sich immer wieder, wenigstens diesmal aufzupassen. War es nicht an der Zeit, sich endlich an die Realität zu gewöhnen? Die Fakten des Lebens blieben immer die gleichen, nur die Phantasien änderten sich. Die eine Phantasie besagte, nichts ist möglich, die andere, alles ist möglich (oder zumindest *interessant*). Die eine Phantasie bedeutete aber nicht nur, daß nichts möglich war – es war auch noch schrecklich, einsam und fremd. Der existentielle Horror: Sie hatte ihre Zeit nicht genutzt, und schon bald würden sich Falten, Fettpolster und Tränensäcke unter ihren Augen zeigen. Die andere Phantasie war ein leichten Herzens überflogenes Buch mit dem Titel *Ist das Leben nicht wunderbar – wie aufregend, ein Mensch zu sein!* Natürlich liebte sie nur Roy, ihre Hochstimmung. Aber geduldig ließ sie Pams Unterricht über sich ergehen und wartete auf Roys Klingelzeichen, und wenn es endlich kam, rannte sie hinaus, voller Vorfreude auf die mit ihrer Lieblingsphantasie geschmückten Fakten.

»Heute abend hat anscheinend Roy das Sagen«, sagte sie und lachte ein wenig unsicher. »Morgen hat Pam dann wieder gute Chancen.«

»Ach, und warum?« Rudy wandte sich wieder zu ihr.

Dinah fuhr sich nervös mit der Hand über den Kopf. »Oh, sagen wir potentieller Katzenjammer. Oder daß ich glaube, ich habe mich blöd benommen.« Sie lachte. »Oder daß ich es weiß.« Das Auto hielt vor ihrem Haus.

»Wieso? Glauben Sie wirklich, Sie haben sich heute abend blöd benommen?«

»Naja, eigentlich schon, ich meine, einfach schlapp machen und sich zu den Mänteln legen…« Ihre Haut schimmerte sanft im Straßenlicht. Rudy lächelte.

»Das war wohl weniger blöd als unangemessen.«

»Und wo liegt da der Unterschied?«

Rudy sah sie ernst und gedankenverloren an. Irgendwo in seinen Augen blitzte es amüsiert auf, verheißungsvoll wie das Licht durch einen Türspalt. Sein Gesicht war nur noch wenige Zentimeter von ihrem entfernt.

»Darüber wollen wir doch nicht im Auto reden«, sagte er leise und gab ihr einen langen Samstagabendkuß; ihr Kopf sank nach hinten auf den dunkelblauen Samtbezug der Lehne. Sie fühlte den Kuß überall, wie das Strahlen einer großen Kerze. Er löste sich ein wenig von ihr. Sie fühlte seinen Atem im Gesicht, seine Hände auf den Schultern. Sie sah ihm in die Augen, so nah den ihren.

»Sie sind *wirklich* ein guter Dramatiker.« Sie lächelte sanft.

»Das sagen Sie nur so.«

Dinah strich sich den Rock gerade und zog den Gurt ihrer Handtasche wieder über die Schulter. »Ich sag es nicht *nur*, sondern… *trotzdem*.« Sie öffnete die Tür. Rudys Versuch, ihr hinauszuhelfen, kam zu spät.

»Also dann…« fing sie an. »Viel Glück mit der Mexikanischen Anspielung.«

»Mit was?«

»Ihr neues Stück«, half sie nach.

»Ach so.« Er schien sich dunkel zu erinnern. »Viel Glück mit Pam und Roy.« Sie wartete darauf, daß er sie nach ihrer Telefonnummer fragte, aber sie wußte, er würde es nicht tun. Sie ging rückwärts auf die Haustür zu. Rudy stand vor der offenen Wagentür. Er hatte ihr den Handschuh seines Desinteresses hingeworfen, und Dinah hob ihn auf. Sie winkte ihm zu.

»Werden Sie nicht zum Außenseiter«, rief sie mit falscher Fröhlichkeit. »Wie Camus.«

Rudy lächelte. »Zum *Fremden*«, rief er. Dinah wurde rot. »Werden Sie zu keinem von beiden. Werden Sie niemand, wenn Sie es aushalten.« Sie verschwand im Haus. Plötzlich tauchte ihr Kopf noch einmal auf. »Es kann beides heißen«, rief sie hastig. »Es hängt ganz von der Übersetzung ab.« Sie setzte ihr bestes rätselhaftes Lächeln auf und war endgültig verschwunden. Rudy blickte auf die Stelle, wo soeben noch ihr Kopf gewesen war. Er schmunzelte in sich hinein und glitt bereitwillig ins Wageninnere zurück.

Bei den meisten Fischgattungen kommt es zwischen Männchen und Weibchen kaum zu einer Berührung. Der einzige Kontakt besteht darin, daß das Männchen seinen Samen über den vom Weibchen abgelegten Eiern ausstößt. Nach dieser kurzen Episode gehen die zwei Liebenden wieder getrennte Wege und sehen sich wahrscheinlich nie wieder.

-2-

Fast jeden Morgen beim Aufwachen fühlte sich Dinah vollkommen desorientiert. Sie fragte sich nicht nur: Wo bin ich?, sondern auch *Wer, Was?* Oder sogar: Bin ich? Und dann brachen die Dämme, und alles stürzte tosend auf sie hernieder. Na klar, dachte sie dann und mobilisierte die letzten Reserven an Munterkeit, um aus dem Bett zu finden. Ach ja, da wären wir also wieder. Schon wieder. O Gott.

Irgendwie fühlte sie sich als abtrünniges Mitglied des Homo-Sapiens-Vereins. Alle waren sie dicht zusammengedrängt und klammerten sich an den Erdball, der sie beharrlich dem Tod entgegenwälzte. Doch auch in der Gemeinschaft der Sterbenden, die sich auf diesem heftig hüpfenden Ball tummelte, war sie an den Rand gedrängt, vergessen wie ein verschrumpeltes Salatblatt im Einkaufswagen. Ihr Leben schien ihr nicht zu gehören. Sie bemühte sich weiß Gott, den Leuten nahe zu kommen. Erzählte ihnen alles mögliche aus ihrem Privatleben, vielleicht um sie zu bestechen. Damit sie ihr beistanden bei ihrem Kreuzzug zur Erringung eines annehmbaren Selbstbildes. Man mußte nicht über besonderes Talent oder Geschick verfügen, um in ihr Leben zu treten. Ständig traten irgendwelche Leute in ihr Leben und stöberten darin herum. An ihrer seichten Stelle war sie ohne weiteres zugänglich; das Problem waren nur die tieferen Stellen. Ihre Abgründe.

Manchmal schlenderte sie einfach ziellos durch die Stadt. Sah sich die Leute an, atmete die Essensgerüche ein, die Auspuffga-

25

se, den Rauch aus der Kanalisation. Inmitten dieses hektischen Gewimmels empfand sie ein Gefühl der Geborgenheit, der Zusammengehörigkeit. Doch im nächsten Augenblick schon hatte sie den Anschluß verloren, konnte schon nicht mehr Tritt fassen, nicht mehr Schritt halten. Schlaglöcher und Verkehr und Penner, o Mann. Und das sanfte, undeutliche Gewirr aus Hupen, Bewegungen, Leben und Atem, das auf sie eindrang, das mächtige Summen der Metropole verwandelte sich in ein dumpfes Tosen. Dann wurde es in ihrem Inneren ganz still, so ruhig wie an einem verlassenen Strand, ihr Kopf eine Kathedrale zum Gebet an das Leben. Das Leben um sie herum, mit dem sie sich eindeckte, um später bei Bedarf davon zu zehren.

Ihr Schädel lief über.

Der Herbst in New York war wunderschön gewesen. Doch dann hatte mit unerbittlicher Strenge der Winter Einzug gehalten. Eines Morgens kam Ingrid, die mit Dinah zusammenwohnte, in deren Zimmer und rüttelte sie sanft ins Bewußtsein. »Mr. Blizzard war zu Besuch«, verkündete sie. Dinah wankte aus dem Bett und folgte Ingrid ins Wohnzimmer. Und wirklich, auf der kleinen Terrasse lag soviel Schnee, wie Dinah in ihrem Leben noch nicht gesehen hatte. Alles war zugeweht: die zwei Stühle und der kleine Tisch und ihr einsamer, kahler Baum.

»Sieh nur!« rief Ingrid voller Stolz, als wäre sie die Urheberin dieses Naturschauspiels, die Schneekönigin in ihrem neuen Reich. Der Wind peitschte gegen die Fenster ihrer Eckwohnung und erzeugte ein unheimliches Klappern und Pfeifen.

»Wow!« Dinahs erstes Wort an diesem Morgen. Sie war tief beeindruckt. Schnee setzte sie immer wieder in Erstaunen. Der spannendste Zaubertrick, den das Klima auf Lager hatte. Für jemanden, der wie sie in Kalifornien aufgewachsen war, war das Wetter eine ziemlich eindimensionale Angelegenheit. Aber Schnee ließ Dinah in die historische 3D-Welt zurückgleiten. »Das nenn ich ein Wetter«, sagte sie und folgte Ingrid ans Fenster. Beide sahen einen Augenblick gebannt dem Wetter zu.

»Im Radio heißt es, man soll nur im äußersten Notfall rausgehen«, Ingrid warf Dinah einen Blick zu und fügte hinzu, »und auf keinen Fall mit dem Auto fahren.«

Dinah lächelte. »Worauf warten wir dann eigentlich noch?«

Klar und weiß, still und erwartungsvoll lagen die Straßen vor ihnen, als sie die Tür aufstemmten und sich gegen den Wind zu Dinahs Auto vorkämpften. Unter dem Mantel hatten sie so viele Pullover an und unter den Pullovern so viele T-Shirts, daß ihre Arme seitlich leicht abstanden, wie bei Lebkuchenmännchen. Ihr Atem bildete dicke weiße Wolken, die von dem starken Wind sofort davongeblasen wurden.

Sie schmiegten sich aneinander, ihre Augen tränten vom Wind und vom Lachen. Auf der Straße waren keine Autos, nur hier und da gebückt gehende Leute. Schwer atmend kamen sie am Broadway an. Wegen der Windstöße mußten sie ständig zwinkern. »So muß es um die Jahrhundertwende ausgesehen haben«, hauchte Dinah.

So weit sie blicken konnten, war der Broadway mit einer blendendweißen Schneeschicht bedeckt. Kinderlachen drang durch die Stille wie das Geschrei von Wildvögeln. »Winterwunderland«, seufzte Ingrid. Der weiße Seufzer wurde vom Wind davongetragen.

Sie fuhren das Auto aus dem Parkplatz in der Eighty-Fourth Street, nachdem sie dem Parkwächter erklärt hatten, es handle sich um einen Notfall. »Man muß ihr etwas Gehirnflüssigkeit abzapfen«, sagte Dinah todernst. Er brachte den Wagen. »Wir heben Ihnen einen Schluck auf, wenn's geht«, rief Ingrid ausgelassen, als sie die Auffahrt hinauffuhren und durch eine Schneebank schlitterten. »Einfach super, auf Eis! Yahoo«, ergänzte sie etwas vorsichtiger, als sie sich auf knirschenden und rutschenden Reifen der Ecke näherten.

»Du bist der einzige Mensch, bei dem sich Yahoo wie Ah-Oh anhört«, merkte Dinah trocken an.

»Wir können doch nicht draufgehen dabei?« warf Ingrid ein.

»Das wäre nämlich blöd, weil ich morgen abend eine Sendung habe.«

»Naja, wenn das so ist. Wenn du morgen abend Zeit hättest, dann hätten wir ja ganz beruhigt sterben können, aber so...« Der hintere Teil des Autos kam ins Schlingern und brach aus. Ingrid kreischte, und Dinah verstummte, um sich aufs Fahren zu konzentrieren. Als sie den Wagen wieder unter Kontrolle hatte, sagte sie: »Hey, reg dich nicht so auf, es war doch deine Idee.«

»Ja?« Ingrid schien sich nicht ganz sicher zu sein. Dinah lenkte den Wagen behutsam auf den Broadway. »O Gott«, ließ sich Ingrid noch einmal vernehmen, als sie langsam auf die Mitte der leeren Straße schlitterten.

»The Great White Way.« Dinah grinste.

Zu beiden Seiten der riesigen Fläche, die in die Innenstadt führte, standen Häuser. Die Leute schaufelten sich Wege zu ihren Läden, Wohnungen oder Autos frei; irgendwo in der Ferne schnaubte ein Schneepflug. Der Wind pfiff in das Auto und brachte leichten, eisig stechenden Schnee mit herein. »No skies of gray on the Great White Way«, sang Ingrid. »So heißt es in der Broadwaymelodie.«

Dinah stimmte ein, aber nach einiger Zeit wußten sie den Text nicht mehr. Doch sie sangen weiter, erfanden, was sie vergessen hatten, brüllten heraus, was sie noch wußten. Langsam ächzten und keuchten sie dahin in Richtung Lincoln Center.

Auf ihrem Weg begegneten sie keinen fünf Autos, und auch für die war es auf der Neuschneedecke eine einzige Rutschpartie. Zwei etwa neunzehnjährige Jungen kamen angelaufen; sie wollten mitgenommen werden und sprangen gleich auf die Kühlerhaube. Ein paar Straßenzüge lang durften sie mitschaukeln, ehe sie von Ingrid vertrieben wurden. »Wir sind doch kein Taxiunternehmen«, rief sie durch das einen Spalt weit offene Fenster. Dann kurbelte sie es wieder hoch, und sie fuhren im Schneckentempo weiter. Nach einem halben Block landete ein Schneeball auf der Heckscheibe.

»Und wenn wir doch ein Taxiunternehmen wären?« fragte

Dinah, das leuchtende Beispiel des guten Samariters vor Augen. Ingrid sah sie fragend an. »Wir haben eins der wenigen Autos, die jetzt unterwegs sind«, erklärte Dinah. »Wir helfen den Leuten. Wir werden weltberühmt. Die Eisjungfrauen – sie eilen herbei durch Schnee und Eis und bieten den vom Winde Verwehten und Eingeschneiten kurzfristig Unterschlupf und freie Fahrt.«

Ingrid sah zum Fenster hinaus. Schließlich hatte sie es sich überlegt. »In Ordnung – aber nur ältere Leute. Wir nehmen nur Leute über Fünfzig mit, die wirklich Probleme haben mit dem Schnee.«

Dinah schlug vor Begeisterung aufs Lenkrad. »Genau!« krähte sie. »Genau.« Sie krochen weiter dahin, aus dem Radio schallte »Blue Christmas«.

»Aber wenn wir umgebracht werden, das sag ich dir«, drohte Ingrid, »dann bring ich dich um.«

»Abgemacht«, erwiderte Dinah. Und die Eisjungfrauenstreife setzte ihren mühsamen Weg in Richtung Innenstadt fort. Kinder winkten ihnen zu, warfen Schneebälle, feuerten sie an.

»Als ob sie noch nie ein Auto gesehen hätten«, sagte Ingrid. »Afrika im Schnee.«

»Was?« fragte Ingrid. Aber bevor Dinah zu einer Erklärung ausholen konnte, zeigte Ingrid auf einmal zum Fenster hinaus. »Schau! Älterer Mitbürger steuerbord.« Ingrids Vater war bei der Marine.

»Wo ist steuerbord?« fragte Dinah. »Red kein Kauderwelsch.«

»Da drüben.« Ingrid zeigte auf einen älteren Herrn, der auf dem eisigen Gehsteig mit Hilfe eines Gehstocks dahinschlurfte. »Hallo!« rief sie. »Sir!« Der Mann wandte langsam seinen weißen Kopf und versuchte mit vorsichtigen Blicken zu erkunden, woher die Rufe kamen. »Hier herüben!« rief Ingrid. »Im Auto!« Der Mann sah sie und schaute etwas betreten und beunruhigt drein. Mit der freien, stocklosen Hand zeigte er auf sich. Dinah kurbelte das Fenster herunter und ließ einen eisig stechenden Windstoß herein.

»Können wir Sie mitnehmen?« rief sie. Schon lag Schnee auf

ihrem Gesicht, den Wimpern, dem Haar. Der Mann näherte sich zaghaft dem Wagen. »Wir fahren in die Innenstadt«, fuhr sie fort, »wir sind eine Notverkehrslinie für Leute wie Sie.« Er stand jetzt direkt beim Wagen und beugte sich ungeschickt zu Dinahs Fenster hinunter.

»Sie sind doch kein Mörder, oder?« piepste Ingrid über Dinahs Kopf hinweg.

»Bitte?« Er nahm die Brille ab und wischte mit dem Ärmel den Schnee weg. Er war ziemlich klein und wahrscheinlich ziemlich dünn unter seinem weiten schwarzen Mantel. Ein grauer Schal hielt seinen Kopf im Würgegriff. Er trug dunkle Handschuhe, und in der einen Hand hatte er eine Sonntagszeitung. »Mädchen.« Es klang, als hätte er unter dem Mikroskop eine besondere Amöbe identifiziert. »Bei so einem Wetter fährt man doch nicht mit dem Auto herum!«

»Das richtige Wetter zum Spazierengehen ist es aber auch nicht gerade«, meinte Dinah darauf. »Können wir Sie vielleicht irgendwo hinfahren?«

»Wir sind die Eisjungfrauen«, fügte Ingrid hinzu. Dinah stieg aus und stellte sich vor ihn hin. Wie ein Diener, der seinen König mit Glanz und Gloria empfängt, wies sie ihm den Weg ins Auto.

»Zu Ihren Diensten, Sir«, sagte sie voller Stolz. »Kalt, aber mobil.« Der alte Mann zögerte, beugte sich nach vorn und kletterte steif in den Wagen. »Wir bieten unsere Dienste nur in Zeiten des Taximangels an.« Dinah war ans Ende ihrer kleinen Ansprache gelangt.

»Ich war gerade auf dem Nachhauseweg«, erklärte er fast ein wenig traurig.

»Wir bringen Sie jetzt nach Hause«, sagte Ingrid. »Willkommen noch mal in unserer Anekdote.« Dinah stieg nach ihm ein.

»Wirklich lieb von Ihnen, wirklich sehr lieb.« Seine rote Nase leuchtete förmlich, als er sich auf dem Rücksitz niederließ. Als sie ihren Passagier den weiten Weg von zwei Straßenzeilen nach Hause beförderten, sangen sie erneut die Broadwaymelodie.

»Bye!« riefen ihm die Mädchen nach, als der alte Mann

langsam auf sein Haus zu schlich. Eine Flasche ragte aus seiner Manteltasche. Er verschwand schon durch die Tür, und sie riefen immer noch: »Bye, bye.«

»Er wird mir fehlen«, seufzte Dinah.

»Zumindest hat er uns nicht ermordet«, murmelte Ingrid.

»Sprich dich nur aus.«

Es klopfte ans Fenster. Ingrid stieß Dinah an. Als sie aufsah, fiel ihr Blick durch den feinen, glitzernden Schnee auf Rudy Gendler. »Können Sie sich noch an mich erinnern?« fragte er.

Etwas in Rudys Gesicht erfüllte Dinah mit Sehnsucht, beinah mit Hoffnung. Seine Selbstsicherheit strahlte durch den Schnee. Sie ließ das Fenster herunter und wünschte sich, auch so sicher, so *unberührbar* zu sein. In diesem Augenblick erschien er ihr nicht unbedingt als idealer Partner, sondern schlicht als ideal. Sie wollte dieser Mensch werden. Wenn sie nur ihr Los mit seinem teilen könnte, um eines Tages festzustellen, daß sie von nun an unlösbar miteinander verbunden waren. Dinah Kaufman ist Rudy Gendler. Sie lächelte durch das Fenster zu ihm auf. Hätte sie doch nur mehr Make-up aufgelegt, aber wenigstens war ihr Teint relativ rein. Sie nickte; natürlich erinnerte sie sich an ihn, wie hätte sie den Außenseiter vergessen können, den Fremden, den Mann mit der wartenden Limousine? Diesen Mann würde sie lieben, das wußte sie. Er würde ihr beistehen im Kampf mit sich selbst. Eine Kleinigkeit vergaß sie allerdings dabei: wer sollte sie aus den Fängen ihres Retters erretten?

Er bat Dinah um ihre Telefonnummer, und sie schrieb sie ihm mit Ingrids Augenbrauenstift auf eine alte Quittung. Die Schneeflocken fielen jetzt langsamer, größer. Rudy steckte den Zettel in die Hosentasche, nickte Ingrid und Dinah zu und schlenderte durch den wirbelnden Schnee davon. Ein Forscher in der Großstadtwildnis. Ein Blizzard war nötig gewesen, damit Rudy wieder in Dinahs Leben trat; der Teufel mochte wissen, was nötig war, damit er wieder daraus verschwand.

Zu Beginn ihrer Brunstzeit sucht sich die Elefantenkuh einen Partner aus. Ihre Wahl bezeichnet den Auftakt einer engen, liebevollen Beziehung. Am Anfang verhält sie sich scheu und kokett. Sie lockt den Bullen an, um dann wieder davonzulaufen. Während der mehrmonatigen Zeit der Werbung sind die beiden unzertrennlich. Sie trompeten, sie spielen, sie streicheln und liebkosen einander. Der Bulle legt sich während dieser ganzen Zeit erstaunliche Zurückhaltung auf, und erst auf die Einladung der Kuh hin beginnt er sich mit ihr zu paaren.

-3-

Rudy und Dinah saßen sich in einem italienischen Restaurant in SoHo gegenüber. Plastikpflanzen mit glitzernden Weihnachtskerzen zierten die Wände. Wieder trug er Dunkelblau, die Hände lagen gefaltet vor ihm. Dinah fühlte eine Beklemmung in der Brust. Sie wußte nicht, was sie sagen sollte, und schämte sich für das, was sie sagte.

»Ich habe zuviel Energie.«

Rudy lächelte und winkte dem Kellner. Dinah biß in eine Gebäckstange. »Vielleicht haben Sie was von meiner«, sagte er.

Sie lachte. Mit dem Mittelfinger der linken Hand zupfte sie in regelmäßigen Abständen am Daumen; den anderen Daumen schmückte ein frisches Pflaster. »Sie können sie jederzeit zurückhaben, Sie müssen es nur sagen.«

Es stellte sich heraus, daß das Restaurant keinen Alkohol ausschenkte, und obwohl sie beide behaupteten, daß es nichts ausmache, lief Rudy über die Straße, um Wein zu besorgen. Er kam mit geröteten Wangen und ein wenig außer Atem zurück. Seine Augen funkelten, als er sich wieder hinsetzte. »Warum sind Sie so intelligent?« fragte er, als er den Korken herauszog und den Wein einschenkte. Das Schmieröl für die Räder, mit denen sie aufeinander zu fuhren. Die Räder, die sie einander näherbringen und schließlich überrollen sollten.

Dinah zuckte die Achseln und hielt ihm das Glas hin, das sich langsam mit der roten Flüssigkeit füllte. »Meine Mutter war schön, und ich wußte, daß ich nicht so gut aussah wie sie. Ich kann mich noch erinnern, daß ich meinte, ich sähe aus wie ein Zeh. Also

35

dachte ich mir, vielleicht ist es besser, wenn ich das irgendwie kompensiere. Also... ich weiß nicht...« Sie zuckte erneut die Achseln. »Da mußte ich mich wohl oder übel auf die Intelligenz stürzen. Und warum sind *Sie* so intelligent?« Sie schob das letzte Stück der Gebäckstange in den Mund.

Rudy nippte von seinem Glas und schaute gedankenvoll drein. »Weil Ihre Mutter so schön war.«

»Na, so ein Zufall!« Dinah lachte.

Rudy erhob sein Glas, und Dinah stieß mit ihm an. »Auf Ihre Mutter.« Sie tranken. »Und ihre Erbanlagen.«

Sie leerten die Gläser, und Rudy schenkte nach. Der Kellner erschien mit den Vorspeisen und servierte sie mit einer vollendeten Verbeugung. Beide aßen sie nicht viel, erregt vom Wein und vom Gedanken an den anderen, an die Möglichkeiten, die sich im Gegenüber auftaten. Dinah träumte von einem erfüllten Leben, Rudy von einer erfüllten Liebesnacht. Sie genossen das Gefühl, daß die Würfel bereits gefallen waren, sie sonnten sich in der gegenseitigen Zuneigung, im Vorgefühl der kommenden Berührung.

»Im Grunde bin ich wohl eher introvertiert.« Dinah legte jetzt richtig los, erzählte ihm alles, zauberte aus dem Schatten ihres Schädels ihre Glanznummern hervor, hielt sie an das helle Sonnenlicht, das von diesem neuen, aufregenden Gesicht ausging. »Mit meiner Extrovertiertheit steuere ich meine Introvertiertheit, aber ich selbst verstecke mich dabei und warte darauf, daß mein äußeres Ich aufhört und endlich mein inneres, wesentliches Ich anfängt.«

»Bitte noch mal langsam zum Mitschreiben.« Er hielt sein Glas mit beiden Händen in Augenhöhe.

Dinah lehnte sich zurück und mußte lachen. »Rufen Sie beim nächsten Mal etwas früher an, dann bringe ich ein Exposé mit.«

Rudy lächelte und schenkte sich den Rest der Flasche in sein Glas. »Ich werde darauf zurückkommen.«

Dinah lehnte sich auf den Ellbogen nach vorne, ihr Gesicht

glühte vom Wein. »Wir haben das Essen gar nicht angerührt«, bemerkte sie verlegen.

»Scheißegal«, sagte er. »Anfassen kann ich's ja; ich möchte es bloß nicht essen.«

Sie zogen sich die Mäntel an, und Dinah verlor dabei fast das Gleichgewicht. »Ich hab vielleicht was von Ihrer Energie«, meinte sie fröhlich, »aber Sie haben auf jeden Fall meine ganze... wie sagt man... *Ausgeglichenheit*.«

»Ich sage nie Ausgeglichenheit dazu.« Er legte etwas Geld für das Essen auf den Tisch und setzte sich in Bewegung. »Gehen wir.« Er verschwand durch die Tür, die ebenfalls mit farbigen Lichtern und Stechpalmenblättern geschmückt war.

Dinah folgte ihm hinaus in die kalte Winternacht. »Ich bin Ihre Geisha.« Eine Verheißung, die unweigerlich eine bleiben mußte.

Und schon saßen sie im Auto, das stadtauswärts fuhr.

»Wohin, Sir?« fragte der Fahrer. Rudy sah Dinah an; sie errötete und gab dem Fahrer ihre Adresse. Einen Moment lang saßen sie schweigend und sinnierten über die Unwägbarkeiten der Dinge, die da kommen sollten. Schließlich stellte sie wie beiläufig ihre Frage und zupfte sich mit der behandschuhten Hand ein unsichtbares Fädchen vom schwarzen Mantel.

»Warum haben Sie mich nicht schon damals bei der Party nach meiner Telefonnummer gefragt?« Sie suchte noch immer angestrengt nach dem Fädchen.

Rudy räusperte sich, sah kurz zum Fenster hinaus und wandte sich wieder ihr zu. »Ich lebte damals mit einer Frau zusammen«, erklärte er. »Die Sache war schon... ich weiß nicht... sie lag in den letzten Zügen, und... die Party hat dann den Ausschlag gegeben. Daß ich sie nicht mitgenommen habe, meine ich.« Er verstummte jäh. Dinah beobachtete erwartungsvoll sein Profil. New York zog in einem Nebel vorüber. Der Wagen hielt an einer Ampel, Rudys Silhouette zeichnete sich einen Moment gegen ein Mietshaus ab. Fußgänger überquerten die Straße, vermummt gegen die Kälte.

»Daß mir das nicht noch einmal vorkommt«, ermahnte ihn Dinah mit gespielter Strenge.

»Und was ist mit Ihnen?«

»Was soll mit mir sein?«

»Warum sind Sie allein?«

Sie überlegte, ob sie sagen sollte: »Ich bin ja bei Ihnen«, hielt sich aber gerade noch im Zaum. Vor lauter Erschöpfung über diese Selbstzensur mußte sie seufzen. »Ich wollte jemanden heiraten, aber dann... ist nichts draus geworden.« Die Ampel schaltete auf Grün, und der Wagen fuhr an. Rudy schaute sie noch immer an, und sie redete weiter. »Er wollte, daß ich mich daran gewöhne, wie er sich die Zähne putzt.«

»Wie entsetzlich.«

»Nein, verstehen Sie mich richtig. Er war einfach –«

»Ein Langweiler.«

Dinah dachte nach und schüttelte dann langsam den Kopf, als wäre sie traurig. »Aber er war so lieb.«

»Zu lieb?«

»Wie soll das gehen?«

Rudy zuckte die Schultern. »Das weiß doch ich nicht. Er war schließlich *Ihr* Verlobter.«

Dinah zupfte wieder an ihrem Fädchen. »Und was war mit Ihrer Freundin?«

Rudy legte die Arme vor die Brust und blinzelte. »Vicki war sehr... o Gott, ich weiß auch nicht. Sie war sehr attraktiv und natürlich auch... ein lieber Mensch. Aber ich hab mich bei ihr so *eingeengt* gefühlt.«

»Mhm.«

»Außerdem war sie Schauspielerin, und jedesmal wenn ich ihr die Stücke nicht auf den Leib geschrieben habe, ist sie ausge-flippt.« Er räusperte sich. »Und dann hat sie die ganze Zeit eingekauft wie eine Verrückte.«

»Was denn?«

»Schuhe.«

»Naja, soll in den besten Familien vorkommen.«

Sie schwiegen, abwechselnd ins Licht der Straßenlampen getaucht und von Dunkelheit umhüllt. Rudy schaltete das Radio an. Peter Gabriel sang »Salsbury Hill«.

»Außerdem kam ich mir am Ende vor wie kastriert.«

Dinah lachte. »Meine Freundin Connie sagt immer, es gibt keine Frauen, die Männer impotent machen, nur Männer, die impotent werden.«

Der Wagen bog scharf um eine Ecke, und Dinah fiel halb auf Rudy, der seinerseits an der Tür klebte. Als das Auto wieder geradeaus fuhr, legte Rudy den Arm um Dinahs Schultern. Ihre Hand lag mitten auf seiner Brust, ihre Gesichter waren nur noch wenige Zentimeter voneinander entfernt, die Augen weit aufgerissen, die Münder geschlossen. Dinah lachte nervös und ließ sich ein wenig nach hinten fallen.

»Natürlich«, fuhr sie fort, »könnte man mit gleichem Recht sagen, es gibt keine Herzensbrecher, nur Herzen, die gebrochen werden, und keine Nestbeschmutzer...«

»Kannst du eigentlich auch mal nichts sagen?« fragte er leise, ganz nah an ihrem Gesicht. Wieder fiel das Licht der Straßenlampen auf ihre Gesichter, als sie in einer Schlange von Autos zum Stillstand kamen.

»Klar«, sagte sie. Ihr Lächeln wurde weicher.

»Wann?«

Dinah sah ihn an, aus nächster Nähe, hautnah. »Bald, glaube ich«, flüsterte sie.

Ein Kribbeln lief auf leisen Sohlen ihr Rückgrat hinab. Mit schwächeren Gefühlen lassen sich Berge versetzen, dachte sie. Sie ahnte seine Welt, gleich hinter der Mauer. Als Indiz die weiche Stimme, die sich als Strick durch seine Kehle wand und sich dann um seine Worte legte. Was ist das für eine Welt? Welche Sprache spricht man hier?

Ihre Lippen lösten sich voneinander; atemlos sahen sie sich an. Dinahs Miene war ernst. »Ich hab viel darüber nachgedacht in letzter Zeit«, sagte sie, »und ich bin der Meinung, wir sollten uns allmählich mehr mit anderen Leuten treffen.«

Im Leben der Raben spielt der Rang in der Hackordnung eine große Rolle. Wenn sich ein Weibchen, das in der Schar einen hohen Rang innehat, mit einem untergeordneten Männchen zusammentut, dann legt es männliche Verhaltensweisen an den Tag – nimmt sogar während der Paarung die obere Stellung ein. Das Männchen akzeptiert die untergeordnete Rolle und zeigt seinerseits weibliche Verhaltensmuster.

4

Dinah war auf dem Rückweg vom Gynäkologen ins Büro. Sie ging ein wenig langsamer als sonst – die Antibiotika und das Aspirin, die sie gegen ihre jüngste Zystitis genommen hatte, zeigten noch keine Wirkung. Charlotte kam ihr schon in der Vorhalle entgegen.

»Nach Ihnen such ich gerade, mein kleines Fräulein«, rief sie. Die blauen Augen in ihrem großen Gesicht zwinkerten Dinah zu. »Wie geht's?« Charlotte legte den Arm um Dinah und zog sie mit in ihr Büro.

»Besser«, sagte Dinah tapfer. »Es geht mir schon wieder besser.«

Als sie sich gemeinsam durch die Bürotür zwengten, tätschelte Charlotte ziemlich grob ihren Arm. Sie ließ Dinah in einem Stuhl vor dem Schreibtisch Platz nehmen. »Connie hat mir erzählt, Sie waren beim Frauenarzt.« Charlotte hatte sich hinter ihrem Schreibtisch niedergelassen.

Dinah zuckte die Achseln und rutschte nervös auf dem Stuhl herum. Sie hatte ihren Blick auf das mit Skripten und Videos vollgestopfte Bücherregal gerichtet.

Charlotte lehnte sich bequem zurück und schlug ihre massigen Beine übereinander. »Zystitis«, begann sie, »einfach unentschuldbar. Ich war mal mit einem Typen zusammen, der sie mir regelrecht mit Absicht angehängt hat. Um seine Männlichkeit unter Beweis zu stellen oder so. Der Doktor meinte, er hätte noch nie so einen schlimmen Fall gesehen. Und als ich Doc davon erzählte – ausgerechnet Doc mußte der Kerl heißen –, da war er richtig stolz. Ich hätte drauf schwören können. So eine Art Trophäe war das für seinen... für seinen—«

»Charlotte, ich bin Ihnen wirklich dankbar für Ihre Anteilnahme, aber ich hoffe, daß nicht schon das ganze Haus über meine... Beschwerden auf dem Laufenden ist.«

Charlotte hob ihre feiste rosa Hand und winkte ab. »Nein, aber nein – ich hab nur vorher schon nach Ihnen gesucht, und Connie hat mir erzählt, wo Sie sind. Neugierig, wie ich bin, wollte ich wissen, warum. Das ist wirklich alles.«

Dinah blickte Charlotte voller Dankbarkeit an. »Entschuldigung, ich wollte ja nur –«

»Schon gut, schon gut, Kindchen – aber daß Sie mir beim nächsten Mal mehr Creme hernehmen und viel Preiselbeersaft trinken. Ja, warum ich Sie eigentlich sprechen wollte. Ich habe Ihre Entwürfe gelesen, mit den zwei neuen Figuren, Blaine und... äh...«

»Rose.«

»Rose, genau. Und ich muß schon sagen, wirklich Klasse. Gefällt mir. Ich denke, in der Richtung sollten Sie weiterarbeiten, die Figuren sind durchaus noch ausbaufähig. Arbeiten Sie mit Connie zusammen, wenn nötig. Ich würde die fertigen Entwürfe gern so bald wie möglich an den Sender schicken.«

Dinah starrte sie fassungslos an. »Aber Charlotte, das ist ja einfach super...«

Charlotte stand bereits, die Besprechung war allem Anschein nach zu Ende. »Ganz ausgezeichnet, nur weiter so.« Sie kam um den Schreibtisch herum und begleitete Dinah hinaus. »Besonders das mit dem Unterschied zwischen blöd und unangemessen. Ach ja, und das mit Camus. Vielleicht ein bißchen anspruchsvoll für die Sponsoren. Aber ich möchte es auf jeden Fall durchdrücken.«

Sie standen im Türrahmen, den Charlotte fast alleine ausfüllte. Sie strahlte wie ein Honigkuchenpferd. »Gute Arbeit, mein kleines Fräulein«, sagte sie zum Abschied. »Sie werden es bald zum Chefautor gebracht haben. Wer weiß, vielleicht sitzen Sie eines Tages sogar hinter meinem Schreibtisch. Jetzt aber wieder fleißig an die Arbeit. Und vergessen Sie die Creme nicht.«

Sie verpaßte Dinah einen mächtigen Schlag auf den Rücken und verschwand in ihrem Büro.

—

Zwei Frauen stehen vor einer Tür, hinter der Partylärm zu hören ist. Die Schönere der beiden ergreift verzweifelt die Hand der anderen, die kleiner und dunkler ist. »Laß mich nicht allein, Margie.«

Margie sieht sie spöttisch an. »Aber Rose, es ist doch nur eine Party. Beruhige dich.«

Rose greift in ihre Handtasche und holt eine Puderdose hervor. Sie öffnet sie und geht mit der Puderquaste über Nase und Kinn. Am Ende überprüft sie mit ernster Miene ihr Gesicht.

Margie lacht. »Findest du es nicht auch toll, wie wir uns im Spiegel anschauen? Dieser Gesichtsausdruck, den wir im normalen Leben niemals zeigen! Wenn ich schlau wäre, würde ich beim Auflegen meiner Kriegsbemalung reden.«

Die Tür öffnet sich, und das Partygeschehen wird sichtbar. »Angriff!« sagt Rose mit zittriger Stimme und verstaut die Puderdose in der Handtasche.

»Guten Abend, meine Damen.« Ein großer, dünner Mann mit einem Gesicht wie ein Hühnerhabicht steht vor ihnen. »Mein Name ist Kenneth O'Connor.«

»Und ich bin Rose Chassay.«

Kenneth betrachtet Rose. »Chassay. Was für ein wunderschöner Name. Klingt wie ein Tanz.«

»Genau«, wirft Margie ein. »Fragt sich nur, ob Allemande oder Square Dance.«

Sie bahnen sich ihren Weg durch die Menge bis zur Bar. »Zwei Margaritas, bitte«, sagt Margie. Rose läßt ihre Blicke durch den Raum schweifen. Die Leute unterhalten sich, trinken und tanzen. Plötzlich bemerkt sie am anderen Ende des Raums einen Mann, der mit einer dicken Frau spricht. Sie stößt Margie an.

»Hey – wer ist das bei Ruth?« Margie wirft einen Blick in die von Rose angedeutete Richtung. »Nicht so auffällig, bitte!« sagt Rose und wendet sich ab.

»Entschuldige. Liegt bei uns in der Familie.«

Jetzt sieht auch sie den Mann. Er sieht gut aus, hat blondes Haar und blaue Augen und trägt eine Brille mit Goldrand. »Der?« Margie nimmt aus der Hand des Barkeepers dankbar ihren Drink in Empfang. »Und ich hätte gedacht, den kennt jeder. Aber klar, du wohnst ja noch nicht lange hier. Das ist Blaine MacDonald, der mächtigste Anwalt in der ganzen Stadt.«

Rose dreht sich wieder um und beobachtet ihn vorsichtig über ihr Glas hinweg. »MacDonald«, sagt sie. »Ist das nicht…?«

»Erraten. MacDonald Industries. Das ist seine Familie. Reich wie Scheichs.«

Anstatt der schnellen erklingt jetzt plötzlich langsame Musik: »Salsbury Hill« von Peter Gabriel. Ein Spiegelballon glitzert und dreht sich inmitten des Raums, überbrückt den Abstand zwischen Blaine und Rose. »Jetzt nicht hinsehen«, flüstert Margie, »er schaut dich an.«

»Wirklich?« Rose ordnet sich das ordentliche Haar. Margie grinst hämisch. »Vorsichtig, Rosie, der ist gefährlich. Außerdem ist er so gut wie verlobt mit Avery St. Claire.«

»Du meinst doch nicht…?« setzt Rose an.

Margie nickt. »Die Schiffahrtsgesellschaft St. Claire.«

»Und was macht sie?«

»Was sie *macht?* Sie heiratet Blaine MacDonald, ganz einfach.«

Rose drückt Margies Arm. »Er kommt zu uns her«, sagt sie verstohlen. Blaine kommt näher, und alles im Raum verblaßt, verschwindet. Rose und Blaine im Mittelpunkt der Einstellung. Rose hört die Musik nicht mehr, sieht den blitzenden Spiegelballon nicht mehr. Dann stehen sie einander gegenüber, sprachlos und gebannt.

»Ich bin Blaine«, sagt er schließlich.

»Und ich bin Rose.«

Werbung.

Das Schlangenmännchen folgt dem Weibchen überallhin und versucht, ihm auf den Rücken zu kriechen. Dabei schnellt es zuerst mehrmals die Zunge heraus. In der Paarungszeit wird das Verhalten der meisten Schlangen von Pheromonen gesteuert, die in einer besonderen Drüse auf dem Rücken des Weibchens erzeugt werden. Am Geruch erkennt das Männchen, ob es sich bei dem Weibchen um den richtigen Partner handelt oder nicht. Das Männchen verfügt zur Begattung über zwei Geschlechtsteile. An jeder Seite des Schwanzes befindet sich ein Penis, und beide sind behaart und voll funktionsfähig; es benutzt sie jedoch nicht gleichzeitig.

5

Zum erstenmal verlor Dinah ihre Unschuld im Alter von fast achtzehn Jahren. Es passierte mit ihrem Freund Bud. Nur dieses eine Mal. Mit vierzehn hatte sie ihn kennengelernt. Wie sie lebte er in North Hollywood, nur zwei Blocks weiter. Er sah gut aus, hatte scharf geschnittene Gesichtszüge, pechschwarzes Haar und pechschwarze Augen. Er war das reinste Energiebündel, nervös wie ein Rennpferd. Irgend etwas schien ihn ständig zu neuen Taten anzustacheln. Oft trug er einen schelmischen oder verschlagenen Ausdruck im Gesicht, als hätte er gerade den Schauplatz eines gelungenen Streichs verlassen. Er war ein Meister in dummen Streichen, der genau wußte, wie man einen Lachsack am wirkungsvollsten zum Einsatz brachte und wen man mit kurzfristig an der Tasse haftenden Untertassen oder nächtlichen Telefonanrufen am besten zur Weißglut bringen konnte. Dinah und Bud bildeten zusammen mit Buds bestem Freund Mickey ein unzertrennliches Trio. Mickey war auch erst vierzehn, ein kleiner, stämmiger Junge mit pockennarbigem Gesicht und blauen, flehenden Augen. Zusammen zogen die drei durch die Straßen ihrer wild wuchernden Heimatstadt und suchten später, als sie schon ein wenig älter waren, auf dem Ventura Boulevard nach großen Abenteuern. Dinah tat alles, um genauso zu sein wie die Jungen, um von ihnen als Musketier oder besser Musketette akzeptiert zu werden. Drei Jahre lang war sie heimlich in Bud verknallt und Mickey in sie. Aber Bud liebte eine andere, liebte praktisch jedes ältere, schlanke Mädchen, das ihm über den Weg lief. Er hatte schon eine Affäre mit Suki hinter sich, einem älteren Mädchen mit einer Vogeltätowierung auf dem Knöchel und großen Brüsten ohne BH, der er noch immer nachtrauerte. So war Dinahs Verliebtheit allmählich in die reine, halb tragische Energie der späten Jugend übergegangen.

Zusammen zigeunerten die drei also herum. Jeder einzelne geplagt von einer unerfüllten Sehnsucht. Ungebärdig, fast erwachsen, getrieben von einem unbestimmten Verlangen.

Dann, nachdem sie sich schon drei Jahre kannten, borgten sie sich den Kombi von Buds Mutter und fuhren, ausgerüstet mit brandneuen gefälschten Ausweisen, nach Las Vegas. Während der sechsstündigen Fahrt dröhnte das Radio ununterbrochen. Sie schwammen mit im Strom der roten Rücklichter nach Nevada und ließen den Strom der weißen Lichter ruhig an sich vorüberziehen. Sie waren fast achtzehn; sie wollten es wissen.

»Was für ein Groove!« brüllte Dinah, als sich das Glitzern des Sunset Strip am Horizont abzeichnete. Die untergehende Sonne hing hinter ihnen am sich verdunkelnden Wüstenhimmel. »Groove hoch zwei Kingsize!« sang sie, ein Spruch, den sie sich im vergangenen Jahr ausgedacht hatte. »Groove hoch zwei Kingsize!« krähten sie jetzt alle miteinander, als der Wagen auf den Strip einbog. So weit das Auge reichte, breitete er sich pulsierend und leuchtend vor ihnen aus. Unheimlich und grell zog sie das geschminkte Grinsen der Neonleuchten immer tiefer in seinen Bann, hinein in die anrüchige Welt der Erwachsenen. Sie jauchzten und jubelten. Vegas! Wow!

Wow.

Zitternd vor Aufregung und Freude fuhren sie den Strip hinunter und versuchten, sich alles einzuprägen und einzuverleiben. »Nutten!« brüllte Bud, seine dunklen Augen glänzten. Mickey bekam einen Lachkrampf und versetzte Bud einen krachenden Schlag auf den Rücken. Nutten. Das war zumindest der Plan. Naja, oder eine wenigstens.

Der Plan sah vor, daß Mickey sich mit Hilfe einer Nutte ein für alle Mal seiner Unschuld entledigen sollte. Bud war schon seit Ewigkeiten keine Jungfrau mehr, jedenfalls behauptete er das.

Und deshalb hatte er beschlossen, daß jetzt endlich Mickey an der Reihe war. Die Zeit war reif für Mickeys Initiationsritus. Natürlich war auch Dinah noch Jungfrau, aber bei ihr war das was anderes; sie war ja ein Mädchen. Bei ihr zählte es nicht und war eher angemessen als blöd.

Also hatten die drei ihr Kapital zusammengeworfen, ihre Eltern ausgeplündert und waren losgebraust, um Mickeys Jungfräulichkeit den Garaus zu machen.

»Hey, girls!« rief Bud zu zwei Frauen hinüber, die auf der Straße gingen. Der Strip. Frauen ohne Begleitung. Und sie mitten drin. Beide kicherten, und eine rief zurück: »Hey Kleiner, wo sind denn deine Eltern?«

»In meiner Hose«, rief Bud. »Wollt ihr sie sehen?« Und sie düsten los in die Nacht. Mickey und Dinah klebten in ihren Sitzen, hilflos vor Lachen.

»Okay, also das ist der Plan«, sagte Bud mit gesenkter Stimme. Sie waren jetzt im Hotel, hatten zwei kleine, billige Zimmer gemietet. Die billigsten, die das Desert Sun anbot. Sie hatten gerade noch genug Geld für den Zimmerservice und eine Hundert-Dollar-Nutte. »Wieso sprecht ihr denn so komisch?« wollte Dinah wissen und ahmte dabei Buds verschwörerischen Tonfall nach. »Meint ihr, es gibt hier Wanzen?« Sie setzte ein feines, spöttisches Lächeln auf.

»Wir sind doch noch nicht volljährig«, antwortete Bud im gleichen Ton. »So muß man eben reden, wenn man noch nicht volljährig ist. Ich ruf jetzt den Portier an und bestelle ein Mädchen für den Abend aufs Zimmer. Mickey, du machst dich schon mal fertig.«

»Okay.« Mickey warf Dinah einen resignierten Blick zu und machte sich auf den Weg ins Badezimmer. Nervös und aufgewühlt. Dinah beobachtete Bud, der auf dem Bett saß und den Hörer ans Ohr hielt. »Ich bleibe dran«, sagte er mit leiser Stimme ins Telefon. »Und was soll ich machen?« flüsterte Dinah. Sie wußte ganz genau, was für eine Auszeichnung es bedeutete, an diesem Männlichkeitsritual, an dieser Jungenwelt teilnehmen zu dürfen. Bud legte die Hand über die Hörermuschel. »Du paßt auf, daß der Recorder funktioniert.« Dinah nickte ernst und öffnete die Tasche mit dem Recorder. Sie zögerte, die Stirn gerunzelt. »Aber ich versteh immer noch nicht, warum wir das aufnehmen müssen.« »Für später!« zischte Bud. Er nahm die Hand von der Muschel und sprach wieder ins Telefon: »Ja, ich bin hier.«

Woher wußte Bud nur, wie man sich in solch einer Situation verhält? Andererseits leuchtete es Dinah völlig ein, daß es irgendwie Buds Aufgabe war, sich in solchen Dingen auszukennen. Sie fielen in seinen Bereich. Seine zukünftige Welt.

Dinah überprüfte den Recorder. »Test«, sagte sie und hielt das Gerät ganz nah an den Mund. »Eins, zwei, drei.« Dann verbesserte sie sich, nur so oder für später: »Ficken… eins, zwei, drei.« Sie spulte die Kassette zurück und hörte sich das Ganze befriedigt an. Mickey trat aus dem Bad, das Haar nach hinten geklatscht und mit einer verknitterten Krawatte um den Hals. Bud legte auf. »Alles läuft nach Plan!« verkündete er. Als er Mickey sah, fing er an zu lachen. »O Mann, willst du auf 'nen Schulball, oder was?« Er packte Mickey an der Krawatte und zog daran. Mickey befreite sich, rot im Gesicht vor Verlegenheit. »Du hast doch gesagt, ich soll mich fertig machen«, stotterte er.

»Du sollst dich nicht mit jemandem treffen, du Idiot!« Vor lauter Nervosität hüpfte er auf der geblümten Bettdecke hin und her, die verrutschte und sich um seine Beine wickelte. »Du sollst dir einen blasen lassen!«

Mickey schmollte, behielt aber die Krawatte um. Dinah zog die Vorhänge auf und öffnete die Schiebetür auf den Balkon, von dem aus man durch das Geäst eines Baums den Swimmingpool sehen konnte. Sie atmete die nächtliche Wüstenluft tief ein und lehnte sich über die Brüstung. Sie hatte es geschafft, war genau wie die Jungens geworden. Sie ging wieder hinein, tauchte ein in die läuternde Aura des Allerheiligsten und kuschelte sich in einen flauschigen blauen Samtsessel. Bud hüpfte vom Bett herunter und verpaßte dem armen Mickey ein paar scherzhafte Rippenstöße. Dann zerzauste er ihm das blonde Haar. »Alles klar, Kumpel?«

frotzelte er. »Der Tag X ist gekommen, Herr Spritzmeister. Stillge-standen! Die Stunde der Entjungferung naht. Zeit, der Sache auf den Grund zu gehen!«

»Hör schon auf damit«, flehte Mickey. Er stieß Bud zur Seite und steckte sich das Hemd wieder in die Hose.

Es klopfte an der Tür. Alle standen wie gelähmt, regungslos in einem pubertären Tableau. Bud faßte sich zuerst und fragte: »Wer ist da, bitte?« Mickey lief in Panik zurück ins Bad, um sich noch mehr Rasierwasser drüberzuschütten. »Was machst du denn?« zischte ihm Bud nach.

»Carol«, rief eine Stimme vor der Tür. »Der Portier schickt mich.«

Mickey stand weiß wie ein Laken in der Badtür und starrte ins Leere. Seine Arme baumelten nutzlos herab. Eine überdimensio-nale After-Shave-Wolke ging von ihm aus.

»Einen Augenblick, bitte!« rief Bud und riß den Recorder an sich. Dinah überlief es eiskalt. Sie nahm Mickeys Hand. Er sah sie niedergeschlagen an.

»Tu's für uns alle«, bat ihn Dinah sanft.

»Mir reicht's, wenn ich's für mich selbst tun kann.«

Bud klatschte Mickey einen Schlüssel und ein Kondom in die Hand und gab ihm die Jacke, in der der Recorder versteckt war. »Für die Nachwelt, Kumpel.« Er klopfte ihm auf die Schulter. »Das nächste Zimmer. Wir sind hier.« Mickey hätte gern dankbar dreingesehen, brachte aber nur eine Miene zuwege, die auf Übelkeit schließen ließ. »Also mein Junge, jetzt kannst du zeigen, was du im Sack hast.«

Dinah zog eine Grimasse. »Bud! Du mußt es nicht noch unromantischer machen, als es eh schon ist.«

»Hallo?« rief Carol vor der Tür. »Ich komm schon!« rief Bud zurück. Seine dunklen Augen funkelten. »Kapiert, Alter? – ›Ich komm schon!‹ Aber nicht zu früh! Also los, ich will sie schreien hören.«

Bud schob Mickey zur Tür. Er sah aus wie ein zum Tode Verurteilter auf dem Weg zum Galgen. Er versuchte sich zusammenzureißen und öffnete die Tür. Dinah stürzte ins Bad, die Hand vor dem Mund, hielt die Luft an, wollte dieses Mädchen nicht sehen, diese Frau, wollte von dieser Hure nicht gesehen werden.

Dinah wartete im Neonlicht, sah die immer noch intakte Plastikumhüllung auf der Toilette und Mickeys offene Rasierwasserflasche über dem Waschbecken. Das ganze Bad stank danach. Sie schraubte die Flasche zu. Betrachtete ihr Gesicht im Spiegel und fuhr sich mit der Hand durchs Haar. Die haselnußbraunen Augen ihres Vaters starrten sie an. Wie abwesend strich sie sich über das Gesicht. Heller Teint, gar nicht mal so schlecht. Ein anderes Gesicht wäre ihr natürlich lieber gewesen, aber auch mit diesem kam sie klar. Es gab bestimmt häßlichere. Wie die Nutte wohl aussah? Sie wünschte sich, ein Junge zu sein, um ungestraft – nach Rasierwasser stinkend und eine Krawatte um den Hals – ihre Unschuld verlieren zu können. Bud klopfte an die Tür. »Die Luft ist rein«, teilte er ihr in seinem noch nicht volljährigen Flüsterton mit. Dinah kam heraus. Bud stand im Halbdunkel und preßte das Ohr gegen die Wand. Er hatte das Licht ausgeschaltet. Er winkte Dinah zu sich. Sie stellte sich neben ihn und legte ebenfalls das Ohr an die Wand. Sie war kühl. Nichts zu hören. Sie hielt den Atem an. »Es ist keine Vogelscheuche«, flüsterte Bud. Sein Atem strich warm über ihr Ohr, er roch schwach nach Bier. »Ich hab gesagt, sie sollen eine mit zarter Haut schicken.« Er betonte seine Worte mit einem entschiedenen Kopfnicken. Dinah nickte ihrerseits. Immer noch war es auf der anderen Seite der Wand totenstill. Sie drehte sich zu Bud um, der hinter ihr stand. Jetzt drangen gedämpfte Stimmen durch die Wand. Das Quietschen eines Betts.

Bud legte ihr die Hand auf die Schulter und zog sie nach unten. Sie kauerten einander gegenüber auf dem Boden, das Ohr an die kühle Wand gepreßt, schauten sich an, reglos, verloren in dem Sturm, der sich über Mickey zusammenbraute. Aus dem Nebenzimmer drang ein Stöhnen. Vor Überraschung weiteten sich ihre Augen und verengten sich dann wieder, weil sie lachen mußten. Bud forderte sie mit einer Handbewegung zum Schweigen auf, aber sie konnte nicht aufhören und fiel auf den weißen Teppich, Tränen in den Augen. Dann plötzlich wieder ein Laut von drüben. Carols Lust brach sich in einem einzigen Wort Bahn: »Wow.« Woooow. Als ob Mickey etwas Unvorstellbares, etwas noch nie Dagewesenes mit ihr anstellte. Dinah mußte noch mehr lachen. Bud schüttelte den Kopf, kratzte sich an der Nase und gab ein Furzgeräusch von sich. Sie lachten jetzt alle beide, lautlos, atemlos, mit rot angelaufenem Gesicht. Die Tränen liefen ihnen über die Wangen. »Schsch!« machte Bud endlich und schnappte nach Luft. Er setzte sich auf Dinahs Bauch und legte ihr die Hand auf den Mund. »Schsch!« mahnte er noch einmal, hätte es aber vor Lachen fast nicht mehr herausgebracht. Wieder drang ein Stöhnen aus dem Nebenzimmer: »Wooow.« Dinah äffte es nach: »Wow.« Bud knickte über ihr zusammen, Carols Stöhnen löste neue Lachorkane aus. »Mein Gott, was macht der bloß mit ihr?« japste Bud. Beide waren außer Atem: Buds Gewicht hielt Dinah fest, drückte sie nieder. Sie drückte dagegen. Er stützte sich auf die Ellbogen und legte sein Gesicht an ihres, an ihr tränenüberströmtes, lachendes Gesicht. Sein Bieratem berührte ihre Wange. Sie spürte seine Wärme, seinen Herzschlag, ihre Wärme, ihren Herzschlag. Bud verlagerte sein Gewicht und küßte sie, immer noch lächelnd. Der Kuß wurde fordernder. Dicke, klebrige Küsse. Seine Hände strichen über ihren Körper. Mit einem Bein schob er ihre Beine auseinander.

Stöhnen dringt durch die Wand. Sie hören es nicht mehr, lachen nicht mehr. Sein Mund streift über ihren Hals, er zieht ihr den Pullover über den Kopf, seine Zunge wandert über ihre Brüste. Seine Hände folgen nach. Ihre Augen geschlossen, den Kopf im Nacken, eine Hand auf seiner Hüfte, die andere über ihrem Kopf. Seine Hüften bedrängen, bestürmen sie. Er schiebt ihren Rock hoch. Was machen wir hier eigentlich, denkt sie. Der Augenblick umfängt sie, reißt beide mit sich fort. Bud zerrt an ihrem Höschen. Jetzt gleiten seine Finger über sie, in sie hinein. Beide atmen schwer. Die Hände auf seinen Schultern, Mund an Mund. Er macht den Gürtel auf, als nächstes die Jeans. Reißt die

Reservepackung Kondome auf, ihre Beine gespreizt, der Rock hochgeschoben bis zur Taille, seine Jeans nach unten gerutscht, sein Penis wild entschlossen. Nein! denkt sie. Nicht... nicht jetzt... nein. Hart stößt er in sie hinein. Sie fängt an zu schreien, ein Quieken nur; seine Hand verschließt ihren Mund. Er stößt weiter, unregelmäßig, grob. Ihre rollenden Augen über seiner Hand. Ein Stöhnen hinter der Wand, gespenstisch, weit weg. Dinahs Hände packen seine Arme, ihre Nägel vergraben sich in seiner Haut. Buds konzentriertes Gesicht. Eine Grimasse der Lust, der Freude am Augenblick. Nicht so, denkt sie. Seine Bewegungen werden regelmäßiger. Sie schließt die Augen. Ergibt sich in ihr Schicksal. Er stößt schneller. Sieht anders aus. Kehrt wieder in sich zurück, als er plötzlich erstarrt und ein leises Wimmern von sich gibt. »O... o Gott.« Er betet zu seinem Schöpfer. Sein Gebet versinkt in ihr, sein Leib Christi, ihr Blut, Kommunion der Geschöpfe. »Ich komme... ich komme.« Er läßt sich fallen, schweißgebadet, ausgelaugt. Wie konnte das Ding nur in ihr Platz haben? Unbegreiflich... aber... es ist passiert. Die Lust verschwindet genauso urplötzlich im Nichts wie sie gekommen ist.

Bud seufzt. Sie schließt die Augen, immer noch unter seinem Gewicht begraben – mit gespreizten Beinen, hämmerndem Herzen, trockenem Mund, enttäuscht, entmutigt. Im Nebenzimmer öffnet und schließt sich eine Tür.

Bud fuhr hoch. »Scheiße!« Hastig machte er sich von ihr los. Sie zuckte zusammen. Ihr Haar war feucht und zusammengedrückt, die Stirn glänzte. »Tut mir leid«, sagte er und zog seine Hose hoch. »Sie kommen.« Sie setzte sich auf, fand ihr Höschen am rechten Knöchel, zog es wieder an, schob den Rock nach unten, weltmüde, des Lebens als Mädchen müde. Sie streifte den Pullover über den Kopf, fuhr sich mit den Händen durchs Haar. Sie hörten zwei Stimmen vor der Tür. Mickey und die Nutte, die Hure beim kurzen Abschied. Bud und Dinah wagten es nicht, sich in die Augen zu sehen. Sie bewegte sich steif, zwischen den Beinen klebte es. War das alles gewesen? »Geht's?« sagte er, nicht als Frage, ohne eine Antwort zu erwarten. Sie nickte stumm, als er den Gürtel zuschnallte. »Wir dürfen es Mickey nicht sagen«, setzte er hinzu, den Kopf nach unten, immer noch mit der Gürtelschnalle beschäftigt. »Er liebt dich nämlich. Es würde ihn verletzen.« Endlich warf er Dinah einen Blick zu, scheu und treuherzig. »Beim nächsten Mal macht es bestimmt mehr Spaß.« Er lächelte, hatte sich wieder im Griff; Dinah hätte das nicht von sich behaupten können – sie fühlte sich Lichtjahre entfernt von dem, was sie vorher, vor langer Zeit gewesen war.

Um zwei Uhr nachts kletterten die drei wieder in den Kombi von Buds Mutter und fuhren zurück nach Süden, nach Hause. Sie konnten nicht schlafen und waren rastlos und hellwach, obwohl sie das Ziel ihres Ausflugs erreicht hatten. Der frisch entjungferte Mickey saß am Steuer, gelassen, gestählt für den Rest seines Lebens. Dinah saß hinten, das Fenster war offen, der Wind blies ihr ins Gesicht. Pausenlos ratterten ihr die Ereignisse durch den Kopf. Sie hatte Angst vor dem Rest ihres Lebens. Sie saß mit übergeschlagenen Beinen da, ihr Höschen war feucht. »Spiel den letzten Teil noch mal«, sagte Mickey zu Bud, der den Recorder im Schoß hatte. »Mick, wir haben es uns jetzt schon ungefähr tausendmal angehört«, stöhnte Bud und schielte dabei aus dem Augenwinkel nach Dinah. »Ach was!« Mickey war wie neugeboren, sein pockennarbiges Gesicht strahlte vor Stolz. »Zweimal, nicht tausendmal. Hey, was ist los mit euch? Ihr habt doch gesagt, daß ich's machen soll. Ihr habt es doch unbedingt aufnehmen wollen. Scheiße, was ist eigentlich los mit euch? Auf einmal kriegt ihr das Maul nicht mehr auf. Seit wir aus dem Hotel raus sind. Nein, vorher schon, bevor wir gegangen sind.«

Nach Mickeys Ausbruch schwiegen alle drei. Dinah beugte sich nach vorn und klopfte ihm auf die Schulter. »Wir sind beide sehr stolz auf dich, Mick.« Bud sah flüchtig nach hinten zu Dinah, dann wandte er sich wieder zu Mickey. »Yeah«, bestätigte er dumpf. Und noch einmal: »Yeah.« »Naja, auf jeden Fall laßt ihr euch nichts anmerken«, maulte Mickey. »Wenn ich gewußt hätte, daß ihr euch so aufführt, dann hätte ich mich nie drauf eingelassen.« Bud ließ das Band zurücklaufen. »Na komm schon, wir hören es uns noch mal an, okay?« Er vermied es, Dinah anzusehen und rutschte nervös auf seinem Sitz hin und her. »Vergiß es«, sagte Mickey. »Mir zuliebe braucht ihr's euch nicht anhören.« Er schmollte jetzt, wie es sich gehört nach einem Koitus. Bud drückte auf ›Play‹. »So ist es gut«, sagte eine weibliche Stimme im Recorder. »Wirklich Klasse. Jaah«, feuerte Carol Mickey an; der stöhnte: »Wow!«

»Schalt es ab!« zischte Mickey giftig und wechselte die Fahrspur. Auf einem Schild stand: »Los Angeles – 74 Meilen.« »Nein, wir hören es uns noch mal an.« Schweigend fuhren die drei durch die Nacht Richtung Los Angeles und hörten sich die Kassette an, die Mickeys Initiation dokumentierte. Carol stöhnte: »Ja, o ja. Ist das nicht super?« Und Mickey antwortete: »Ja. O Gott!«

Im Morgengrauen ließen sie Dinah aussteigen. Sie winkte zum Abschied. Bis demnächst. Vorsichtig öffnete sie die Haustür und zog sie leise zu. Sie ging in ihr Bad und machte Licht. Dasselbe Gesicht wie in Las Vegas starrte ihr aus dem Spiegel entgegen. Aber als sie noch näher hinging, blickten ihr ihre eigenen Augen nüchtern und düster entgegen. Es stimmte also; sie sah anders aus. Sie hatte sich verändert – würden es alle merken? Würde ihre Entehrung bekannt werden und sie als Schlampe dastehen? Sie mußte absolutes Stillschweigen von Bud verlangen, soviel stand fest. Wenn sie es nicht noch mal machten, dann konnte sie vielleicht irgendwie Buße leisten für ihr Vergehen – einmal war keinmal, und sie war wieder rein und unschuldig. Die helle, die fröhliche Verheißung einer vollkommenen Einweihung stand noch vor ihr, und sie durfte wieder der ungelesene Brief sein und nicht das Altpapier, zu dem sie über Nacht geworden war. Sie konnte die Ereignisse nicht ins Romantische umdichten (Bud fällt vor ihr auf die Knie, fleht sie um ihre Hand an und schwört ewige Treue bis in den Tod). Nein.

Also durfte sie nicht mehr daran denken. Nie mehr. Sie zog sich aus, streifte das Nachthemd über. Schon seit ein paar Stunden spürte sie ein seltsames Brennen und Ziehen im Unterleib. Sie hatte kaum geblutet; woher kam das nur? Sie setzte sich auf die

Toilette, und ein scharfer, stechender Schmerz bohrte sich tief in sie hinein. Aah. Dinah ließ den Kopf sinken. Legte die Stirn in Falten, preßte die Knie zusammen. O nein! Die Strafe! Feuer, Verdammnis, die Strafe Gottes für ihre... ihre was? Frevel – wie würden sich die anderen das Maul zerreißen? Lockere Moral, Lotterleben. O nein. Eigentlich hatte sie nie so richtig an Gott geglaubt, bis die Strafe sie nun in die Knie zwang, bis sie mit gefalteten Händen und zurückgelegtem Kopf zum Himmel betete: »Bitte. Es tut mir leid, ich wollte ja nichts Böses tun. Ich wollte ihn aufhalten. Ich schwöre es! O bitte.« Das Brennen blieb. Sie wusch sich mit Wasser, hatte ein Gefühl, als müßte sie pinkeln, aber nein, es war nur der Schmerz, dieser finstere, weißglühende Schmerz zwischen den Beinen. Ihr Schandmal, der scharlachrote Buchstabe, der ihrem Inneren mit einem glühenden Eisen aufgebrannt worden war.

Schließlich schlief sie doch noch ein, aber als sie aufwachte, kam auch der Schmerz wieder. Den ganzen Sonntag über trug sie einen feuchten Waschlappen im Höschen. Spürte den Stachel der Scham in sich. Bud und Mickey ging sie tagelang aus dem Weg. Hatte Gott sie mit Krebs bestraft? Sie war außerstande, jemanden danach zu fragen. Wie man es heilen konnte? War es überhaupt heilbar? Mußte sie sterben? Das deprimierende Gefühl ließ sie nicht los, daß sie sich das alles selbst zuzuschreiben hatte, weil sie nicht nein gesagt hatte zu Bud, weil sie sich nicht sein Mißfallen, seine Verachtung zuziehen wollte. Der Wunsch, zu ihnen zu gehören, war so stark gewesen, daß sie sogar das mit sich hatte geschehen lassen. Und jetzt stand sie mit leeren Händen da. Mit ihrem Waschlappen gegen den geheimen Gotteskrebs ging sie zur Schule, aufgewühlt und voller Scham. Im Verlaufe der Woche ließ das Brennen allmählich nach. Sie stürzte nicht mehr ins Bad, betete nicht mehr zu ihrem erzürnten, strafenden Gott. Aber die Freundschaft zu Bud und Mickey erholte sich nie mehr von diesem Schlag. Sie flackerte noch einige Male auf und erlosch dann allmählich ganz. Dinah nahm Bud das Versprechen ab, mit niemandem über das Vorgefallene zu reden. »Niemals!« drängte sie. »Nie«, gelobte er und sah gequält auf seine abgetragenen Schuhe hinunter.

Jahre später, als sie erfuhr, daß sie Zystitis gehabt hatte – ihre Freundin nannte es »Flitterwochenzystitis« –, blickte sie kopfschüttelnd zurück auf die Zeit, in der sie ihren Gotteskrebs mit sich herumtrug, und lächelte in sich hinein. O Mann, dabei gab es Pillen dafür! Für diese Blaseninfektion, die sich nach dem Geschlechtsverkehr einstellen konnte, wenn eine Frau sehr selten oder nach langer Zeit wieder – oder überhaupt zum ersten Mal – mit einem Mann schlief; oder zuoft mit zuwenig Creme oder zuwenig Vorspiel. Später sah sie Bud und Mickey wieder; der eine war inzwischen Vertreter, der andere Gastwirt geworden. Aber damals, mit knapp achtzehn und ihrem scharlachroten Krebs wollte Dinah ihre Unschuld so schnell nicht noch einmal verlieren.

Das zweite Mal verlor Dinah ihre Unschuld an Henry Stark, einen Kunstlehrer. Seit dem Debakel mit Bud hatte ihre Jungfräulichkeit keinen weiteren Schaden gelitten. Sie war jetzt achtzehn und wie fast alle ihre Freundinnen ernstlich an einer Liebesbeziehung interessiert. Sie hatte sich zwar mit ein paar Männern auf Sofas und in Autos herumgebalgt, aber keinem hatte sie Zutritt zum Mysterium ihrer dunklen Grotte gewährt – eine Bezeichnung, für die sie eine Schwäche hatte. Niemand durfte etwas abheben von ihrem Unschuldskonto.

Zwar hatte sich ein Junge aus ihrer Filmklasse in sie verliebt, aber irgendwie machte ihr der Gedanke angst, sich mit ihm auf irgend etwas einzulassen. Es ging einfach nicht. Außerdem vertrug sie sich ganz gut mit ihm, und das wollte nicht zu ihrer geheimen Zwangsvorstellung passen, daß wahre Liebe etwas Beunruhigendes war, zermürbend und bestürzend. Sie dachte, daß man jemand nur dann lieben konnte, wenn man nicht so recht wußte, was man zu ihm sagen sollte.

Dinah kannte Henry nur vom Sehen aus der Schule. Auf dem Parkplatz lief er ihr oft über den Weg. Auslöser war, daß sie ihre Schlüssel im Auto eingeschlossen hatte und gerade auf ziemlich hilflose Weise versuchte, den Wagen aufzubekommen. Schon aus einiger Entfernung sah er, wie sie mit einem Stock im offenen Fensterspalt herumstocherte, um irgendwie das Schloß zu öffnen.

»Darf ich fragen, was Sie da eigentlich machen?« wollte er mit strenger Stimme wissen. Dinah war zu geladen, um sich in diesem Augenblick von ihm aus der Fassung bringen zu lassen. »Ich koche«, entgegnete sie. »Ich rühre mit diesem Stock die Zutaten in meinem Auto um. Darf ich Sie vielleicht einladen?«

»Nein, danke.« Er ging zum Kofferraum seines Autos. »Aber ich glaube, ich habe da eine Zutat, die in Ihrem Gericht nicht fehlen sollte.« Er holte einen Haken aus seinem Wagen und öffnete ihr die Tür. Er trug ein hellblaues Hemd und eine senffarbene Hose. Unter den Achseln zeichneten sich schmale Schweißränder ab. Er sah gut aus, wirkte streng, beherrscht, verheiratet, und tatsächlich zierte ein dünner Goldring die richtige Hand. »Vielen Dank«, zwitscherte Dinah. »Hat Ihnen schon mal jemand gesagt, daß Sie aussehen wie der Mann aus der Marlborowerbung?« fragte sie, um ihn aufzuhalten.

Er stand jetzt nahe bei ihr. Sie blickte zu ihm auf. Grinste er etwa? »Sie.« Aus nächster Nähe blickte er auf sie herunter. Beide atmeten wegen der Anstrengung ein wenig schwerer. Dinah zog den Kopf ein und lächelte nach unten. Dann kam es: »Hat Ihnen schon mal jemand gesagt, daß Sie mit mir auf einen Drink gehen?«

Er versprach, sie rechtzeitig wieder zurückzubringen, keine Angst – was war denn schon dabei –, fast, als redete er von etwas ganz anderem. Taxierte sie, nahm ihr das Maß ab für den Sarg, für den gemeinsamen Sarg, in dem sie nachts miteinander begraben liegen würden. Sie setzte sich auf den Beifahrersitz. Er hatte das Kommando übernommen. Über sie. Über die ganze Situation. Wickelte sie ein wie in ein Lasso, riß sie mit sich fort zur Bar. So sind also ältere Männer, dachte sie, verheiratete Männer; so selbstsicher wie Könige.

Auf der Fahrt zum Elbow Room schwiegen sie. Henry sah sie

61

von der Seite an, sein Gesicht war so... was eigentlich? Ein Lächeln verbarg sich darin. Er hatte sie im Sack. Sie wußte, daß er wußte... Der Rest diente nur als Überbrückung, als Pausenfüller. Das Gespräch an der Bar, die Namen, was er machte, das Alter, ihre Studien – alles nur Pausenfüller. Und sie wurde das Gefühl nicht los, daß er eigentlich von etwas ganz anderem sprach. Kaum merkliche Ablehnung und ungeduldige Lust lauerten knapp unter der Oberfläche und sickerten immer wieder durch. Sie nahm eine Zigarette, und er zündete sie an, als hätte ihm das gerade noch gefehlt. Dinah hatte noch nie in ihrem Leben so einen Mann kennengelernt; wie an ein Tier hatte er sich an sie herangepirscht, so ganz nebenbei, die Sache war ohne Belang und schnell erledigt, und sie wußte, er würde sie zur Strecke bringen. Sie hatte ihr Stimmrecht eingebüßt. Fast grob nahm er ihre Hand. »Sie kauen an Ihren Fingernägeln.« Dinah zog die Hand zurück und wurde rot. »Ich reiße sie«, verbesserte sie, als sei dies eine würdigere Beschäftigung. »Ich kaue nicht an meinen Nägeln, ich reiße daran, schäle sie sozusagen – und meistens die Daumen.«

»Aha.« Sein Blick hielt den ihren gefangen, entschlossen, gleichgültig.

»Es stimmt wirklich, sehen Sie doch.« Sie hielt ihm den Daumen hin. Er sah ihr noch immer in die Augen.

»Ich glaube es Ihnen«, sagte er. Dinah lachte, klammerte sich an ihren Drink. »Sie behandeln mich wie ein Kind oder lachen mich aus.« Oder mästen mich für das Schlachtfest, dachte sie. Machen mich kirre...

»Nana.« Er lehnte sich zurück, schaukelte mit dem Stuhl an die Wand, die Hände über dem Kopf. »Und warum sollte ich so was tun?«

Dinah blieb ihm die Antwort schuldig und kippte statt dessen ihren Drink hinunter. Ihren zweiten. »Schmeckt gut, das Zeug. Was ist das eigentlich?«

»Tequila«, antwortete er. »Der einzige halluzinogene Schnaps, den es gibt. Ein Wurm ist auch drin.« Er ließ den Kellner nachschenken und drehte sich eine Zigarette. Dinah spürte ein leichtes Ziehen im Magen.

Sie stiegen wieder in sein Auto, Dinah jetzt schon ziemlich betrunken. Das einzige, was ihr gegen ihre Nervosität in Gegenwart dieses Prachtexemplars half. Ohne ein Wort zog er sie an sich. Ihr Herz hämmerte, sein Mund lag auf ihrem. Er schien überlebensgroß, überwältigend. Seine Hände wanderten unter ihrem Rock nach oben. »Warten Sie«, flüsterte sie außer Atem.

»Ich warte.«

Neben ihm schrumpfte sie immer mehr. Jahrelang erinnerte sie sich an das Geräusch ihrer Hand, die am Hemdstoff auf seinem Rücken hinunterglitt. »Wo wohnst du?« fragte er. Dinah saß mit weit aufgerissenen Augen da. Die Augen aufgerissen und völlig aufgeschmissen. »Aber…« Seine Augen in nächster Nähe. Sie schloß die ihren und sagte ihm die Adresse. Sie fuhren hin, seine Hand lag noch immer auf ihr. Sie steckte den Schlüssel ins Schloß und drehte um. Seine Hände auf ihrem Hintern, auf den Hüften, den Schenkeln. Sie war wie gelähmt. Er schob sie nach vorne, schob sie durch die Tür – alles war zu einer genitalen Metapher geworden. Ich werde genommen, du nimmst mich. Dinah streckte den Arm aus, um das Licht anzuschalten; er zog ihre Hand zurück. »Nein.« Ein Befehl aus dem Mund ihres neuen Königs, sein Zepter an ihre Krone gedrückt, sein Schlüssel vor ihrem Schloß. Er warf die Tür zu und zog ihr das Hemd über die Schultern.

»Wie bei den Neandertalern«, flüsterte sie.

»Besser, du schweigst.« Er legte ihr seinen großen Zeigefinger auf den Mund. Er kniete sich hin, zog ihren Rock weg und drückte das heiße O seiner Lippen auf ihre Scham.

Dinah wurde ohnmächtig.

Henry brachte sie einige Sekunden später mit ein paar Schluck Wasser wieder zu sich. Herr über die Lage, das Universum, ihr Schicksal. »Trink langsam.« Sie tat ihm den Gefallen und trank das Wasser in langsamen, tiefen Schlucken. Seine Lippen wanderten erneut ihre Beine hinauf bis ans Ziel.

Und wieder hatte jemand etwas abgehoben von ihrem Unschuldskonto.

Wer war dieser Kerl, wer waren diese Kerle, diese Männer? Was waren sie?

Als die Flutwelle verebbt war und Henry nach Hause ging, blieb sie allein zurück, gestrandet auf ihrem Bett, hellwach, unfähig, sein Bild abzuschütteln. Sie fühlte sich in ihrem eigenen Kopf eingeschlossen, wollte den einen Gedanken finden, der sie wieder hinausführte, dorthin, wo sie noch vor einigen Stunden gewesen war. Aber der Ausgang aus ihrem Kopf war dicht, das rostige Schloß versperrt. Und Henry saß mitten drin. Er saß hoch oben in ihrem Kopf und sah aus ihren Augen heraus.

Von nun an trafen sie sich jeden Donnerstag in ihrer Wohnung zum Neandertalersex. Es war aufregend für sie und einsam, ein Wechselbad der Gefühle. Sie betete ihn beinah aus der Ferne an, liebte ihn, so sehr sie es angesichts ihrer Lebenserfahrung und der Tatsache, daß sie ihn kaum kannte, konnte. Und gleichzeitig sehnte sie das Ende ihrer Verblendung herbei. Wie konnte sie so nur leben? Außer Atem, wund, ständig aufgewühlt, abwesend, euphorisch. Nachts betete sie, daß ihr Zustand sich zumindest ein wenig bessern möge, und am Morgen fuhr sie hoch – war sie fort, die unerträgliche Spannkraft des Gedankens an ihn? Gleichzeitig aber wünschte sie den Irrsinn wieder herbei. Das Sieden und Summen im Blut und in den Knochen, ein langsames, hämmerndes Pochen – überschäumend und prickelnd. Lebendig. Sie sehnte ihren wankelmütigen Dämon herbei.

Sie wußte nicht, was sie eigentlich mit ihm anfangen sollte, aber sie mußte sich auch nicht entscheiden, weil sie die meiste Zeit ohne ihn auskommen mußte. Und so saß sie, wenn sie sich nicht gerade ihren Zweifeln hingab, vor dem Fernseher. Das waren Dinahs Anfänge als gemäßigte Masochistin.

Jeden Donnerstag erinnert sich Dinah nun an den Geruch seiner selbstgedrehten Zigaretten, an seine unleugbare Gegenwart und Kraft, an die Zystitis und die Antibiotika. Donnerstag ist Badetag.

Henry brachte es irgendwie fertig, daß sein Schweigen nach Entschlossenheit und nicht nach Zufall aussah. Dinah konnte da nicht mithalten. Sie blieb stumm, weil sein Schweigen so streng und endgültig schien. Er setzte sein erwachsenes, apathisches Pokerface auf, während sie irgendwo in seiner Peripherie dasaß und ihm mit ironischen Blicken zu verstehen gab, daß sie ihn durchschaute.

Einmal sagte er, sie habe die Augen eines Rehs und den Mumm eines Samurai. Bei einer anderen Gelegenheit hätten sie sich beinah gestritten. Hätten beinah unverschlüsselt miteinander gesprochen. Damals sagte sie zu ihm: »Ich bin kein Samurai.«

Aber dann waren auch die Diskussionen über diesen Punkt hinfällig. Nach ungefähr zwanzig Donnerstagen bekam Henry eine Stelle in Chicago und zog fort. Später hörte sie, daß er sich hatte scheiden lassen und jetzt mit einer anderen verheiratet war. Eine, der er treu war. Eine, mit der er seine Donnerstage verbrachte. Eine, die er an den Haaren in seine Höhle geschleift und mit dem Bärenfell seiner Existenz zugedeckt hatte.

So verlor Dinah ihre Unschuld zum zweiten Mal.

Zum dritten und letzten Mal verlor Dinah ihre Unschuld in ihrem Abschlußjahr am College. Innerlich hatte sie sich wieder in den Zustand einer Jungfrau zurückversetzt, weil es den ersten beiden Versuchen so sehr an Liebe gefehlt hatte. Wenn ihre Freunde ihre sexuellen Erfahrungen zur Sprache brachten, ließ sie die ihren einfach unerwähnt. Noch nie hatte sie irgend jemandem von ihren Verabredungen mit Henry oder ihrem Trip nach Las Vegas erzählt. Es hätte sie zu sehr gedemütigt. Mit Bud und Henry war es nicht so gelaufen, wie sie es sich vorgestellt hatte, also strich sie die beiden einfach aus ihrem Gedächtnis. Nichts war geschehen. So machte sie mit neunzehn den Eindruck, als müßte sie als letzte unter ihren Freundinnen noch den Sprung wagen.

Greg trug eine Lederjacke und Clogs. Schon von weitem

konnte sie ihn durch die Halle kommen hören. Er hatte blondes, unordentliches Haar, tiefgrüne Augen und legte ein zwangloses, gleichgültiges Verhalten an den Tag. Sie besuchten zusammen einen Lyrikkurs. In der ersten Woche las Dinah eines ihrer Gedichte vor. Jeder sollte ein Lieblingsgedicht oder ein selbst geschriebenes vorlesen.

»Dieses Gedicht habe ich mit sechzehn geschrieben.« Sie blickte in das Meer erwartungsvoller Gesichter. Weshalb las sie kein Gedicht von jemand anderem vor? Von jemand, der was davon verstand? Warum las sie nichts von Anne Sexton vor? Sie räusperte sich und sah wieder auf das Blatt. O Gott, was für ein blödes Gedicht.

> Nicht Liebe biete mir,
> Sondern Gleichgültigkeit.
> Zärtlichkeit macht mir Gänsehaut,
> Verständnis ist gemein.
> Bietest du mir Glück,
> Dann bietest du zuviel,
> Mein Ideal ist ein langewährendes Verlangen
> von einem, den ich nicht erreichen kann.

Als sie zu Ende gelesen hatte, sah sie verlegen auf. Ihr Blick fiel auf Gregs distanzierte Miene. Sie hatte keinen blassen Schimmer, daß sie ihm gerade einen entscheidenden Tip gegeben hatte. Greg senkte wie unbeteiligt den Blick, als die ganze Klasse höflich applaudierte. In diesem Augenblick begann Dinah, sich in ihn zu verlieben.

Er hörte sich ihr Gedicht an und handelte nach ihrer Anweisung: er liebte sie, ohne sie an sich heranzulassen. »Zuneigung ist mir ein Greuel«, ließ er sie wissen und schielte an ihr vorbei in die Ferne. Ohne Brille sah er nicht besonders gut. Es stellte sich heraus, daß nur eines seiner Augen grün war und das andere braun. Auf dem grünen konnte er gar nichts sehen. »Meine Großmutter war genauso.«

»Wie?«

»Eine Hornisse. Sie hat keinen an sich rangelassen. So wie ich. Ich lasse keinen an mich ran.«

»Du bist introvertiert«, wandte sie zaghaft ein.

»Ach was. Introvertierte Menschen kennen sich normalerweise ziemlich gut. Ich kenn mich überhaupt nicht.«

»Also zurückgezogen?«

»Nein. Ich bin ein Langweiler. Langweilig wie Aspik. Wie gefrorener Aspik. Walter, das Wabbelmonster.«

Er ging, als würde er ein paar Pfund zuviel mit sich herumschleppen, als hätte er Klebstoff unter den Achseln und müßte einen winzigen Gegenstand auf dem Hinterteil spazieren tragen. Außer der Lederjacke und den Clogs trug er Jeans und schwarze T-Shirts. Er fuhr Motorrad. Er hatte eine Sammlung von Polizeiabzeichen und eine Schwäche für Oldsmobiles.

In der Schule lauschte sie nur noch nach dem Klappern seiner Schritte. Er gehörte zu den Jungen, die scheinbar unentdeckt geblieben sind. Keine andere weiß, wie attraktiv er ist. Und später stellt sich dann heraus, daß ihn fast alle genauso anziehend finden.

Sie liebte es, wenn er sie aus weiter Ferne halbblind anstarrte. Wenn sich ihre Gespräche stockend hinzogen, wenn sie seine Gesellschaft als nervenaufreibend empfand. Sie mochte es, daß sie sich monatelang nur abknutschten, ehe sie miteinander schliefen. Ehe sie ihm den letzten und besten Teil ihrer Unschuld zum Opfer brachte. Den Teil, der noch nie einen Orgasmus erlebt hatte. Und er war überzeugt, daß sie eine Jungfrau war, nur für ihn – Männer mögen das, dachte sie. Und sie liebte ihn jetzt wirklich.

Sie küßten sich, bis sie nichts anderes mehr wußten, es nicht mehr aushielten ohne den Mund des anderen, wie Fische auf dem Trockenen. Er sah sie mit seinen sanften, nach unten gezogenen Augen an. »Wenn ich sterbe, dann möchte ich, daß man mich einäschert und die Asche auf dein Haar streut«, sagte er. Sie saß auf seinem Schoß, und er hielt sie auf Armeslänge von sich.

»Du bist eine grandiose Frau. Ich habe dich gar nicht verdient. Niemand hat dich verdient. Du bist ein Phänomen, ein Komet, ein seltenes Wesen aus Feuer und Erde. Im Vergleich mit dir bin ich ein Handbuch für Motoren. Heirate mich und laß dich wieder scheiden – ich kann dir nicht das Wasser reichen.« Seine Lederjacke knarzte, als er sie in den Armen hielt.

Sie wollten heiraten, und Dinah liebte ihn drei volle Tage lang. Sie ließ sich einfach fallen, fallen ... in einen Hafen gegenseitiger Liebe. Schwelgte in der neuen Vorstellung von Vertrauen und Geborgenheit.

Am dritten Tag, als sie gerade im Bad standen – Greg putzte sich die Zähne, Dinah entfernte ihr Make-up – wandte er sich an sie: »Am besten, du gewöhnst dich gleich an diesen Anblick. Du wirst mir den Rest unseres Lebens jeden Tag dabei zusehen.«

Er spuckte Zahnpasta ins Waschbecken. »Den Rest unseres Lebens?« dachte sie. »Vielleicht ist ja doch was dran an seinem Gerede, daß er mich nicht verdient hat.« Greg beendete seine Zahnpflege und machte sich mit einer Zeitschrift auf den Weg zur Toilette.

Als er sie später am Abend mit seinen sanften, nach unten gezogenen Augen ansah, war sie zum erstenmal gegen seine Sanftmut gewappnet.

Und sie erkannte den gemeinsamen Nenner, der all ihre bisherigen Liebhaber miteinander verband. Sie waren nicht im reinen mit sich selbst, ein enger Ring umspannte ihre Brust. Eine Anspannung, die sich ihr mitteilte, auf die sie sich einschwingen, für die sie sich verantwortlich fühlen konnte. Es waren überaus männliche Männer, fast Karikaturen. Sie hatten etwas so Verzerrtes an sich, daß sogar sie es bemerkte. Denn es brauchte schon einen überlebensgroßen Mann, damit sie das kleine Frauchen spielen konnte. Alles klar?

Die Männer, von denen sich Dinah angezogen fühlte, waren meist still, in sich gekehrt, schüchtern, eben *anders*. Die Auswirkungen einer Beziehung brachten sie völlig durcheinander, so daß bei ihnen dem Sex eine beruhigende, befreiende Funktion zukam. Beinah als ob das Gefühl der Anziehung sie über den weiten Abgrund zwischen ihrer und einer fremden Sprache katapultierte. Sex als das einzige Mittel der Verständigung. Männer, mit denen sie zwanglos reden konnte, schienen ausgeschlossen von den Intrigen und Geheimnissen, denen das Stigma des Sinnlichen anhaftete. Also ließ sie sich nur von Männern aus fremden, anderen Stämmen anlocken. Und in die Knie zwingen zum gemeinsamen Gebet.

Mit einem Neandertaler.

Sie mußte die Männer nur im Kopf behalten, denn wenn sie sie dort behielt, konnten sie nicht in ihr Leben treten. Vorbeischauen konnten sie ja mal; als Realität, die sich an der Phantasie messen lassen mußte. Einer turmhohen Phantasie, die die zwergenhafte Realität erdrückte. Ein Mann ragte bis zum Himmel, und wenn sie schön brav war, dann kam sie mit seiner Hilfe auch hinein. Das funktionierte aber nur, wenn alles zu ihrer Phantasie paßte – aber das war nie der Fall, es ging gar nicht. Dafür sorgte sie, indem sie sie aussuchte. Und wenn sie sie ausgesucht hatte, dann bestrafte sie sie dafür, daß sie so waren, wie sie waren, dafür, daß sie einem Standard nicht genügten, den ihres Wissens noch keiner erfüllt hatte.

Dem Standard ihrer Phantasie.

Dinah wollte nicht einfach einen Mann kennenlernen, sie wollte sich auf eine Granate werfen wie eine Heldin, eine Terroristin, tollkühn, überschäumend vor halsbrecherischer Liebe. Und dann, wenn sie offen dalag, konnte er sich hineinschleichen, konnte sich einnisten in ihrer Identität.

Der Lack der Wahrscheinlichkeit schien von allen ihren Affären abgeblättert.

Schon früh hatte sie gelernt, daß die Wahrheit weh tat. Je schlimmer die Dinge standen, desto wahrhaftiger schienen sie. Was konnte echter sein als Schmerz? Dieses verfluchte Zurückblicken und das Zurückschrecken vor dem Vorwärtsgehen…

Was konnte da schon aus ihr werden? Was war aus ihr geworden? Manchmal hatte sie das Gefühl, daß sie es einfach nicht mehr schaffte, dieses Leben weiterzuspielen. Sie hatte Angst vor dem nächsten Schritt. Vor dem Unheil, das vor ihr lag und auf sie wartete, über die Schulter zurückgrinste, sie heranwinkte. Und sie fiel immer wieder darauf herein. Überbrückte die Kluft. Vertrauensselige Närrin, die immer auf das Schlimmste zusteuerte. Und alles verkehrt machte. Wie gern wäre sie den ständigen Kummer losgewesen. Doch unbekümmert sein hieß für sie fast schon zu schlafen in einem abgestumpften und dumpfen Zustand. Der nagende Zweifel lähmte sie. Manchmal hätte sie die Leute gern gefragt: »Sagt mir bitte – wer bin ich eigentlich?« Und auf eine einigermaßen erträgliche Antwort gehofft.

Bevor der männliche Sperling um ein Weibchen werben kann, muß er erst ein Nest haben. Ob das Nest zerfleddert oder unordentlich ist, spielt keine Rolle, denn die beiden können es immer noch säubern und instandsetzen. Entscheidend ist nur, daß das Männchen überhaupt ein Nest vorweisen kann. Mit besitzlosen Männchen wollen Spatzenweibchen nichts zu schaffen haben.

6

Dinah und Rudy lagen auf einer Bettdecke auf dem Boden. Mondlicht schien durchs Fenster auf ihre teils bedeckten, teils enthüllten nackten Körper. Er streichelte sie, küßte sie.

»Ich kann gar nicht mehr aufhören damit«, sagte er. Dinah wandte sich ihm lächelnd zu, fühlte sich bezähmt, als wäre ihr zentrales Nervensystem in einem stummen Kampf niedergerungen worden.

»Kußsüchtig«, sagte sie. Rudy beugte sich über Dinah. Sie sah zu ihm auf.

»Sag, daß du mich liebst«, forderte er, sein Mund lag auf ihrer Wange, sein Atem strich warm über ihr Gesicht. Dinah versuchte, das Kinn einzuziehen, den Kopf ein wenig abzuwenden.

»Ich könnte es in einer anderen Sprache sagen. Ich könnte dich auf japanisch lieben oder auf schwedisch oder eine Weile auf griechisch und mich dann allmählich vorarbeiten ins –«

»Sag es«, drängte er. Dinah konnte ihre Gliedmaßen nicht mehr bewegen, sie war eingeschlossen in seiner Umarmung. »*Du* mußt es sagen«, murmelte sie errötend. Rudy schloß die Augen und legte ihr den Mund ans Ohr.

»Ich liebe dich«, sagte er mit leiser, ernster Stimme. Stille trat ein, lastete auf ihnen, umfing sie. »Jetzt du«, drängte er wieder sanft. Dinah wandte das Gesicht ab, so daß ihr Blick schräg nach oben auf einen Schreibtisch fiel, einen Stuhl und einen Papierkorb. Sie hielt den Atem an.

»Ai ischete imasu«, flüsterte sie leise auf japanisch. »Ich liebe dich«, übersetzte sie und lauschte, ob es auch wahr klang. Sie hoffte, der Wind würde die Worte verwehen, wenn sie sie nur leise genug aussprach, noch ehe sie ins Gewicht fielen, noch ehe sie zu einem geheimen Bündnis wurden und sie den undurchschaubaren, schwindelerregenden Folgen ins Gesicht blicken mußte. »Ich liebe dich« war für sie eine Aussage, keine Handlung. Eine mündliche Manipulation. Als Beteuerung, als Garantie. Aber wenn sie akzeptierte, daß Rudy sie liebte, dann würde die Einsamkeit all der Jahre über sie hinwegfegen, in denen er sie nicht geliebt hatte. Jetzt durfte sie sich ganz offiziell fürchten – fürchten davor, was er ihr darbot. Wenn sie ihn erst mit hörbaren Worten liebte, dann würde sie es nicht mehr zurücknehmen können. Es wäre eingezeichnet und könnte von der Landkarte nicht mehr entfernt werden.

Rudy küßte sie, ein schmales Lächeln auf dem verschlossenen Gesicht. »Ich liebe dich wegen deines Geistes, und du liebst mich wegen meines Körpers«, sagte sie. »Natürlich, ich liebe auch deinen Körper, und du liebst auch meinen Geist, aber insgesamt...« Sie verstummte plötzlich und hing ihren Gedanken nach. »Wenn man jemanden wegen seines Geistes liebt, kann es dann auch im Bett mit ihm klappen?«

Rudy überlegte. »Da gibt es wohl mehrere Antworten. Entweder es klappt nicht so besonders oder sogar noch besser, weil damit ein begonnenes Gespräch auf andere Art fortgesetzt wird. Ein tiefes Gespräch.«

»Was magst du besonders an mir – wie ich mit dir spreche?«

Rudy dachte angestrengt nach. Schließlich schüttelte er langsam den Kopf. »Mmmmm... nein... eigentlich nicht«, meinte er abwesend. Dinah lächelte. »Wie ich mit dir schlafe?«

Rudy ließ sich diesmal weniger Zeit. »Mmmmm... nein... nein.«

Dinah lachte, stieß gegen ihn. »Also was? Bring ich dich zum Lachen?«

Rudy schürzte die Lippen. »Naja, vielleicht, aber... nein, deshalb auch nicht.« Dinah boxte ihn zum Spaß zwischen die

Rippen. Schließlich rückte er mit der Sprache heraus. »Du bist so mädchenhaft.«

»Wie ... mädchenhaft?«

»Im besten Sinne.«

Dinah lachte, küßte ihn auf den Mund, nahm seine Unterlippe zwischen ihre Lippen.

Wochenlang hatte sie ihn stumm geliebt, und jetzt hatte sie es zum erstenmal mit Worten getan. Es würde schon klar gehen. Alles mußte jetzt klar gehen. Da lagen sie in der summenden Dunkelheit, ein explosives Gemisch aus Energie und Selbstsicherheit. Sie hatte jemanden gefunden. Einen, der sie in die Arme schloß. Seine Hand lag warm und flach auf ihrem Rücken, umfaßte sie, umschmeichelte sie. Sie küßte ihn, einen Mann, auf den sie ihre Hoffnungen setzen konnte; hier liegen deine Hoffnungen, wohin willst du schon wieder? Sie nahm den Zustand vorweg, in dem sie ihn satt haben würde und außer Tritt geriet. Jetzt befanden sie sich im Gleichschritt von synkopischer Sympathie, schwangen im Gleichklang einer verwandten Liebe.

Rudy streckte sich und blickte sich in seinem Zimmer um. »Ich liebe diese Wohnung«, sagte er. »Manchmal fehlen mir nur die Spielsachen für den Hund und das Baby. Die sichtbaren Zeichen, die zur Illusion eines sinnvollen Lebens beitragen. Dann könnte ich einfach erschöpft aussehen, was sowieso schon der Fall ist, und sagen, daß die Familie und die lieben Tierchen auf ein verlängertes Wochenende weggefahren sind, damit ich meine wohlverdiente Ruhe habe. Ein Dreirad im Gang, ein Hundeknochen auf der Treppe, ein Puppenarm. Lebensspuren ohne Leben.«

Dinah wälzte sich von ihm weg und begann zu trällern: »Ist das nicht einfach toll, wir verstehen uns wirklich voll.«

Rudy zog sie wieder an sich und fiel ein: »In Dur und nicht zuletzt in Moll.«

»Du bist das reinste Genie«, lachte sie, »oder *geniert* es dich, wenn ich so was sage?«

Dinah ließ ihre Hände über seine glatte Haut gleiten. Rudy

75

wickelte sich und Dinah in die Decke und umarmte sie dann. Von weit unten ertönte eine Hupe. Seine Hand drückte ihre Schulter. »Wir haben den gleichen Lebensrhythmus; deshalb kommen wir so gut miteinander aus«, sagte er, den Blick auf die dunkel über ihm hängende Decke gerichtet. »Leute mit verschiedenem Lebensrhythmus halten es nicht miteinander aus. Es kränkt sie. Wenn man den Lebensrhythmus von jemandem nicht ausstehen kann... und den Geschmack. Man muß auch im Geschmack übereinstimmen.«

»Okay«, fing sie auf einmal ganz nüchtern an. »Jede Frau verkauft dir als Mann, wenn sie mit dir zusammen ist, ein schöneres, heileres Bild von dir. Du weißt schon, ein neues, ideales Abziehbild. Also, was für ein Bild hat Vicki dir verkauft?«

»Ahh...daß ich... daß ich... ich weiß auch nicht – begabt bin. Sehr begabt. Brillant. Und sie ist ja auch Dramenautorin, da...«

»Genau, Viktoria Huvane. Die weibliche Dramatikerin. Wenn eine Frau Stücke schreibt, dann schreibt sie Frauenstücke. Männer schreiben einfach Stücke.«

Rudy nickte unbestimmt. »Mhm.«

»Und Anne? Was hat sie dir verkauft?«

»Ah... daß ich ein netter Junge bin... und gutaussehend.«

Dinah verdrehte die Augen. »Und ich?«

»Ämm... daß wir gleich sind... seelenverwandt... ebenbürtig.«

Sie stieß ihn in die Seite. »Das sagst du nur so.« Dinah legte sich auf Rudy, ihr Kopf ruhte auf seiner Brust. »Ein Freund von mir, ein Maler, hat mir einmal was Wunderbares gesagt. Nämlich, daß vor Jahrtausenden überall Stämme herumzogen und daß jeder Stamm seinen Zauberer hatte. Heutzutage gibt es natürlich keine Stämme mehr, aber Zauberer gibt es immer noch, und von Zeit zu Zeit läuft man einem von ihnen über den Weg. Und von Zeit zu Zeit trifft man einen aus seinem Stamm. Vielleicht sind wir ja Angehörige desselben Stammes. Nicht unbedingt Zauberer, aber Stammesgenossen. Du bist mein Zwilling. Ineinander verschlungen warten wir darauf, daß wir auf die feindliche Welt kommen.«

Rudy sah sie streng an, packte sie an den Schultern. »Und das hat er dir alles gesagt? Wer ist der Kerl? Muß ich eifersüchtig sein?« Dinah lachte. Sie gab ihm einen oberflächlichen Kuß, einen Kuß, der sie ganz allmählich hinabzog in seine Tiefen. »Ich glaube, wir sollten wieder etwas kürzer treten – eine Unterhaltung muß ja nicht nur aus Intelligenztests bestehen«, flüsterte er an ihrem Hals, eine Hand lag auf ihrem Rücken, die andere hielt ihren Hinterkopf. Er zog sie an sich, weiter und weiter zu sich, bis sie kaum mehr wußte, wer sie ohne ihn war.

»Meine Damen und Herren«, sagte sie vor der Versammlung ihres Unterbewußtseins. »Wir haben einen neuen Präsidenten.«

Diktator meinst du wohl, murrte ihr Über-Ich mit tückischem Schielen.

»Nein, Präsident«, entgegnete sie mit erhobener Stimme, unschlüssig.

Diktator, Herrscher, Boß, König, schnarrte das Über-Ich. »Freund?« fragte Dinah scheu und kleinlaut. Das bedrohlich brüllende Gelächter ihres Über-Ichs schallte durch den Hallraum ihres Gehirns.

———

Auf den Ringfinger einer blassen, zarten, gepflegten Hand wird von einer größeren, männlichen Hand ein goldener Ehering geschoben. Der Bildausschnitt wird größer, und wir erkennen Blaine und Rose als Brautpaar. Er zieht ihr den Schleier nach oben und blickt in ihr schönes, strahlendes Gesicht. Er beugt sich nach vorn und küßt sie.

Plötzlich fällt ein Schuß.

———

Rudy fuhr aus dem Schlaf und setzte sich auf.

»Was ist los?«

»Ich hab geträumt.«

Sie schmiegte sich gähnend an ihn. »Und was?«

»Ich hab geträumt, daß wir in einem Auto über die George-Washington-Brücke fahren wollten. Aber ich wollte die neununddreißig Dollar und fünfzig Cents für den Shakespeare nicht bezahlen. Ich wollte auf andere Weise hinüberkommen.«

Dinah zog ihn wieder zurück auf das Bett und küßte ihn auf den warmen, schweißnassen Hals. »Schlaf weiter«, beschwichtigte sie ihn. »Du mußt nicht mehr für den Shakespeare zahlen. Ich zahle für dich. Schlaf jetzt.« Während er sich auf das Kissen zurücksinken ließ, starrte Rudy sie ungläubig an. »Ich zahle für dich«, besänftigte sie ihn schläfrig. »Schlaf.«

—

Ein Gerichtssaal. Ein Richter betrachtet mit strengem Blick zwei Menschen. Ein gutaussehendes, verlegenes Paar. Der Mann hat blondes Haar und blaue Augen. Die Frau hat rötliches, fast erdbeerblondes Haar und dunkelgrüne Augen. Jeder für sich stehen sie da mit ernstem Gesicht. Sie sehen einander nicht an. Zwei Rechtsanwälte sitzen sich an Tischen gegenüber, der eine auf der Seite der Ehefrau, der andere auf der Seite des Ehemanns. Der Richter studiert die Akte über den Rand seiner Lesebrille hinweg und mustert dann erneut das jugendliche Paar. »Sie sind also seit fünf Jahren zusammen und seit einem Jahr verheiratet. Stimmt das so, Mr.« – der Richter wirft einen schnellen Blick in die Akte. – »Mr. MacDonald. Mrs. MacDonald?« Blaine bewegt sich fast unmerklich, die Hände ineinander verkrampft.

»Ja, Euer Ehren.«

Der Richter setzt wieder den strengen Blick auf. »Die Ehe hat wohl der Beziehung geschadet, Mrs. MacDonald?« Er studiert wieder die Akte. Rose zupft das Haar hinter ihrem linken Ohr zurecht und betrachtet die Hände, die die Akte halten.

»Ja, Sir«, antwortet sie mit leiser Stimme.

»Eine Versöhnung ist demnach ausgeschlossen?« fragt der Richter barsch und legt die Akte zur Seite.

Blaines Anwalt erhebt sich halb von seinem Stuhl: »Wir führen unheilbare Zerrüttung an, Euer Ehren.«

Der Richter läßt ihn seine Verachtung spüren. »Unheilbare Zerrüttung, daß ich nicht lache! Zu meiner Zeit sind wir mit Zerrüttungen fertig geworden, heutzutage machen sie anscheinend uns fertig. Nun, da es ja kein gemeinsames Eigentum und auch keine Kinder gibt, verfügt das Gericht die Scheidung der beiden Parteien nach einem Jahr offizieller Trennung.« Der Hammer des Vorsitzenden saust hernieder, und er legt die Akte beiseite.

»Nächste Streitsache bitte.«

Jetzt sehen sich Blaine und Rose zum erstenmal an. Rose setzt als erste zum Sprechen an: »Das wär's dann wohl…«

Blaine sieht über die Schulter zurück auf die beiden Anwälte, die sich unterhalten. Das nächste Paar steht vor dem Richter. Er steckt die Hände in die Hosentaschen und räuspert sich. »Wahrscheinlich sollten wir erleichtert sein.«

Rose lacht nervös und zeigt ihre strahlendweißen, ebenmäßigen Zähne. »Ich gehöre nicht zu der Sorte, die so schnell erleichtert ist.«

»Naja, ich…« Blaine berührt wie abwesend, fast abergläubisch seine Krawatte. »Wir gehören wohl doch nicht ein und demselben Stamm an.«

Rose sieht ihn gehen. Die Lautstärke der Musik schwillt an, während die Kamera auf Roses klares Gesicht zufährt. Tränen zittern in ihren Augen.

Das Bild löst sich auf, und unserem Blick zeigt sich statt dessen ein hellrotes, von einem Pfeil durchbohrtes Herz. Darüber steht in diagonaler Schnörkelschrift: »Herzenswunsch«.

—

Dinah und Connie saßen im Kontrollraum und verfolgten die Gerichtsszene am Monitor. Als das Serienlogo erschien, stand Connie auf und ging hinüber zu ihrer Handtasche, die auf einem kleinen Kühlschrank in der Ecke lag. Sie nahm ein Fläschchen mit

Tabletten heraus, von denen sie zwei ohne Wasser hinunterschluckte. »Ich hätte heute gar nicht kommen sollen«, stöhnte sie. »Meine Krämpfe bringen mich noch um.«

Dinah seufzte und legte die Hand über die Augen. »Das ist doch eine alte Werbung, ›mein Hüfthalter bringt mich noch um‹, oder so?«

»Okay.« Connie zündete sich eine Zigarette an und hielt Dinah die Packung hin. »Ich hör auf, mich über meine Periode zu beklagen, und du machst ein freundliches Gesicht. Abgemacht?«

Dinah nahm eine Zigarette und zündete sie an. »Supertausch«, sagte sie. Rauch kam aus ihrer Nase und ihrem Mund.

»Geht dir die Szene so sehr an die Nieren?« fragte Connie. Unten im Studio baute die Mannschaft für die nächste Szene um.

»Nein, nein«, log Dinah. »Nicht mehr als die anderen. Irgendwie ist es immer noch befreiend, wenn ich sehe, daß Rudy von einer Mischung aus Südstaatler und Yankee gemimt wird, und ich von dieser umwerfenden Schönheit.«

»Ahnt Rudy eigentlich was von seinem Ruhm als unsterblicher Serienheld?«

Dinah lehnte sich zurück und legte die Füße auf das Regiepult, ein Privileg, das ihr als Chefautorin von *Herzenswunsch* zustand. »Er weiß Bescheid. Seine Schwester hat es ihm gesagt. Er hat es sich aber nie angeschaut. Als wir noch zusammen waren, hat er es sich ein paar Mal reingezogen, um seinen guten Willen unter Beweis zu stellen oder so, aber...« Sie zuckte mit den Schultern. »Es hat ihm einfach nicht gefallen. Auch wenn Blaine mittlerweile zu einer der populärsten Figuren geworden ist.« Sie lächelte in sich hinein. »Wenn ich überzeugt wäre, daß er zuschaut, dann könnte ich verschlüsselte Botschaften für ihn mit reinschmuggeln. So was wie eine Flaschenpost.« Sie zog noch einmal tief an der Zigarette und drückte sie dann aus.

Connie sah sie aufmerksam an. »Rufst du ihn an, wenn du nach New York fährst?«

Dinah explodierte. »Hey, was soll das? Bist du vom CIA, oder was?« Ihr Blick fiel auf den Monitor. »Sie sind fertig.« Sie zeigte auf die Szenerie im Studio. Sie drückte auf einen Knopf vor sich und sagte: »Fertig zur Probe.« Unten machte ein Mann mit erhobenem Daumen sein Zeichen hinauf zum Kontrollraum. Ohne die Augen vom Monitor zu nehmen, sagte Dinah zu Connie: »Ich rufe ihn nächste Woche *nicht* an. So gut werde ich mich noch im Griff haben. Ich hab ihn seit der Premiere seines Stücks vor über einem Jahr nicht mehr gesehen, und du weißt ja, was das damals für eine Schnapsidee war. Und wenn ich ihn anrufe, dann bleibt es auch dabei. Ich werd mich nicht mit ihm treffen. Und wenn, dann nicht am Abend. Ich treffe mich mit ihm bei Tageslicht in neutraler Umgebung. Und ich werd bestimmt nicht mit ihm schlafen; das wäre eine Katastrophe.« Sie drückte noch einmal auf den Knopf und sagte: »Action.«

Connie lächelte, zündete sich noch eine Zigarette an und verfolgte das Geschehen auf dem Monitor.

—

Blaine steht vor einer Tür und pocht wie wild dagegen. »Rose!« ruft er. Keine Antwort. Er klopft noch einmal. »Rose, ich weiß, daß du da bist – mach auf!« Oben öffnet sich ein Fenster, und Roses Gesicht erscheint, reizend wie eh und je.

»Blaine, geh bitte fort«, sagt Rose mit zitternder Stimme. »Es wär abgemacht, daß wir uns nicht mehr sehen.«

»Ich möchte mit dir reden«, drängt Blaine. Sein Haar schimmert golden in der Sonne, seine Augen blitzen.

»Du möchtest nicht mit mir reden; du möchtest mit mir –«

»Laß mich rein!« brüllt Blaine und rammt die Schulter gegen die Tür. Sie gibt nach, und eine Handkamera folgt Blaine in das Haus. Rose weicht zurück in eine Ecke.

»Bitte, Blaine, es hat eine Ewigkeit gedauert, bis von meinen Gefühlen für dich nur noch ein dumpf pochender Schmerz übriggeblieben ist.« Er geht auf sie zu; sie weicht weiter zurück. »Ich werde dich wahrscheinlich immer lieben, aber ich habe mir vorgenommen, dich zu lieben, wie man ein Land liebt.« Er hat sie fast erreicht. Rose steht an der Wand und streckt die Arme aus, um ihn sich vom Leib zu halten. »Aber ich meine nicht mein Land. Nein, nein. Ich meine so was wie Neuseeland.« Blaine ist jetzt bei ihr, nimmt sie in die Arme, sie stößt ihn von sich, sträubt sich, gibt nach. »Oder Pakistan«, seufzt sie, als sein Mund den ihren findet.

Die Musik schwillt an, sie sinken auf den Boden. »Also, was jetzt?« fragt Blaine mit leiser, bebender Stimme. »Pakistan oder Neuseeland?«

Die Szene endet mit einem Blick auf den Globus auf dem Klavier.

Der Iltis legt dem Weibchen die Pfoten auf die Schultern, beißt es ins Genick und löst damit eine fünfzehnminütige Muskellähmung aus.

7

Hallo«, meldete sich eine Stimme, gefolgt von einem nervösen Räuspern. Dinahs Zwerchfell krampfte sich zusammen. »Ich bin's, Rudy«, sagte die Stimme.

»Rudy«, wiederholte sie zögernd, als müßte sie die beiden Silben erst mühsam entschlüsseln.

»Rudy Gendler«, half er nach. »Erinnerst du dich noch? Anfang bis Mitte der Achtzigerjahre?«

»Ach so *der* Rudy Gendler.« Sie lachte verlegen. »Man trifft heutzutage ja so viele Rudy Gendlers, weißt du. Wo steckst du?«

»Hier.«

»Wo, hier?«

»Na, hier bei dir.«

»Was, in Los Angeles?« Sie schnappte nach Luft. »Ich dachte, du *haßt* L.A.!«

»Du doch auch, wenn du ehrlich bist. Ein monströses Provinznest, weiter nichts, hast du selbst mal gesagt. In New York machen sie in der Nacht alle einen drauf und haben jede Menge Spaß, das spürt man einfach. Die Leute in L.A., die schnorcheln nachts in ihren Betten, da kannst du Gift drauf nehmen. Das Leben hier hat irgendwie so was Süßlich-Fades, da wird man total schlapp.«

»Hör mal, ich *arbeite* hier.«

»Und? Was macht die Arbeit?«

»Zur Zeit haben wir gerade Autorenstreik.«

»Sag bloß, ihr Serienschreiberlinge schimpft euch neuerdings Autoren? Wo soll denn das noch hinführen?«

»Na und? Nicht jeder kann so eine großä Kinstlär sein wie du!«

»Stimmt. Nicht mal ich kann so eine großä Kinstlär sein wie ich.«

»Vermißt du unsere geistlosen Unterhaltungen nicht auch manchmal?«

»Doch, ja«, sagte er zerstreut, »das muß ich wirklich zugeben.«

Rudy gab sich eigentlich fast immer ein wenig zerstreut, so als verdienten selbst seine eigenen Worte nicht seine ganze Aufmerksamkeit. Der Umgang mit Leuten war für ihn so eine Art Hobby, ein Hobby von begrenztem Interesse freilich, dem er sich nur hin und wieder nachlässig widmete. Er sprach leise, aber stets mit einer gewissen Überlegenheit, und seine Ausdrucksweise war nicht sonderlich nuanciert. Eher verhalten, als müsse er sich von den Anstrengungen der Persönlichkeitsentfaltung erholen. Als schleppe er seine gewichtigen Äußerungen immer aus weiter Ferne herbei. Als drohe schon der gemessene Klang seiner Stimme, ihn aus seiner bewußt gepflegten Lethargie aufzuschrekken.

»Tja...« setzte sie verlegen an.

»Tja...« kam das Echo zurück. »Da gibt's jetzt also eine Weile keine Schnulzenserien?«

Rudys Räuspern. Dinah zog den Kopf ein, schloß die Augen, wartete.

»Di...« begann er zögernd.

»Ja?« fragte sie leise. Ihre Stimme klang jünger, zugänglicher.

»Gehen wir zusammen essen?«

»Ich kann nicht mit dir essen gehen, Rudy«, wehrte sie tapfer ab.

»Natürlich kannst du«, konterte er, »wieso denn nicht?«

»Aus demselben Grund wie letztes Mal.«

»Aber da warst du doch mit mir essen.« Diese Bemerkung hätte er sich genausogut schenken können.

»Ja, aber das ist schon ein Jahr her, und außerdem war es nur zum Lunch. Das ist lange nicht so gefährlich. Wenn wir jetzt auf einmal abends ausgehen – du weißt ja selbst, was dann passiert.«

»Keine Ahnung – was soll denn da passieren?« fragte er unschuldig.

Sie seufzte. »Ich hab immer noch eine Schwäche für dich, romantische Träume«, erklärte sie, um einen sachlichen Tonfall bemüht. »Und bis ich die überwunden habe, sollten wir uns lieber nicht treffen.«

»So was überwindet man nie ganz«, gab er zu bedenken. »Mir geht es da übrigens nicht anders.« Erneut sein staubtrockenes Räuspern. »Und außerdem sollte man solche nostalgischen Gefühle nicht einfach so vor sich hinwachsen lassen. Wir sollten uns lieber den Tatsachen stellen und unsere Projektionen entmystifizieren. Uns gegenseitig wieder so sehen, wie wir wirklich sind, findest du nicht?«

»Aber wir wissen doch ganz genau, wie wir wirklich sind«, wandte sie ein.

»Dinah, mir geht es doch nur darum, die ganze Sache zu entmystifizieren. Wir werden doch wohl noch normal miteinander essen gehen können!«

Ein langes, vertrautes Schweigen trat ein, nahm sie sanft unter seine schützenden Fittiche.

Als sie in seinem Hotel eintraf, rief sie ihn von der Halle aus an. »Ich komme gleich runter«, sagte er.

Sie wartete an der Rezeption und gab sich möglichst unbefangen, wollte sich wappnen gegen die Angst. Und überhaupt, was soll's? dachte sie. Dann bin ich eben aufgeregt. Ich wette, er hat auch schon zweimal das Hemd gewechselt.

Und dann stand er vor ihr. Rudy sah nicht aus wie jemand, der viel lächelte, und wenn, dann ließ er es sich nicht anmerken. Wie eine kühle Flamme, die unbewegt vor sich hin brannte.

Ihre Blicke trafen sich und wichen sich gleich wieder aus. »Naja«, sagte er leichthin, »das sind jetzt bloß die ersten paar Minuten, danach kann es eigentlich nur besser werden.« Sie schaute ihn von der Seite her an. Sein Profil wirkte ausdruckslos. Immer darauf bedacht, sich ja nichts zu vergeben. Als wäre er hermetisch abgeschottet – wasserabweisend. Dinah dagegen kam sich wieder einmal völlig undicht vor. Unfähig, an sich zu halten.

Da sie nicht viel mit ihrem Vater verband, war Rudy ihre wichtigste männliche Bezugsperson. Er war ihr vertrauter als jeder andere. Wenn er eintrat, kam es ihr vor, als sei die Welt endlich zu ihr gekommen. Ein Neonpfeil blinkte über ihrem Kopf, mit der Inschrift DU BIST DA. Er war ihr Orientierungspunkt. Wenn sie bei ihm war, war sie bei ihm. Wenn sie nicht bei ihm war, war sie NICHT BEI RUDY. Seine Abwesenheit empfand sie nicht als weniger intensiv, nur als weniger anstrengend.

»Du hast abgenommen«, bemerkte er, als sie in ihr Auto stiegen.

»Findest du?« fragte sie. »Du hast mich nur dicker in Erinnerung. Außerdem wirkt man im Dunkeln immer dünner.«

Rudy hätte sich fast zu einem Lächeln hinreißen lassen. »Ein Glück, daß es dich gibt. Wer sonst könnte mich über solche Sachen aufklären? Stell dir vor, jetzt bin ich schon so alt geworden und weiß immer noch nicht, daß man im Dunkeln dünner wirkt.«

Dinah errötete. »Tu nicht so, du weißt ganz genau, was ich meine.« Sie stieg in den Wagen und konzentrierte sich darauf, normal zu atmen. Als sie die Gurte angelegt hatten, reichte ihr Rudy einige Briefe. »Was ist damit?«

»Die sind inzwischen für dich gekommen.«

»Erst vor kurzem?« wollte sie wissen.

»Ja. Vicki Hanover gehört wohl nicht zu deinem Bekanntenkreis, oder?«

»Deine Ex-Freundin Vicki?« lachte sie und startete den Motor. »Nein, könnte ich nicht behaupten.« Das Radio plärrte unvermittelt los, ohrenbetäubender Krach erfüllte den Wagen: Los Lobos. Sie drehte hastig die Lautstärke zurück. »Warum?«

»Für dich sind auch ein paar Briefe gekommen.« Er schaute

zum Seitenfenster hinaus, während sie aus dem Hotelparkplatz in die Straße einbogen.

»Wo möchtest du essen?« fragte sie mit einem prüfenden Blick in den Rückspiegel. Hätte sie sich vielleicht doch etwas weniger in Schale werfen sollen? Ach Quatsch, er wußte doch ganz genau, wieviel ihr daran lag, ihm zu gefallen.

»Such du was aus, mir ist es egal«, sagte er und betrachtete ihr Profil.

»Du bist doch der Mann«, erinnerte sie ihn, »also ist die Entscheidung deine Sache.«

»Ach was, ich bin bloß der Gast.«

»Also gut. Wohin möchtest du? Zum Italiener, okay?«

»Ja, von mir aus, zum Italiener. Oder wie wär's mit 'nem Japaner?«

»Ach stimmt, du stehst ja so auf Sushi.«

»Genau. Wie geht's eigentlich Kevin?«

Dinah lachte. »Was für eine genialer Gedankensprung – von Sushi zu Kevin, alle Achtung.«

»Na, genau genommen ist die Verbindung doch gar nicht so abwegig.«

Sie zog es vor, die Bemerkung zu überhören. »Kevin und ich haben uns verkracht.«

»Endgültig?«

Sie sah ihn kurz an. »Scheint so.«

»Das ist aber schade«, meinte er lächelnd.

»Yeah, Beziehungskisten sind halt immer klapprig. Wie mein Opa schon sagte, selbst wenn's läuft wie geschmiert, ist irgendwo der Wurm drin.«

»Sehr wahr«, seufzte Rudy. »Apropos, wie geht's deinen Großeltern?«

»Apropos klapprige Beziehungskisten, meinst du?« Sie lachte, »Ihm geht's gut. Sie hat einen Schlaganfall gehabt.«

»Tut mir leid.«

»Naja, sie hat jedenfalls noch genügend Lebensgeister, um ihm die Hölle heiß zu machen.«

»Um so besser.«

»Also, zum Japaner oder zum Italiener?«

»Ist mir wirklich egal. Von mir aus zum Japaner.«

»Gut, dann zum Japaner.« Mit einer rasanten Kehre bog sie in die Schnellstraße nach Coldwater ein, die über den Hügel führte. Bald reichte ihr Blick über das schimmernde Lichtermeer unten im Tal bis hinüber zu den San-Bernadino-Bergen.

»Es sei denn, dir ist was anderes lieber«, sagte er plötzlich.

»Moment mal, du magst japanisches Essen doch gar nicht.«

»Doch, wenn sie Yakitori haben.«

»Ach ja, genau. Yakitori, die große Ausnahme. Worum ging's denn bei dem Krach?«

»Bei welchem Krach?«

»Dem mit Kevin.«

»Ach so, *dem*.« Sie zögerte. »Willst du es wirklich wissen?«

»Na klar.«

»Okay, ich komme eines Tages von meinem Seminar nach Hause…«

»Du gehst immer noch auf Seminare?«

»Was dagegen?« gab sie patzig zurück. »Ich komme also nach Hause und finde Kevin vor der Glotze…«

»Sag bloß, der Kerl hat bei dir gewohnt?«

»Ach was, er hatte bloß einen Wohnungsschlüssel und hat auf mich gewartet. Er ist fast nie mit mir ausgegangen, was sowieso schon ein schlechtes Zeichen war. In der ganzen Zeit, die wir zusammen waren, hat er nur zwei von meinen Bekannten kennengelernt. Und das auch nur zufällig. Von seinen Freunden habe ich nicht einen einzigen zu Gesicht gekriegt.«

»Ja, aber Di –«

»Bitte, sag nicht Di zu mir.«

»Du bist doch ständig unterwegs mit irgendwelchen Leuten. Ehrlich gesagt erinnert mich das verdächtig an die Probleme, die wir miteinander hatten.«

»Ach komm, willst du jetzt vielleicht einen auf männliche Solidarität machen, oder was?«

»Di, du mußt doch zugeben, du hattest ständig irgendwelche Leute zu Besuch. Ich kam mir manchmal schon vor, als müßte ich extra einen Termin mit dir ausmachen, wenn ich dich mal allein sehen wollte. Und dabei haben wir sogar zusammengelebt…«

»Ich dachte, du willst was über Kevin hören.«

»Ja schon.«

»Dann laß mich wenigstens ausreden, oder hast du Angst, daß es dich zu sehr an unseren eigenen Beziehungshorror erinnern könnte?«

»Nein, nein, erzähl weiter. Entschuldige, daß ich dich unterbrochen habe.«

»Na gut.« Sie überlegte einen Moment. »Wo war ich?«

»Ähm… er hat dich nie mit seinen Freunden zusammengebracht.«

»Genau. Weder mit seinen Freunden, noch mit seinen Verwandten oder sonst irgendwem. Das ist doch einfach abartig, oder nicht? Schließlich waren wir schon über ein halbes Jahr zusammen. Ich komme also nach Hause, und er hockt auf dem Bett und starrt in die Glotze…«

»Keine Details, bitte.«

»Keine Panik, es war alles ganz anders. Keine nackten Tatsachen. Er hatte bloß die Stiefel ausgezogen und saß ansonsten in voller Montur vor dem Fernseher. Und Tony, mein kleiner Hund – den hatte ich mir ein paar Tage vorher zugelegt –, Tony saß also vor ihm auf dem Boden und jaulte in den höchsten Tönen. Es war einfach grauenhaft. Die ganze Zeit fiel er einem mit seinem Gewinsel auf den Wecker. Ich lasse mich also aufs Bett fallen, der Fernseher dröhnt. Tony jault wie verrückt – ich weiß nicht, vielleicht hab ich mich ja auch nicht genug um ihn gekümmert. Ich drehe mich jedenfalls um und kreische los: TONY!, so richtig aus vollem Hals, und du kennst ja mein Lungenvolumen. Und Kevin sitzt da, starr wie ein Ölgötze und sagt keinen Ton, und ich denk mir, hoppla, jetzt wird's mulmig. Ich frage: ›Ist was?‹ und er sagt: ›Nix ist, ich kann's nur nicht haben, wenn du so rumkreischst.‹ – ›Ich auch nicht‹, sag ich, ›aber er geht mir schon die ganze Woche auf den Keks mit seinem Gejaule, und außerdem hab ich ja nicht dich angebrüllt.‹ Darauf schnappt er sich seine Stiefel und sagt: ›Ich bin hier wohl überflüssig‹, marschiert zur Tür und rauscht einfach ab.«

»Soso. Rauscht einfach ab. Und das hat dir natürlich nicht gepaßt«, stellte Rudy fest. »Du warst ja auch immer eingeschnappt, wenn ich bei einem Streit rausging, um meinen Ärger im Freien abzureagieren. Aber ich verstehe auch nicht, wie du dich mit jemandem einlassen konntest, der Kevin heißt – das klingt ja wie einer von den Osmond-Brüdern.«

»Läßt du mich vielleicht mal fertig erzählen?« fragte Dinah ärgerlich.

»Nur zu.«

»Ach, was soll's, eigentlich hab ich eh schon alles gesagt. Er hat mich dann noch einmal von seinem Autotelefon aus angerufen…«

»Ein Autotelefon hat der Kerl?« unterbrach Rudy. »Na dann ist ja eh alles klar.«

»Als ich ihn kennenlernte, hatte er noch keins«, verteidigte sie sich. »Er hatte es sich gerade erst angeschafft.«

»Schön zu hören«, meinte er großmütig.

»Danke«, sagte sie spitz. »Er ruft mich also an und fragt: ›Was muß man denn machen, damit du einen überhaupt zur Kenntnis nimmst – dich mit der Peitsche traktieren?‹ Und ich darauf erbost: ›Was fällt dir ein, so mit mir zu reden!‹ Später hat er behauptet, ich hätte ihn als Arschloch bezeichnet – gut möglich. Jedenfalls sagt er am Telefon nur noch: ›Blöde Frage!‹ und hängt auf.«

»Und dann?« wollte Rudy wissen.

»Ich war total sauer.«

»Kann ich mir vorstellen«, nickte er. »Aber das kann doch unmöglich die ganze Geschichte sein.«

»Naja«, meinte sie, »aber das war wirklich schon fast alles. Ich hab gleich bei ihm zu Hause angerufen, um ihm meine Antwort aufs Band zu sprechen, da ich ja wußte, daß er noch unterwegs war. Ich weiß nicht mehr genau, was ich alles gesagt habe, aber es war so ungefähr in dem Tenor, daß ich nicht einsehe, wieso er sich wegen einer solchen Lappalie aufführen muß wie ein verdammter Sizilianer. Mann, war ich geladen! Er hat sich dann vier Tage nicht mehr gemeldet, und da war mir schon klar, daß es aus war. Ich werde nie verstehen, worum es bei dem Krach eigentlich ging – es war irgendwie wie das Aufeinanderprallen von zwei grundverschiedenen Kulturen. Ich hätte wissen sollen, daß man sich nicht mit einem Typ abgibt, der über sich selbst quatscht, als wäre er im Nebenzimmer.«

»Was soll das heißen?«

»Naja, er hatte so eine bescheuerte Art, sich selbst zu beweihräuchern, als ob er über einen anderen reden würde«, erklärte sie. »Zum Beispiel: ›Auch wenn die Leute noch so schlecht von mir reden, ich bin ein aufrechter Mensch und hänge an meiner Familie.‹«

»Das hat er gesagt?«

»Nicht direkt, aber so ähnlich. Als ob er sich insgeheim für den vollkommensten Musterknaben auf Gottes weitem Erdboden hielte und gnädig sein Inkognito vor mir lüftete. Er kam mir vor wie ein Werbeprospekt.«

»Hmm… was war er noch gleich von Beruf?«

»Anwalt«, erwiderte sie. »Im Showbusiness tätig.«

Rudy seufzte. »Daß du dich mit einem Anwalt eingelassen hast, dagegen möchte ich gar nichts sagen, aber daß du es so ohne weiteres zugibst, das wundert mich.«

»Das hätte ich mir denken können. Aber was ist denn schon dabei? Anwälte sind doch ganz normale Zeitgenossen.«

»Denkst du! Anwälte sind Wölfe im Schafspelz. Die verdrehen einem das Wort im Mund und lügen mit der Wahrheit. Im Showbusiness! Und dort auch noch auf der nicht kreativen Kehrseite. Also, was Lebensferneres kann ich mir gar nicht mehr vorstellen. Solche Leute sind dauernd frustriert und laden ihren Frust dann an anderen ab. Auf dem Gebiet werden sie dann kreativ. Und Jude ist er auch nicht, was natürlich eure kulturelle Unvereinbarkeit erklärt.«

»Woher willst du das wissen? Das hab ich dir doch nie erzählt.«

»Sein Name«, gab Rudy zu bedenken. »Es gibt keinen Juden, der Kevin heißt. Obwohl ich zugeben muß, das mit dem Autotelefon hat mich einen Moment stutzig gemacht.«

»Jetzt mach aber mal'n Punkt!« Dinah lächelte. »Ich bin schließlich auch nicht so besonders jüdisch, wenn man's genau nimmt.«

»Viel fehlt da aber nicht.«

»Du bist genauso ein dämlicher Klugscheißer wie dieser Welby!«

»Ich sage nur, was ich denke. Was für ein Welby denn?«

»Na, dieser Arzt aus der Fernsehserie, der von Robert Young gespielt wird«, erwiderte sie. »Tu doch nicht so scheinheilig! Du weißt ganz genau, wer Marcus Welby ist! Du tust nur immer so ahnungslos, wenn's ums Fernsehen geht, damit alle glauben, du interessierst dich nur für Dramen und Gedichte!«

»Stimmt«, schmunzelte Rudy. »Und du mußt es ja wissen. Zum Beispiel, daß ich die paar Folgen, in denen Wellman mit Gehirntumoren zugange war, eigenhändig verfaßt habe.«

»Welby«, verbesserte sie ungeduldig.

»Hab ich doch gesagt, Welby.«

»Hast du nicht!« fauchte sie. »Wellman hast du gesagt. Wenn du dich schon unbedingt über Fernsehserien mokieren mußt, könntest du dir ja wenigstens die Namen merken.«

»Klingt wie schlechter Pinter«, stellte Rudy belustigt fest.

»Überhaupt nicht«, widersprach sie. »Pinter ist interessant, ohne auf irgendwas hinzusteuern. Und wir sind nicht übermäßig interessant, steuern aber sehr wohl auf was hin, nämlich aufs Abendessen.«

»Di, niemand außer dir würde eine harmlose Bemerkung übers Fernsehen so persönlich nehmen. Versteh ich nicht, wie kann man sich nur so mit einem Medium identifizieren!«

»Und niemand außer dir käme auf die blöde Idee, uns mit schlechtem Pinter zu vergleichen!« konterte sie. »So, da wären wir.« Sie bog vom Ventura Boulevard auf den Parkplatz des Teru Sushi und stellte den Wagen ab. Rudy musterte sie von der Seite.

»Du bist doch nicht etwa sauer?«

»Keine Spur«, versicherte sie. »Ich bin nur ein bißchen nervös, weil du so plötzlich wieder aus der Versenkung aufgetaucht bist, und außerdem hab ich einen Bärenhunger.«

»Um so besser«, meinte Rudy. »Dann laß uns essen.«

Die Nacht war warm und windig. Ein paar Motorräder knatterten den Ventura Boulevard hinunter. Sie ließ sich vom Parkwächter ein Ticket geben und folgte Rudy ins Restaurant, ein Detektiv auf heißer Spur.

Es war eigentlich nicht so, daß Dinah sich vor Rudy fürchtete, oder vor dem, was er ihr antun konnte. Sie hatte Angst vor sich selbst. Davor, wie sie auf ihn reagieren würde, was sie sich in seinem Namen antun konnte. Also letzten Endes doch vor ihm. Oder vor beidem. Jedenfalls Grund genug, dem Zusammensein mit ihm aus dem Weg zu gehen.

»Möchtest du Sake?« fragte Rudy unschuldig.

»Du weißt doch, was passiert, wenn ich Sake trinke«, sagte Dinah mehr zu sich selbst als zu ihm.

Rudy sah sie einfach an.

»Von Sake werde ich immer total blau«, sagte sie leise, zu ihm hinübergebeugt. »Weißt du noch damals, wie ich bei Seans Geburtstagsparty in den japanischen Garten hinter dem Restaurant rausgetorkelt bin und versucht habe, im Stehen zu pinkeln wie ein Mann? Und dann dieser Streß, nachts wacht man auf mit einem höllischen Brand und Herzflattern, von dem Kater ganz zu schweigen!«

»Ist ja okay, Honey, wenn du nicht willst. Aber deshalb brauchst du's doch dem Rest der Menschheit nicht auch vermiesen.«

»Nein, nein, bestell dir ruhig welchen«, sagte sie munter. »Dir tut Alkohol ja gut, er entspannt dich, was dir sowieso nicht schaden kann.«

»Ich *bin* entspannt«, knurrte Rudy ungehalten.

»Sieht man dir aber nicht an.«

»Na, dir aber auch nicht. Wollen wir jetzt bestellen?«

»Wie schmeckt's?« fragte Rudy und deutete mit einem Kopfnikken auf ihren Teller.

»Naja, wie Yakitori eben«, antwortete sie mit vollem Mund. »Nach gegrilltem Hähnchen. Und deins?«

Achselzuckend biß er in ein längliches Stück Sushi. Sie starrte versonnen auf sein zweites Täßchen Sake. Tom Scotts Saxophon nölte gedämpft im Hintergrund.

»Weißt du, was ich mir nach dem Krach mit Kevin überlegt habe?« fragte sie Rudys Sakekännchen.

»Hmmmmmmm?« brummte Rudy kauend.

»Ich hab mir überlegt, wenn jede Beziehung so stressig ist, dann hätte ich ja gleich bei dir bleiben können. Dich kenn ich wenigstens schon.«

Rudy nickte. »Aber nicht jede Beziehung muß unbedingt stressig sein.«

»Das möchte ich mal erleben«, sagte sie. Mich hat's bisher jedes Mal schwer erwischt. Du verstehst schon, Rübe ab und dann die Lebensringe zählen, so ungefähr. Hast du vielleicht schon mal 'ne streßfreie Beziehung gehabt? Jedenfalls nicht mit Vicki oder Lauren oder Anne. Wenn du über meine geschätzten Vorgängerinnen gesprochen hast, hast du dich doch immer nur beklagt.«

Rudy räusperte sich. »Inzwischen ist da eine… gewisse Änderung eingetreten.«

Dinah blieb der Bissen im Hals stecken. Fassungslos starrte sie Rudy an. Sie wäre nie auf die Idee gekommen, daß er eine neue Beziehung eingegangen sein könnte. Und schon gar keine, die gut ging. Wenigstens nicht zu ihren Lebzeiten.

»Was?« brachte sie erstickt hervor.

»Ich bin jetzt mit einer Frau zusammen, die vollkommen anders ist als alle, die ich vor ihr gekannt habe«, erklärte er gelassen. »Erst war es nur eine lockere Freundschaft, aber nach und nach ist eine feste Bindung daraus geworden. Ich weiß nicht, wie ich es beschreiben soll...« – sein Blick schweifte fast sehnsüchtig durch das Restaurant – »sie gibt mir so viel Geborgenheit.«

»Wie schön«, entgegnete Dinah gepreßt und verzog den Mund zu einem betretenen Lächeln. Sie winkte den Kellner herbei. »Einen Sake, bitte.« Mit klopfendem Herzen wandte sie sich wieder zu Rudy. »Seit wann kennst du sie denn schon? Wie heißt sie überhaupt?«

»Lindsay«, sagte er. »Warte mal... wann waren wir das letzte Mal zusammen essen?«

»Ähm... vor einem Jahr ungefähr.«

»Ja, das könnte hinkommen.« Er legte die Fingerspitzen zusammen und sah sie aus schmalen Augen an. »Damals hast du mir von Kevin erzählt. Du hattest noch eine Stinkwut auf mich.«

»Naja...«, begann sie und unterbrach sich, als der Sake gebracht wurde. Sie schenkte sich den zierlichen Becher voll und kippte den Inhalt mit einer Grimasse hinunter. »Eigentlich war ich eher ängstlich als wütend. Enttäuscht.«

»Auf jeden Fall kam es mir so vor«, sagte er, als sie tapfer ihren zweiten Becher trank. »Ich dachte, du wolltest nicht trinken?« fragte er sanft.

»Wie das Leben so spielt«, erwiderte sie mit erzwungener Heiterkeit. »Und was macht Leslie beruflich?«

»Lindsay«, verbesserte er. »Sie ist Innenarchitektin.«

»Tatsächlich?« flötete sie mit hochgezogenen Augenbrauen. »Und wie hast du Lindsay kennengelernt?«

»Ganz banal, auf einer Party.« Der Kellner räumte die Teller ab. »Wir waren beide mit anderen Leuten da. Später habe ich mich dann mit ihr unterhalten und mir ihre Telefonnummer geben lassen.«

»Einfach super«, sagte sie und schenkte sich noch einmal nach. »Dann seid ihr jetzt seit einem Jahr zusammen?«

»Nicht ganz«, Rudy deutete ein Lächeln an. »Ich meine, erst war ich eher zurückhaltend, nach unserem Fiasko wollte ich nicht so schnell wieder was Neues anfangen. Ehrlich gesagt, ich war ziemlich am Boden damals. Ich glaube, ich hatte... fast so was wie einen Zusammenbruch.« Er lachte in sich hinein. »Ich fühlte mich total ausgehöhlt wegen dir. Wie eine Muschel. Wenn du an mir gehorcht hättest, du hättest glatt das Rauschen des Ozeans hören können.«

Dinah versuchte, sich ihre Verblüffung nicht anmerken zu lassen, und trank hastig ihr Täßchen aus. »Da haben wir anscheinend beide einiges einstecken müssen.«

»Eben«, nickte Rudy. »Daher meine Bindungsängste.« Sein Blick verlor sich wieder in den Tiefen des Restaurants. »Aber Lindsay macht es mir da... ziemlich leicht. Sie ist so... ich weiß nicht, irgendwie so wenig fordernd.«

Dinah schüttelte den Kopf. »Wie kannst du sie da überhaupt respektieren?«

Rudy zuckte mit den Schultern und lächelte geheimnisvoll. »Was heißt hier respektieren? Es gefällt mir einfach, so wie's ist.« Dinah blitzte ihn entrüstet an. »Reg dich nicht auf, Di... was ist schon dabei? Ich meine damit ja nicht, daß ich den Pascha spiele, sondern daß ich... naja, nicht so viel bringen muß. Nein, so kann man es auch nicht sagen, aber sie hält eben zu mir... sie ist auf meiner Seite. Und das ist doch wirklich ein rührender Zug, wenn du's recht bedenkst.«

»Und sie? Hat sie überhaupt ein Eigenleben?« erkundigte sich Dinah.

»Darum geht's doch gar nicht«, winkte er ab und griff zerstreut nach der Rechnung. »Sie will mich einfach glücklich sehen, weil sie das auch glücklich macht.« Umständlich zählte er das Geld auf den Tisch.

»Wirklich rührend, in der Tat, wenn auch etwas vorsintflutlich.« Bedrückt folgte sie ihm aus dem Restaurant zurück zum Parkplatz.

»Nur weil es nicht deiner Auffassung entspricht, muß es noch lange nicht vorsintflutlich sein«, sagte Rudy versöhnlich, die Hände in den Taschen vergraben. »Kannst du dir vorstellen, daß wir uns in den acht Monaten, die ich mit ihr zusammen bin, erst zweimal gestritten haben?«

»Is ja toll«, murmelte sie verkniffen.

»Das ist nicht nur toll«, dozierte er, als sie ins Auto stiegen, »das ist ein Wunder.«

In diesem Augenblick erkannte Dinah, daß sie ihn zurücker-obern mußte.

Schweigend fuhren sie zu ihrem Haus. Er wollte ihr neues Garten-tor sehen und dann ein Taxi zurück ins Hotel nehmen. Na klar, warum auch nicht.

Das Radio dudelte leise vor sich hin, während sie durch die Nacht rollten. Sie hatte Kopfschmerzen. Rudy saß mit lässig gefalteten Händen in seinen Sitz zurückgelehnt und starrte unver-wandt durch die Windschutzscheibe.

»Den Song fand ich schon immer besonders dämlich«, sagte er plötzlich. »Also wirklich – ›You're so vain, you probably think this song is about you‹ – aber das Lied handelt doch von ihm selbst, ist er dann vielleicht weniger eitel?«

Dinah rang sich ein schmales Lächeln ab.

Sie parkte den Wagen vor dem Haus. Beide blieben sie reglos sitzen und blickten vor sich hin. »Das ist das neue Tor«, sagte sie schließlich mit einer vagen Geste.

»Aha, sehr hübsch.«

Sie fühlte sich dumpf und abgestumpft von dem vielen Sake. Hilflos und einsam. Alte, fast schon historische Gefühle packten sie und gingen mit ihr durch, stoben kopflos durch ihre Psyche. Sie hatte Rudy für immer an diese brave, nette Person mit Teamgeist verloren. Nie im Leben hätte sie gedacht, daß ihr das soviel ausmachen würde.

Rudy hüstelte. »Kommst du noch mit rein?« fragte sie mit der Hand auf dem Türgriff.

Er zögerte fast unmerklich. »Na gut.«

Ach stell dich nicht so an. Darauf wolltest du doch eh hinaus, dachte sie verbissen. Warum ließ sie sich auf dieses Spiel eigent-lich ein? Aber warum auch nicht, was hatte sie denn noch zu verlieren? Seit zwei Jahren war es schon aus zwischen ihnen, doch jetzt war es endgültig aus. Aus mit Rudy und aus mit Kevin. Sie war allein. Sie würde als alte Jungfer sterben. Oder noch ewig lang als alte Jungfer weiterleben, bis sie der Schlag traf. Kopfwackelnd und sabbernd würde sie im Rollstuhl sitzen, ohne eine Menschenseele, die sich um sie kümmerte. Während Lindsay irgendwo in weiter Ferne löffelweise Suppe in Rudys verwittertes, glückliches Greisengesicht schaufelte. Also dann, sagte sie sich im stillen, was soll's?

Sie saßen auf der Couch im Wohnzimmer und hörten dem Summen der Klimaanlage zu. Rudy räusperte sich. Dinahs Augen füllten sich mit Tränen.

»Ich glaub, ich fang gleich an zu heulen«, sagte sie. »Ich werde soeben von ungebetenen Gefühlen heimgesucht.« Rudy starrte weiter wortlos vor sich hin. Dinah wischte sich mit einem Taschentuch die Augen. »Wir können natürlich auch den Rest des Abends mit Selbstgesprächen verbringen«, fuhr sie mit krampfhafter Munterkeit fort. Schweigen. »Ich weiß nicht«, versuchte sie es noch einmal, »ich fühl mich irgendwie so... einsam oder so.«

»Ääh, ja...« brummte er unbehaglich und schlug die Beine übereinander. Er hustete und hielt sich die geballte Faust vor den Mund.

»Findest du's nicht auch ziemlich seltsam, wie wir hier so sitzen? Wie beim Zahnarzt im Wartezimmer.«

Rudy lachte. Er legte die Hände zusammen und ließ die Daumen kreisen. »Du kannst jedenfalls nicht sagen, daß wir es nicht versucht hätten miteinander«, bemerkte er gelassen. »Aber manchmal läuft es eben wie verhext.«

»Ist das jetzt der vielbeschworene Entmystifizierungsprozeß?« stichelte sie.

Er drehte sich zu ihr um und sah sie zum ersten Mal richtig an. »Di – du hast doch gesagt, du hast immer noch eine Schwäche für mich.« Hastig wandte er die Augen ab, wie ertappt.

»Und du hast gesagt, dir geht's genauso.«

»Und daß wir uns den Tatsachen stellen sollen und uns wiedersehen«, ergänzte er sachlich.

»Womit der Gendlersche Entmystifizierungsansatz noch einmal kurz und bündig umrissen wäre.«

Rudy seufzte. »Es hat dich ja schließlich niemand gezwungen, mit mir auszugehen. Ich bin aber nach wie vor davon überzeugt, daß es erst recht nichts bringt, wenn man sich krampfhaft aus dem Weg geht. Und außerdem«, setzte er nach einer kurzen Pause nachdenklich hinzu, »möchte ich den Kontakt zu dir nicht ganz verlieren. Weißt du, ich unterhalte mich einfach gern mit dir. Ich mag dich als Mensch.«

»Als was auch sonst? Als Objekt?« Dinah lächelte.

»Ach komm schon, Dinah.«

»Und was ist mit deiner Freundin?«

»Was soll mit ihr sein?«

»Warum unterhältst du dich nicht mit ihr?«

»Ich unterhalte mich doch mit ihr. Darum geht es nicht.«

»Worum denn dann?«

»Hör schon auf, Dinah. Die Beziehung zwischen Lindsay und mir ist doch mit uns beiden überhaupt nicht vergleichbar.«

»Na klar!« platzte Dinah heraus. »Bei ihr geht's um Geborgenheit, und bei mir um Anregung. Und du fühlst dich bei jeder von uns sauwohl, weil du immer im Mittelpunkt stehst.«

»Ich weiß nicht, ob man das wirklich so sehen kann, aber…« – er hielt inne und breitete die Hände aus – »selbst wenn, was ist schon dabei?«

»Sie hat es darauf abgesehen, dich zu heiraten.«

»Ich kann nur wiederholen, Dinah, was ist schon dabei? Sie hängt eben an mir.«

»Na und? Das tu ich auch.«

»Honey, du hast mich verlassen.«

Ein kurzes Schweigen trat ein. »Ich mußte dich verlassen. Es war *deine* Wohnung.«

»Jetzt hör schon auf, Dinah. Das hat doch alles keinen Zweck. Wir wollen doch nicht die alten Geschichten wieder aufwärmen.«

Sie lachte bitter. »Wir sind die alten Geschichten, mein Lieber.«

»Ach was«, wehrte Rudy ab. »Das mit Lindsay mag vielleicht so eine Art Gegenreaktion auf dich sein. Aber kannst du es mir denn verdenken? Wir zwei waren doch nie besonders glücklich miteinander.«

»Nein, das nicht. Wir haben uns geliebt, aber glücklich waren wir nicht.«

»Eben«, sagte Rudy und blickte düster vor sich hin. Wie lange sollten diese öden Reminiszenzen noch dauern? Brachte das Ganze überhaupt was? Lohnte es sich eigentlich noch, mit ihr ins Bett zu steigen?

Stumm und starr saßen sie da, wie zwei Bücherständer, all die Jahre ihrer gemeinsamen Vergangenheit zwischen sich aufgereiht. Ohne sie anzusehen, streckte er dann zögernd die Hand aus und berührte mit den Fingerspitzen die Hand in ihrem Schoß. Gebannt starrte sie auf die beiden Hände, als fragte sie sich, zu wem sie gehörten, und begann vorsichtig, sie mit der anderen Hand zu streicheln. So saßen sie einige Augenblicke da. Überlegten es sich. Schließlich hob sie seine Hand an den Mund und drückte die Lippen darauf. Rudy wandte den Kopf. Lehnte sich herüber und zog sie an sich. Er sah beunruhigt aus, hilflos. Dinah fühlte sich traurig und gefangen. Gefangen im gnadenlosen Lichtkegel ihrer alten Besessenheit. Ihre Mienen zählten nicht mehr und mischten sich, als ihre Lippen sich aneinanderpreßten, und mit ihnen all die Jahre der flüchtigen Gemeinsamkeit und der langen Trennung.

Ein tief verwobenes Geflecht von Mündern. Ein Unterwasserkuß. Ein Kuß, der durch seine Vollkommenheit alle früheren auslöschen wollte. Der letzte, der einzige. Zu ihm hatte alles hingeführt, von ihm führte alles fort. Herz über Kopf verstrickt in die ozeanischen Gefilde verschollener Sehnsüchte.

Seine Hände lagen jetzt auf ihren Brüsten. Sie bemühte sich, auf ihren Körper zu hören, ohne mit dem Verstand dazwischenzufunken, fühlte ihn ohne Worte antworten, losgelöst von Vergangenheit und Gegenwart. Ein lebendiges Stilleben. Er macht sich ihre Unterwerfung zunutze; sie tut alles, was in ihrer Macht liegt, um ihren Verstand auszuschalten, vermacht sich ihm mit Haut und Haar. Mit geschlossenen Augen beobachtet sie ihn, folgt der Melodie aus ihrem Gedächtnis, fühlt, wie er immer tiefer in sie hineinsinkt. Sie zieht ihren Verstand aus dem Verkehr, um seinem Körper Platz zu machen. Ihr Körper gehorcht ihm, wo ihr Verstand sich sträubt. Worte vermögen nichts mehr, wo er nun den Sieg davonträgt. Ihr Puls schlägt schneller, ihr Verstand schleppt sich nach, verliert den Faden, bis ihr ganzes Wesen sich auflöst in der magischen Formel: Wer bin ich? Ich bin bei ihm, das bin ich.

Was sich kaum unterscheidet von der alltäglichen Beschwörung: Wenn ich nur bei ihm wäre. Im Augenblick war Dinah irgendwo dazwischen. Irgendwer dazwischen.

Er denkt, also bin ich.

»Werden wir das später bereuen?« flüsterte Rudy, das Gesicht in den vertrauten Duft ihrer Haare vergraben.

»Und wie«, flüsterte sie zurück und biß ihn sanft in die Unterlippe.

»Und wie«, murmelte er zustimmend und drückte sie noch fester an sich.

Dinah beobachtete sich, als wäre sie Rudy. Beurteilte sich, wie er es tun würde. So hatte sie ihn immer bei sich. Ihr kleiner Freund im Kopf, manchmal zwar ein unfreundlicher Freund, aber wenigstens da. Sie sah ihn an, jetzt, aus nächster Nähe, und dachte, ich kann es gar nicht erwarten, mich an diesen Augenblick zu erinnern. Wieder mit ihm im Kopf allein zu sein, wo er sie nie verließ, immer über sie wachte, Tag für Tag anwesend, als verläßlicher Bezugspunkt, als nostalgisches Ziel ihrer Wünsche und Pläne. Eine Welt, in der er den Mittelpunkt bildete und sie den Äquator. Scheinbar bemüht, zum Kern vorzudringen, fand sie sich letztlich doch mit ihrer Randposition ab. Zufrieden damit, ihre stillen, stetigen Kreise zu ziehen und das Netz ihrer Tagträume zu weben. Ihn aufzugeben hieße, ihren vertrautesten Begleiter zu verlieren — wie grausam oder tröstlich seine Gesellschaft auch sein mochte.

Die bittersüße Gewohnheit, auf das verstockte Schweigen des Telefons zu hören – auf irgendein zukünftiges Treffen mit ihm hinzuleben. Das Streben, sich seiner würdig zu erweisen. Tausend Leben auszuharren, bis er sie endlich anrief. *Mir egal, es ist vorbei, was bildet er sich eigentlich ein, dazu bin ich mir zu schade, dieses Egomonster, scheiß drauf, es ist eh vorbei, ich werde ihn vermissen, er mich nicht, so zu wie er ist, jetzt geht's mir besser, so schlimm ist er doch gar nicht, seine Hände, er kann so lieb sein, aber manchmal auch eiskalt, als er damals, und wie er dann, er ist so egoistisch, er hat mich geliebt, ich hab's versaut, nicht seine Schuld, vielleicht das nächste Mal, vielleicht schon bald, wird alles anders, dieser Dreckskerl, wo ist er überhaupt, wieso kann er nicht, ich hätte nicht, alles meine Schuld, hat er gesagt, ich bin überspannt, so fordernd, er so ruhig, ich werde mich bessern, ich werd's ihm beweisen, es ist jetzt alles anders, ich darf ihn nicht verlieren, er wird mich verlassen, wo ist er nur, ich liebe ihn, oder nicht? Ach, wen kümmert's?*

Rudy hatte Macht über Dinah, weil er zu einem wesentlichen Bestandteil ihres Bewußtseins geworden war. Er hatte sich in ihrem Kopf eingenistet und verdrängte manchmal alle vernünftigen Überlegungen.

Und nun war er auf einmal wirklich da, eng an sie geschmiegt, während sie sich lauernd an seine Stimmung heranpirschte und nach einem Durchschlupf suchte. Einem unbewachten Seiteneingang, einer offenen Pore. Manchmal verschmolzen ihre beiden Wesen, schlossen sich ihre Kreise zu einem. Lächelnd ineinander verstrickt. Doch dann hatte er sich plötzlich wieder abgespalten und zurückgezogen in seinen eigenen, fest versiegelten Kreis. Der ewig Andere, so unzugänglich, mit seinen kalten, glitzernden Schlangenaugen. Blume in meinem Herzen, Schlange in meinem Kopf, wie soll ich dich je überwinden?

Ihre Gefühle für ihn, diese uferlosen Gefühle, die alle anderen in sich aufsogen, lächelten mit einem zarten Rülpser der Befriedigung.

Ah.

Nach diesem nostalgischen Anflug von Leidenschaft lagen sie zusammen auf dem Bett. Mit der für ihn typischen entspannten Tristesse schaute Rudy zur Decke hoch. Dinah sah ihn erwartungsvoll an. Die Stille um sie wurde immer drückender. Schließlich fragte sie schüchtern: »Woran denkst du?«

»An meine Finanzen«, erwiderte er niedergeschlagen. »Ich habe mir gerade überlegt, wie sich eine Rezession wohl auf die Grundstückspreise in Long Island auswirken würde.«

»Aha.« Dinah kämpfte mit einer Anwandlung von Panik. »Kannst du deinen Arm mal da wegnehmen? Mir ist die Hand eingeschlafen.« Rudy rückte gehorsam zur Seite und warf ihr einen kurzen Seitenblick zu. »Wo die Orgasmen wohl hin verschwinden?« fragte er mit einem spitzbübischen Grinsen.

Dinah lächelte über diesen bei ihm so seltenen Gesichtsausdruck. »Vielleicht ins Bermuda-Dreieck des Unbewußten«, meinte sie und streichelte ihm mit dem Handrücken über die Wange.

»Findest du nicht auch, daß die Genitalien irgendwie an Einkaufszentren erinnern?« Die Idee schien so weit hergeholt, daß sie unterwegs jeglichen Sinn verloren hatte.

»Wie bitte?« fragte sie sein unbewegtes Profil.

»Naja, eben alles an einem Platz konzentriert. Ab und zu mal ein kleiner Seitenstecher zu einer Brust, ein kurzer Umweg für einen Kuß – aber ansonsten haben wir doch da unten alles, was das Herz begehrt.«

Sie runzelte nachdenklich die Stirn. »Reichlich kapitalistisch, deine Analogie, wenn du mich fragst.«

»Vielleicht hast du recht.«

Sie legte ihm den Arm über die Brust und schmiegte den Kopf an seine Schulter. »Wenn du fünfzehn wärst, könnten wir gleich nochmal loslegen«, kicherte sie. Nervös. Sie hatte das Gefühl, daß der Abend ein einziges Fiasko war. Eine Orgie der Verdrehtheit und Verdrängungen.

»Wenn ich fünfzehn wäre, hätte der Spaß nur zwei Minuten gedauert.«

Sie schloß die Augen und ließ sich seufzend auf den Rücken zurückfallen. »Ich hab dich noch nie entspannt gesehen.«

»Ich dich auch nicht.«

»Deswegen nervt es mich ja wahrscheinlich so«, sagte sie zur Decke hin. »Du kommst mir vor wie eine gedrosselte Version von mir. Ich bin nervös – die extrovertierte Art, nicht entspannt zu sein. Du bist beherrscht, und das ist eigentlich nur die introvertierte Variante.«

Er lachte. »Was würdest du bloß anfangen ohne deine tollen Theorien.«

»Es macht mir eben Spaß, mir so was auszudenken«, erklärte sie ernsthaft. »Ich wollte immer so gerne klug sein. Und als ich dann klüger wurde – ich meine nicht wissensmäßig, sondern...«

»Ich weiß schon, was du meinst«, unterbrach er.

»Naja, als ich mir dann mehr zugetraut habe, ging's mir eigentlich nur noch drum, klar zu sehen.«

»Und das ist natürlich nicht so leicht. Besonders wenn man klug ist, ist es sehr schwer, klar zu sehen, weil man das Für und Wider beider Seiten erkennen kann.« Er sprach langsam und überlegt.

Dinah hatte den Eindruck, als ob sich so etwas wie ein wirkliches Gespräch anbahnte. »Rein wissensmäßig hab ich jedenfalls nicht viel drauf«, sagte sie. »Da fehlt's bei mir an allen Ecken und Enden. Du weißt viel mehr als ich.«

Er sah sie kopfschüttelnd an. »Ich finde, du nimmst das alles viel zu wichtig. Immer mußt du an dich und deine Umgebung Noten verteilen: ›Der ist klüger als ich, der ist nicht so klug‹ – was bringt denn das? Vielleicht solltest du dir lieber mal überlegen, ob du dem Intellekt nicht einen viel zu großen Stellenwert beimißt.«

Sie bekam große Augen. »Aber du nimmst das alles doch genauso wichtig!«

Seine Antwort ließ eine Weile auf sich warten. »Ach, weißt du, ich sehe das eher als eine Qualität unter vielen. Natürlich ist es wunderbar, wenn man einen scharfen Verstand hat. Aber das ist noch lange kein Grund, dem anderen damit ständig eins überzubraten. Intelligenz ist oft mit einer gewissen Intoleranz verbunden, oft sogar mit... Erbarmungslosigkeit. Die ideale Kombination wäre eigentlich Intelligenz und Mitgefühl. Aber meistens findet man entweder nur das eine oder nur das andere.«

»Stimmt. Leute, die ich wirklich intelligent finde, machen mir angst. Da muß ich mich immer krampfhaft anstrengen.«

»Vielleicht solltest du dich nicht dauernd selbst so unter Druck setzen, Honey.«

»Klingt nicht schlecht, aber leider hab ich das nicht alles so unter Kontrolle. Die Schaltzentrale hier oben« – sie tippte sich mit dem Finger an die Stirn – »funktioniert nämlich ganz von allein. Da rattert und tickt es permanent wie ein endloses Telexband, das sich einfach nicht abschalten läßt. Manchmal kommt's mir vor, als wäre mein Gehirn schlauer als ich. Es schnurrt unbeirrt weiter, ob ich will oder nicht.«

Rudy blickte sie nachdenklich an. »Wie mußt du erst mit zwanzig gewesen sein.«

»Keine Ahnung«, meinte sie schüchtern. »Kannst du dich noch erinnern?«

»Ich weiß noch, was für eine irre Energie du hattest.«

Sie lächelte. »Und das hat dir gefallen?«

Er schob abwägend die Lippen vor. »Nun ja, die Energie als solche schon.«

»Zuerst hatte ich nicht den Eindruck, daß du mich besonders magst«, sagte sie. »Obwohl ich damit gerechnet habe. Aber du hast mir damals ziemlich desinteressiert nachgestellt, als wärst du gar nicht richtig bei der Sache. Bei den anderen hab ich's immer sofort gecheckt, wenn sie auf mich standen. Bei dir war ich mir nie so sicher.«

Rudy setzte sich mit einem Ruck auf und warf einen Blick auf den Nachttischwecker. »Du hast ganz einfach Mumm«, sagte er zum Wecker.

»Was meinst du damit?« wollte sie wissen. Ein Kompliment von Rudy hatte wahrlich Seltenheitswert. Und wenn er sich zu einem hinreißen ließ, dann nie unüberlegt.

»Du hast keine Angst...« Er hielt inne und dachte kurz nach. »Du hast keine Angst vor den Dingen, die dir angst machen. Du läßt nicht locker. Du bist eine Kämpfernatur.«

»Bei dir fühl ich mich gar nicht so kämpferisch.« Sie zog die Knie an und kuschelte sich in die Decken. »Eher weibchenhaft, und das passiert mir nicht bei besonders vielen Männern.«

Er fuhr sich mit der Hand durch das Haar. »Weibchenhaft? Meinst du feminin?«

Sie bedachte ihn mit einem femininen Augenaufschlag. »Ja, ich glaub schon. Irgendwie schwach und willenlos.«

»Also, ich finde das Feminine jedenfalls sehr anziehend.«

»Wahrscheinlich, weil es was mit Unterwerfung zu tun hat.«

»Versteh ich nicht.«

»Naja, feminin sein heißt doch vor allem nicht aufmucken«, sagte sie, »das scheue Rehlein spielen, oder nicht?«

»Du und ein scheues Rehlein!« lachte Rudy. »Das wäre ja das Allerneueste!«

»Aber im Vergleich zu dir bin ich eben eins«, gab sie gekränkt zurück. »Im Vergleich dazu bist du in deinem Verhalten typisch männlich.«

»Ich weiß, du hast mich schon immer für einen arroganten Kerl gehalten.«

»Arrogant eigentlich weniger«, sagte sie, »eher selbstherrlich.«

»Siehst du, nichts als Widerworte«, beklagte er sich. »Und das nennst du nicht aufmucken?«

»Entschuldige, ich wollte natürlich sagen: Selbstbewußt. Und das wirst du ja kaum abstreiten wollen«, lenkte sie mit gespielter Demut ein.

»Soso«, sagte er mit einem schiefen Lächeln. »Da warst du aber damals unverblümter, als du mich einen aufgeblasenen Trottel genannt hast. Laut keifend, wohlgemerkt.«

Dinah riß ungläubig die Augen auf. »Was? Ich soll dich angekeift haben? Das glaubst du ja selber nicht. Und *aufgeblasen* finde ich dich überhaupt nicht. Nur, daß du in deinen ganzen

Ansichten und... Überzeugungen so eine unheimliche Sicherheit ausstrahlst. Aber das hat nichts mit hohler Aufgeblasenheit zu tun. Das liegt einfach an deinen ganzen Erfolgen und... Erfahrungen und so. Du bist eine gefestigte Persönlichkeit. Aber das ist dir nicht in den Schoß gefallen, du hast es dir verdienen müssen. So gesehen hast du eigentlich allen Grund, stolz zu sein – das soll aber nicht heißen, daß ich dich stolz finde«, beeilte sie sich hinzuzufügen.

»Ich versuche nur, mich halbwegs wie ein Erwachsener zu benehmen«, sagte er achselzuckend. »Wozu so tun, als wüßte man nicht, was gespielt wird, wozu sich naiver geben, als man ist?«

»Wirkst du deshalb oft so zerstreut?«

»Ich glaube, das mit der Zerstreutheit kommt eher daher, daß in meinem Kopf ständig noch ein zweites Gespräch parallel zu dem abläuft, das ich gerade führe.«

Dinah lächelte gequält bei dem Gedanken, daß Rudy wohl auch jetzt wieder in ein Parallelgespräch vertieft war.

Sie maßen sich gespannt mit Blicken. »Ich habe dich doch nie wirklich angekeift, oder?«

Er schob die Unterlippe vor. »Naja, vielleicht nicht direkt angekeift. Du redest ja sowieso ziemlich laut. Vielleicht war ich an dem Tag auch gerade ein bißchen überempfindlich. Aber das spielt ja jetzt keine Rolle mehr.« Er seufzte. Dinah hielt den Atem an.

»Manchmal klingst du wie ein ganz abgefeimter Diplomat«, sagte sie leise, um zu beweisen, daß sie auch über sanftere Töne verfügte.

»Der Botschafter aus der Eighty-First Street«, lachte Rudy und stand auf.

»Seine Exzellenz, der chinesische Botschafter aus der Eighty-First Street.«

»Wieso chinesisch?« wollte er wissen, schon halb auf dem Weg ins Bad.

»Weil du so undurchschaubar bist.«

»Ach so.« Er deutete vage zur Tür. »Ich muß mal dein Bad benutzen.«

»Wie peinlich für dich«, sagte sie kühl. Rudy lachte. »Jedesmal wenn ich mit dir zusammen war«, rief sie ihm nach, »möchte ich dir am liebsten über den Kopf streichen und sagen: Keine Bange, du hast dir keine Blöße gegeben.«

Statt einer Antwort tönte aus dem Bad nur ein melodisches Plätschern. Sie wußte sowieso nicht, weshalb ihr das rausgerutscht war. Es war ihr nur immer wieder aufgefallen während der paar Mal, die sie sich in den zwei Jahren der Trennung wiedergesehen hatten. Was sollte ihn auch dazu verleiten, ihr gegenüber offener zu sein? Sie war ja auch nicht gerade der Inbegriff emotionaler Großzügigkeit. Das einzige, womit sie niemals geizte, war ihre nervöse Energie. Hektische Redseligkeit zur Tarnung ihrer diffusen Ängste.

Wie war es nur möglich, daß er sich in einer stinknormalen Beziehung wohlfühlte? Das hieß doch, sie war daran schuld, daß es zwischen Rudy und ihr nicht geklappt hatte. Da war er jetzt also in einem ruhigen, streßfreien Verhältnis gelandet, während sie nichts als ein viermonatiges Desaster mit einem Pseudosizilianer aufzuweisen hatte. Sie hätte eben bei Rudy bleiben sollen. Warum hatte sie sich an ihm die Zähne ausgebissen? Darauf gab es bestimmt eine Antwort, die ihr aber im Zuge ihrer endlosen Selbstanklagen entfallen war.

Das Problem war, sie kam sich ihm gegenüber so unwichtig vor, so entbehrlich. Seine Distanziertheit, seine Kühle hatten ihr buchstäblich weh getan, und sie versuchte, dagegen anzukämpfen. Wollte den Funken irgendeiner Reaktion in ihm auslösen. Vergeblich. Allmählich versetzte sie das so in Rage, daß sie nur noch an Flucht dachte. Seine Eiseskälte konnte sie regelrecht in Panik versetzen. Na gut, dachte sie schließlich, wenn er es unbedingt so haben will, dann werde ich es ihm eben heimzahlen. Ihn genauso verletzen. Sie würde sich nicht länger auf die Rolle der Schwächeren festnageln lassen, nicht länger auf seine

Zuwendung hoffen. Sie würde ihre Gefühle unterdrücken und ihm die kalte Schulter zeigen, ihn verlassen, damit er sie vermißte. Doch nein, hatte er nicht immer behauptet, nie jemanden zu vermissen? Am Anfang, ja, da war er noch hingerissen von ihr. Nur an ihrer Seite zu liegen, munterte ihn auf, bedeutete ihm schon etwas. Aber ihre Macht über ihn machte ihm zu schaffen. Er liebte sie und war doch enttäuscht. So wie sie von jeher. Nie hatte sie an etwas anderes als Enttäuschungen geglaubt. So gab es wenigstens keine bösen Überraschungen, höchstens unerwartete Wunder. Es war ihr bester Abwehrmechanismus. Aber auch der versagte manchmal, wenn die Gefühlsfalle unversehens zuschnappte. Irgend etwas in ihr entwischte der Kontrolle. So hatte sie Rudy mit aller Leidenschaft, deren sie fähig war, geliebt, in der steten Hoffnung, in ihm etwas Ähnliches zu entfachen. Mit aller Kraft hatte sie versucht, seinen Widerstand zu brechen, seine frostige Kälte aufzutauen, seine erstarrten Sehnsüchte zu wecken und ihre vereinten Enttäuschungen zu begraben.

Aber zuletzt hatte sie sich gesagt: Es muß doch noch weichere Mauern geben, an denen ich mir den Kopf schlagen kann. Und hatte ihn verlassen.

Auf der Suche nach einer neuen, weicheren Mauer.

Weil sie über seine nicht hinwegkam.

Rudy und Dinah hatten einander das Herz gebrochen. Ein sehr intimer Vorgang, der eine tiefgehende Vertrautheit hinterläßt. Eine lebenslange Verbundenheit, als wäre man gemeinsam durch den Krieg gegangen. Eine schaurig intensive Erfahrung – der Horrortrip der Liebe. Und nachdem sie den Trip gemeinsam durchgestanden hatten, die Erfahrung bis zum bitteren Ende ausgekostet hatten, empfanden sie nun eine Mischung aus Furcht und Respekt voreinander. Wie zwei hochqualifizierte Meuchelmörder.

Die chinesische Folter mit Wassertropfen. Nur wer sie mag, überlebt sie.

Rudy kam aus dem Bad, gab sich betont natürlich.

Dinah ignorierte seinen Penis.

111

»Welche Tiere schließen einen Bund fürs ganze Leben?« Ihre Stimme klang wie die eines kleinen Mädchens. »Schwäne?«

»Vielleicht«, überlegte er. »Ja, ich glaube schon. Oder Wölfe?«

»Bei uns ist es genau dasselbe. Wir haben einen Bund geschlossen. Für immer. Ich auf jeden Fall. Ich bin dein Schwan. Dein schwarzer Höllenschwan.«

Verlegenes Schweigen. Er wollte das Thema wechseln. »Dinah, ich muß jetzt dann –«

»Warte«, unterbrach sie. »Ich glaub, ich hab's. Es sind Tauben. Genau. Ich kann mich an eine Geschichte erinnern, über… Brieftauben?«

»Was, Brieftauben?« fragte er geduldig. »Ich weiß nicht. Wahrscheinlich. Kann sein.«

»Doch, doch.« Sie war nicht mehr zu bremsen. »Du weißt schon, die Geschichte, wie sie Brieftauben ausbilden. Sie stecken sie mit anderen Brieftauben zusammen, Weibchen mit Männchen und umgekehrt, damit sie, naja… sich zusammentun. Und dann trennen sie sie. Die eine Taube wird dahin gebracht, wo die Nachricht hin soll, und so bringen sie die andere Taube dazu, daß sie den Brief transportiert. Die Tauben überbringen Briefe, weil sie ihren Schatz wiedersehen wollen.« Atemlos hielt sie inne. »Aber eigentlich ist das total traurig, denn sie lassen die Tauben nie zusammen. Sie leben nur für die Sehnsucht und die Hoffnung. Sklaven der Liebe.«

»Ich muß jetzt allmählich aufbrechen«, sagte er.

Dinah spürte einen Knoten im Hals. Sie hatte einfach vergessen, daß er sie wieder verlassen würde. Und mit einem Schlag lag sie ihrem alten Kumpel Wirklichkeit wieder in den Armen. Und was konnte wirklicher sein als Kummer? Irgendwas muß mir einfallen, flehte sie. Bitte, lieber Gott, irgendwas.

»Lieber Himmel«, meinte sie niedergeschlagen, »da hab ich mich ja wieder ganz schön reingesteigert. Entweder ich bin obenauf und plärre was das Zeug hält, oder ich verkriech mich stumm in ein seelisches Loch.«

»Solche Löcher sind mir auch nicht ganz fremd«, warf er ein, als er in seine Hose schlüpfte. Sie hätte sie verbrennen sollen und ihn festhalten, nackt, wie er war, bis er sie akzeptieren würde, wie sie war. Und bleiben würde.

»Soll ich dich heimfahren?« Wie in Trance betrachtete sie seine entrückte Gestalt.

»Ich habe vom Bad aus ein Taxi gerufen.«

Dinah brachte irgendwie ein Nicken zustande und stöhnte innerlich auf. Sein Fluchtplan. Er konnte es gar nicht erwarten, bis er wieder draußen war. Er hatte einen Rückfall erlitten und den Ort des Verbrechens noch einmal aufgesucht. Hatte sich hinreißen lassen. Doch jetzt wollte er sich nur noch aus dem Staub machen. »Warum«, fragte sie halb bewußtlos. »Mußt du morgen früh aufstehen?«

»Natürlich, was glaubst du denn?« Er griff nach seinem Hemd.

Natürlich, aufstehen muß er. Nur ich werde wohl nie mehr aufstehen. Ich hätte erst gar nicht aufstehen sollen. Sie beneidete Rudy um seine Gelassenheit, seine Gabe, die Dinge anzusehen wie ein Unbeteiligter und ihnen damit den Stachel zu nehmen.

»Ich habe Lindsay versprochen, daß ich sie anrufe. Sie neigt nämlich zur Eifersucht.«

Dinah nickte betäubt, hielt den Aufruhr in sich im Zaum. »Was für Arbeiten macht sie eigentlich als Innenarchitektin?« Vielleicht würde die Frage ja Interessantes zutage fördern und den Ereignissen etwas von ihrem Gewicht nehmen, unter dem sie zu ersticken drohte.

»Ihre Arbeiten sind meistens modern.« Er saß auf dem Bett und zog die Socken an. »Aber ihr Interesse an Innenarchitektur ist sowieso nicht so tiefgehend. Sie wird das bestimmt nicht ewig machen. Und mir ist das ganz recht. Die Beziehung zu dir war mir da eine Lehre. Ich möchte nicht mehr mit einer Frau zusammenleben, die sich so stark auf ihre eigene Karriere konzentriert.«

Dinah starrte ihn an. Das hatte noch gefehlt! »Du möchtest also nicht, daß sie arbeitet?«

»Es geht nicht darum, daß ich es nicht möchte« – er band sich die Schuhe –, »aber sie interessiert sich sowieso nicht besonders für ihre Arbeit. Sie will aufhören, und ich habe sie dazu ermuntert. Sie hat mehrere aussichtsreiche Angebote bekommen – da habe ich ihr zu verstehen gegeben, wie ich dazu stehe. Es klappt nicht, wenn zwei Leute voller Ehrgeiz ihre Karrieren verfolgen. Beide sind ständig auf Hochtouren. Das ist einfach kraftraubend. Eine Frau braucht eine weniger aufreibende Arbeit.«

Dinah ging auf Distanz, um nicht an die Decke zu gehen. Nachlässig zupfte sie an einem Daumen. Nur nicht aufregen. »Und das wäre?«

»Ich weiß nicht«, sagte er achselzuckend.

Dinah verzog das Gesicht, nicht unfreundlich, wie sie hoffte. Eine Miene des Entgegenkommens. »Naja, und was meinst du?«

»Ich weiß auch nicht. Das soll jetzt nicht heißen, ich hätte noch nicht drüber nachgedacht. Nur, daß ich es nicht weiß. Versteh mich doch, ich hätte auch gern einen weniger aufreibenden Job, aber ich habe ihn nun mal. Also, ich kann nicht mit einer Frau zusammenleben, die sich in ihrer Arbeit genauso verausgabt. Das funktioniert einfach nicht.«

Dinah dachte nach. »Du meinst, wer soll sich dann um die Beziehung kümmern?« fragte sie schließlich.

Rudy hätte fast gelächelt. »Du sagst es.«

Dinah versuchte, sich herauszuhalten aus dem Gespräch, aus Rudys Angelegenheiten, aus allem. »Und was macht sie so, wenn sie nicht arbeitet?« fragte sie verständnisinnig.

»Sie hat ja noch andere Interessen.« Er holte sich sein Jackett vom Stuhl und stand verlegen neben dem Bett.

Ich hätte mich nie darauf einlassen dürfen, dachte Dinah. Mutter hatte recht: Die Männer wollen alle nur das eine, und wenn sie es kriegen – zack – bumm – nichts wie weg. Sie blickte zu Rudy auf, der noch ihre Frage beantwortete. Sah, wie seine Lippen die Worte formten. »Sie arbeitet gern im Garten und… interessiert sich für Politik.«

»Und für dich«, ergänzte sie. Und wie, dachte sie.

114

»Und für mich«, bestätigte er. »Sie möchte mich einfach glücklich machen.«

Dinah schüttelte ungläubig den Kopf. Glücklich. Prinz Rudy und Prinzessin Lindsay marschieren Hand in Hand ins Paradies. »Aber ist das nicht ein bißchen viel verlangt? Ich meine, daß sie vierundzwanzig Stunden am Tag an nichts anderes denken darf als an dein Glück? Du läßt sie ihren Job aufgeben, nur damit sie im Garten rumwerkelt, gescheit über Politik daherredet und dich glücklich macht? Und was ist eigentlich mit ihr – mußt du sie auch glücklich machen? Oder ist das Ganze nur eine einseitige Angelegenheit?«

»Natürlich denke ich an ihr Glück«, orakelte er. »Ich denke an *unser* Glück. Jedenfalls bin ich froh, daß ich nicht mehr jeden Tag Chinagerichte aus dem Restaurant essen muß.«

»Ja…« Seine letzte Bemerkung hatte ihr die Sprache verschlagen.

»Ja…« sagte er. Beklommenes Schweigen trat ein.

»Danke auf jeden Fall für die Entmystifizierung«, sagte sie.

»Geschenkt. Hör mir lieber mal zu: Beziehungen sind verlaufsorientiert, und wir beide sind mehr oder weniger zielorientiert. Und ich möchte mich diesmal bloß mehr am Verlauf orientieren, das ist alles.«

Dinah lächelte. »Im Bauen von Luftschlössern sind wir beide unschlagbar – nur, drinnen halten wir's leider nicht aus.«

In Rudys Augen trat ein weicher Glanz. »Genau. Diese Scheißgemäuer sind nicht wärmeisoliert.«

Einen Augenblick sahen sie aneinander vorbei. Dinahs Sehnsucht schwoll zu einem Orkan.

»Ich finde es schön, daß wir uns wieder einmal gesehen haben«, sagte er, um sie aufzumuntern.

»Mir geht's so weit ganz gut, mich haut so schnell nichts um«, sagte sie unvermittelt. Wenn nur… wenn nur… Aber was halfen schon Wünsche?

Rudy lachte und räusperte sich. »Du bist die einzige Frau, die ich kenne, die sich selbst Komplimente macht.«

Nach kurzem Nachdenken antwortete Dinah: »Ist doch lieb von mir, oder?« Es dauerte einen Moment, ehe es bei ihm Klick machte. Sie mußten beide lachen. »Und außerdem mach ich mir lieber selbst Komplimente, wenn ich schon von niemand anderem welche zu hören kriege.«

»Aber das hast du doch schon gemacht, als ich dich kennenlernte«, sagte er.

Ihre Blicke versanken ineinander. Dinah versuchte, in ihn hineinzufühlen. Ihn anzurühren, ihn daran zu erinnern, was sie einander in flüchtigen Augenblicken bedeutet hatten. Und was sie einander, unter tätiger Mithilfe ganzer Heerscharen von Engeln, vielleicht wieder bedeuten könnten.

Rudy lehnte sich nach vorne und küßte sie. Dinah empfing den Kuß mit geschlossenen Augen wie ein Sakrament. »Hätte ich dich nur jetzt kennengelernt«, flüsterte sie beschwörend.

Er richtete sich auf und sah sie vorsichtig an.

»Falsch«, sagte er. »Denn wenn du mich jetzt kennenlernen würdest, wäre ich genauso verschlossen wie sonst auch.«

»Falsch. Denn du bist nur wegen mir so verschlossen, aber du würdest mich noch gar nicht kennen, also wärst du auch nicht so verschlossen.«

»Wahrscheinlich.« Er warf ihr einen seltsamen Blick zu. »Ich sehe zu, daß ich dich morgen gegen zwei Uhr anrufen kann, bevor ich nach Hause fliege«, sagte er ruhig und ging.

Deprimiert sah Dinah auf die Leere, die er hinterließ. Verlang nicht mehr von mir, dachte sie bitter, sonst bekommst du noch weniger, als du hast. Bring das Boot nicht zum Kentern. Aber auf was für einem Boot bin ich denn, wenn ich nichts verlangen darf?

Auf dem Liebesboot.

Sie saß am anderen Ende der Welt, seiner Welt, ausgestoßen aus dem Land der Liebe. Verbannt. Sie hatte ihn aufgegeben, hatte sich durchringen müssen zu dieser Entscheidung, und da saß sie nun und sehnte sich nach seinem Schatten, wollte ihn wiederhaben um jeden Preis.

Nachdem Rudy gegangen war, schaltete sie den Fernseher an, weil sie nicht in die Stille hineinhören wollte, nicht mit sich allein sein wollte, nachdem er verschwunden war, um seine eifersüchtige... nette Freundin anzurufen. Mitten im Film schlief sie ein und träumte, daß sich Rudy in eine Französin verliebt hatte und sie so tun mußte, als ob es ihr nichts ausmachte.

Am nächsten Morgen rief sie Connie an. Dinah hatte sich an Connies Ratschläge gewöhnt, nicht weil sie sie unbedingt befolgt hätte, sondern weil sie ihr Spaß machten. Sie erzählte ihr alles über den Entmystifizierungsprozeß.

»Entmystifizierung«, meinte Connie sinnierend. »Hört sich an wie eine Säuberungswelle bei der Kulturrevolution.«

»Ich hätte nicht mit ihm schlafen sollen. Ich hatte es mir fest vorgenommen«, sagte Dinah. »Jetzt werd ich mir noch übergeschnappter vorkommen.«

»Nimm's nicht so schwer, Süße. Im Grunde hattest du gar keine andere Wahl. Als er dir gesagt hat, daß er eine andere hat, war's um dich geschehen. Du bist aus den Latschen gekippt, und er mußte dich mit Mund-zu-Mund-Beatmung wieder ins Leben zurückholen.«

»Bitte, Connie, keine Späße. Es ist sowieso schon schwer genug.«

»Ach komm schon, Dinah. Alle schlafen doch mit ihren Ex-Männern«, sagte Connie beschwichtigend. »Und wenn nicht, dann wollen sie es zumindest. Erst warst du sauer auf ihn, dann warst du total niedergemäht, dann hast du dir in die Hose gemacht vor ihm. Und jetzt alles drei gleichzeitig. Du mußt dich damit abfinden, bei Rudy blickst du nicht durch.«

»Wahrscheinlich zum Teil auch deswegen, weil ich nie Gelegenheit hatte, ihn wirklich kennenzulernen.«

»Ach, komm schon, Dinah. Du warst doch keine Unschuld vom Lande, als du dich zuerst mit ihm eingelassen hast.«

»Nein, ach darum geht's ja gar nicht«, sagte Dinah ungeduldig. »Ich weiß auch nicht. Jetzt hab ich ihn für immer verloren. Und ich dachte, das tut mir gut. Ich meine, mir ist es wirklich besser gegangen, seitdem wir nicht mehr zusammen sind. Ich war so... wir waren so... o Connie, was soll ich nur machen?«

»Wer sagt denn, daß du dich gleich entscheiden mußt? Mach nicht einfach irgendwas, gönn dir erstmal eine Denkpause. Wollen wir nicht ins Gesundheitscenter gehen und die Sache bequatschen?«

»O Connie, ohne dich wäre ich total aufgeschmissen!« rief Dinah.

»Sag ich doch immer«, meinte Connie großmütig, »sag ich doch immer.«

Dinah und Connie saßen in der Sauna eines koreanischen Gesundheitscenters in L.A. Ein Fernseher in der Ecke zeigte die melodramatischen Ereignisse vor einem asiatischen Gericht. Der Ton war abgestellt. Zwei kleine Koreanerinnen saßen am anderen Ende der Holzbank, eine von ihnen mit übergeschlagenen Beinen und einem Handtuch über dem Gesicht.

»Warten auf die Hinrichtung«, flüsterte Dinah. Connie senkte den Kopf und lächelte. Die Frau ohne Handtuch verfolgte die stumme Gerichtsszene.

»Und wie war es, mit ihm zu schlafen?« fragte Connie und legte das Handtuch unter sich zurecht.

»Schön. Schön und traurig.«

Connie lachte. »Früher hab ich felsenfest daran geglaubt, daß es nur dann schön ist, wenn es auch ein bißchen traurig ist.«

»Ja, aber diesmal war's noch ein bißchen trauriger als sonst, aus verschiedenen Gründen«, begann Dinah. »Zum Beispiel, daß ich Tony ausgesperrt habe, und er schläft doch normalerweise bei mir im Bett. Während wir also miteinander geschlafen haben, saß Tony draußen und hat gejault und gewinselt. Das hat der Sache irgendwie einen tragischen Anstrich gegeben.«

»Willst du damit sagen, daß du zum erstenmal mit jemand geschlafen hast, seit du Tony hast?« fragte Connie. »Er ist doch schon fast ein Jahr alt.«

»Zehn Monate. Ich hab ihn mit sechs Wochen gekriegt – das war damals, als ich mit Kevin Schluß gemacht habe, weißt du noch? Also vor sieben, acht Monaten. Stimmt, seit acht Monaten oder so habe ich mit keinem mehr geschlafen – ist das schlimm? So schlimm ist das doch auch wieder nicht. Mit wem sollte ich auch schlafen?«

»Nein, Di, schlimm ist es nicht, nur lang. Kein Wunder, daß dir die Sache so an die Nieren gegangen ist. Hoffentlich hast du wenigstens onaniert oder so.«

»Ich onaniere nie.«

»Nie.«

»Einmal hab ich's probiert«, sagte Dinah. Eine der Koreanerinnen stand auf, wand sich ein Handtuch um die Hüften und schlenderte hinaus. »Ich hoffe, ich hab nichts Falsches gesagt«, meine Dinah und sah ihr nach.

»Bestimmt nicht. Die meisten Frauen in Korea onanieren vor dem dreißigsten Lebensjahr mindestens zweimal.«

»Aha.«

»Anscheinend hat's dir keinen Spaß gemacht«, forschte Connie.

»Was?« fragte Dinah. »O das. Nein das stimmt gar nicht. Spaß hat's mir schon gemacht. Das Blöde war, ich hab acht Stunden gebraucht, bis ich gekommen bin, und auch wenn's eigentlich toll war, hab ich mir gedacht, daß der Zeitaufwand irgendwie zu groß ist.«

»Acht Stunden ist wirklich zu lang.« Connies Blick hing am Fernseher. »Hast du dir wenigstens was vorgestellt?«

»Nur am Anfang«, sagte Dinah langsam. »Am Anfang hab ich so getan, als wäre ich eine andere. Als wäre meine Hand ein anderer. Aber am Schluß bin ich draufgekommen, daß es nur ich selbst war. Männer haben's gut mit ihrem Penis. Sie fahren Bus und kriegen eine Erektion. Sie wachen auf und haben eine Erektion. Der Penis ist... ein Organ. Die Vagina ist nur ein Pseudoorgan.«

Connie schüttelte vor Verblüffung den Kopf. »Manchmal frag

ich mich wirklich, ob du noch zu retten bist.« Sie zog das Handtuch zurecht. »Also. Zurück zu den Ereignissen um Rudy…«

»Das mit dem schwarzen Höllenschwan hätt ich nicht sagen dürfen zu ihm.« Dinah schnitt eine Grimasse.

»Wie bitte?«

»Nichts«, seufzte Dinah und wischte sich den Schweiß vom Rücken. »Nur so eine bescheuerte Bemerkung, mit der ich ihm Einblick in mein Gefühlsleben gegeben habe.«

»Ihr habt euch also unterhalten über euer kleines Intermezzo?«

»Das freudige Ereignis, meinst du?« fragte Dinah. »Nein, nein, wir haben uns nicht darüber unterhalten. Und ich glaub, das ist auch gut so.«

»Da geb ich dir recht. Das hält die Spannung am Leben. Und Spannung kann man nie genug haben.«

Es war heiß. Die Luft war zum Schneiden. In kleine Scheiben. Feucht und schwer lag die Hitze auf Dinah und Connie.

Eine Frau wedelte bei der Suche nach einem anderen Kanal mit ihrem Hintern vor Dinahs Gesicht herum. Zu Connie gebeugt flüsterte Dinah: »Kennen wir uns?«

Connie lachte. »Sie hätte ihn wenigstens vorstellen können.«

Die Frau beugte sich noch weiter nach vorne, ihr Hintern ragte immer bedrohlicher vor Dinahs Gesicht auf. »Dann könnte ich sie auch gleich mit meinem bekanntmachen«, fügte sie hinzu.

Connie sagte: »Wenn meine Schwester beim Gynäkologen mit gespreizten Beinen daliegt, sagt sie immer, bevor er ihr irgendwas reinsteckt: ›Ach Herr Doktor, könnten Sie mich nicht wenigstens zuerst küssen?‹ Ich hatte kürzlich 'ne Analuntersuchung hinter mir, die so lang gedauert hat, daß ich in der Zwischenzeit ein Fünfgängemenü hätte kochen, essen und hinterher noch abspülen können. Am liebsten hätt ich gefragt: ›Suchen Sie nach was Bestimmtem da drinnen? Vielleicht kann ich Ihnen weiterhelfen.‹«

»Kenn ich«, meinte Dinah. »Die Männer können dem Arzt

dabei wenigstens den Rücken zuwenden. Nur beim Husten müssen sie ihm ins Gesicht sehen.«

»Und dann rasseln sie ihre Scheißliste runter: ›Keine Knoten in der Brust, normale Färbung der Brustwarzen. Spüren Sie etwas?‹ Blöde Frage! Sie halten mir mit einer Metallklammer die Vagina auf und stecken mir diese speziellen Q-Tips-Dinger rein. ›Gebärmutter gut tastbar, nicht verformt, Abdominalreflexe in Ordnung, äußerer Scheidenbereich normal‹, geht die Leier weiter. Und ich liege die ganze Zeit da wie ein Frühstücksschinken vorm Braten. Wie wenn ich selbst gar nicht dabei wäre. Wie wenn ich im Nebenzimmer bei Kaffee und Kuchen sitzen würde.«

Der Hintern entfernte sich schwerfällig.

»Du sag mal«, sinnierte Dinah, »wie war das gleich wieder, große Hände, großer Schwanz oder kleine Hände, großer Schwanz?«

»Große Hände.«

»Ganz sicher?«

»Früher wollte ich immer sagen, schmale Oberlippe, dicke Eier. Oder zumindest ein dickes Ei.«

»Oder: kein Kopf, kein Schwanz.«

»Klingt ziemlich zenmäßig, wenn du mich fragst.«

»Ich muß raus.«

Dinah stand auf und schob die Holztür auf, das Handtuch fest um den Körper gewickelt. Connie folgte. Ihr langes blondes Haar klebte an Kopf und Schultern. Die Fliesen im Hauptraum des Badehauses waren pink mit braunen Verzierungen. Die drei Pools hatten jeweils verschiedene Temperaturen. Einer war warm, einer heiß und einer eiskalt. In der Mitte des Raums standen zwei Wannen, in denen sich sitzende Frauen mit Seife und Bürste wuschen. Das Haar, den Körper, einander. In einer Ecke befanden sich drei Duschkabinen, in einer anderen waren vier Massagebänke aufgestellt. Wer sich drauflegte, konnte sich von Koreanerinnen im Bikini massieren oder mit Luffahandschuhen die Epidermis abschrubben lassen. Und sich als nächstes mit Körpermilch einreiben und eine Maske machen lassen. Dinah und Connie stiegen in den warmen Pool. Eine andere Frau ließ sich vorbeitreiben, nur ihr Kopf sah aus dem Wasser, die Augen vor der Welt geschlossen.

»Wahrscheinlich hab ich Rudy mehr geliebt als er mich. Nicht am Anfang, aber am Schluß. Am Schluß hab ich ihn mehr geliebt, ja.«

»Ich glaub, das kann man nicht so sagen – Rudy hat dich garantiert genauso fest geliebt wie du ihn. Doch es gab einen Unterschied: du hast seine Anerkennung gebraucht, er deine nicht.«

»Aber wenn er mir seine Anerkennung nicht zeigt, wie kann er mich dann lieben?«

»Deswegen kommst du wahrscheinlich auch nicht von ihm los. Du wolltest doch sogar seine Anerkennung dafür, daß du ihn verlassen hast. Das ist, wie wenn du jemanden anrufst und ihm erzählst, ›hey, ich bring mich jetzt um‹, damit er es dir wieder ausreden kann. Solange er mit seiner Anerkennung hinterm Berg gehalten hat, warst du gebannt wie ein Kaninchen vor der Schlange. Ich hatte eigentlich immer den Eindruck, daß er dir nicht traut, daß er meint, wenn er seine Anerkennung zeigt, dann läßt du ihn sitzen. Aber wahrscheinlich bringt er es einfach nicht fertig, jemanden ohne Wenn und Aber zu lieben. Es gibt solche Leute. Solange du sein ambivalentes Verhalten nicht durchschauen konntest, warst du gebannt. Du warst eine Kuriosität für ihn. Eine Kuriosität, die unbedingt zur Leidenschaft werden wollte.«

Dinah seufzte. »Ich seh mich vor ihm sitzen und sagen: ›Schau doch, wie komisch ich bin, wie schön, wie klug. Du mußt mich mögen. Bitte, bitte, du mußt einfach.‹ Wie ein drehorgelspielender Affe.«

»Jetzt hast du's doch hinter dir.«

»Vielleicht, ja, aber das heißt noch lange nicht, daß es mir deswegen gutgeht.« Dinah wollte das Becken schon verlassen, kehrte aber noch einmal um. Sie hielt die Luft an und tauchte mit dem Kopf unter die Wasseroberfläche. Nach einigen Sekunden tauchte sie wieder auf.

»Mehr gibt's nicht zu erzählen?« fragte Connie. »Du sagst was über Schwäne, er erzählt dir von seiner Angebeteten, du gehst mit ihm ins Bett, und dann rufst du mich an? Das kann doch nicht alles gewesen sein.«

»Was soll ich groß erzählen? Ich hab ihn getroffen, er hat mir das mit seiner neuen, vollkommenen Freundin gesagt. Ich hab mit ihm geschlafen, und jetzt fliegt er zurück nach Hampton, um sich an Miss Lindsays Busen von vollbrachten Taten auszuruhen. Sein Gesicht hättest du sehen sollen, als er davon angefangen hat, wie lieb sie ist.«

»Ein altes Sprichwort lautet: Wenn du nicht interessant bist, dann sei lieb«, sagte Connie. »Dinah, ohne ihn bist du tausend-mal besser dran, glaub's mir. Die letzten Jahre ist dein Leben doch wunderbar gelaufen.«

»Wunderbar?« fragte Dinah. »Ich bin allein.«

»Ach komm, Dinah, das darfst du nicht so eng sehen. Daß du mit keinem Mann zusammenlebst, heißt ja noch lange nicht, daß sonst nichts läuft. Du hast doch wirklich genügend Chancen. Außerdem gibt es auch noch was anderes auf der Welt als Männer.«

»Das brauchst du ihnen aber nicht auf die Nase binden. Wie ging noch das andere Sprichwort von dir? Männer identifizieren sich mit ihrer Arbeit und Frauen identifizieren sich mit ihren Män-nern, hieß es nicht so?«

»Das hab ich dir im Zusammenhang mit Chuck gesagt«, meinte Connie. »Wir hatten uns damals gestritten. Mit dir und Rudy hat das überhaupt nichts zu tun.«

»Ach, diese Sprichwörter gelten nur da, wo du es sagst?«

»Es sind schließlich *meine* Sprichwörter«, sagte Connie schmollend. Schweiß tropfte von ihrer Nase. »Versteh doch, Dinah, ich mag Rudy wirklich gern, das weißt du. Schon immer. Aber zu *dir* paßt er einfach nicht. Das weißt du doch, selbst am besten. Du kannst bloß die Vorstellung nicht ertragen, daß ihn dir eine andere weggeschnappt hat. Besonders jetzt, wo es mit seiner Karriere steil bergauf geht.«

»Da kann ich dir nur zum Teil recht geben. Daß ich ihn mir nicht gern wegschnappen lasse, stimmt. Aber eher weil ich seinen Verlust noch nicht verwunden habe, und nicht bloß aus willkürlichem Neid. Und seine Karriere läuft sowieso immer gut.«

»Weiß du was?« fragte Connie.

»Nein, aber du wirst es mir bestimmt gleich sagen.«

»Das Nichtstun ist gefährlich für dich«, verkündete Connie im Brustton der Überzeugung. »Dieser Streik ist Gift für dich. Auf einmal fällt es dir wieder ein, wie wichtig Rudy für dich ist. Glaub mir, das kommt nur davon, daß du keine Arbeit hast und mit deiner Zeit nichts anfangen kannst, zumindest nichts Kreatives. Die ganze Energie, die du normalerweise in die Serie steckst, hängt sich plötzlich an wilde Phantasien. Mit deiner ganzen freien Zeit und Energie fängst du nichts Gescheiteres an, als daß du dir dein eigenes kleines Drama erfindest. Warum machst du nicht endlich, was ich dir schon am Anfang des Streiks vorgeschlagen habe – eine deiner Kurzgeschichten fertigschreiben, ein Skript schreiben –«

»Ich bin keine Streikbrecherin«, wehrte sich Dinah.

»Dinah, alle schreiben doch jetzt an einem Skript. Nur vielleicht nicht an einem offiziellen Auftrag. Nächstes Jahr geht echt die Post ab!«

»Ich kann aber keine Skripte schreiben. Zu schwer für mich. Ich bin nicht gut genug.«

»Dann arbeite doch einfach mit jemand zusammen, der genau das bringt, was du nicht drauf hast«, entgegnete Connie. »Lorraine und ich, wir machen das genauso. Wir haben während des Streiks schon jede Menge Sachen geschrieben. Rumsitzen und Däumchendrehen schadet doch nur.«

»Aber ich sitz doch nicht bloß rum und dreh Däumchen!« jammerte Dinah.

»Ach wirklich? Und was machst du?«

»Ich… hab dreimal die Woche einen Massagekurs in Santa Monica, und ich mache Yoga, und dann wollte ich Ende des Monats auch noch in ein Drehbuchseminar gehen…«

Connie blickte Dinah nur an. »Dinah, du weißt ganz genau, was ich sagen will. Natürlich find ich's auch gut, daß du dich mit was beschäftigst, aber das sind eben keine Sachen, die dich ausfüllen – ich meine so richtig, daß du drin aufgehst –, verstehst du?«

»Du meinst also, wenn ich eine Kurzgeschichte schreibe, dann ist alles in Butter? Und worüber soll ich bitte schreiben? Über mein ödes Dasein? Darüber, daß ich mich von einem Ende des Tages bis zum anderen dahinschleppe wie eine träge, fette Wanze?«

»Und was willst du dagegen unternehmen? Dich emotional ein bißchen aufs Glatteis wagen, damit du endlich was zum Schreiben hast?«

»Über eigene Erfahrungen schreiben ist immer interessanter. Über das schreiben, was man kennt.«

»Und wie wär's, wenn du mal deine Phantasie benutzen würdest? Oder eine Erfahrung aus der Vergangenheit? Meinst du vielleicht, es bringt was ein, wenn du aus deinem Leben ein Labor für deine Prosaexperimente machst…?«

»Ich hab Rudy doch nicht getroffen, damit ich was darüber schreiben kann!« rief Dinah erbost. »Er hat doch mich angerufen! Und ich möchte auch nicht darüber schreiben! Ich möchte überhaupt nichts tun. Nur wegfahren und lesen. Aber nicht schreiben. Mit Schreiben verdiene ich Geld; warum sollte ich dann auch noch im Urlaub schreiben wollen? Oder von mir aus wenn Streik ist?«

»Wegfahren?« fragte Connie argwöhnisch. »Wohin? Nicht zufällig Richtung Osten… New York oder so?«

»Nein, zufällig nicht! Und selbst wenn, dann nicht unbedingt nur, um Rudy wiederzusehen, klar? Ich hab lange Zeit an der Ostküste gelebt. Ich könnte dort aus einem Haufen anderer Gründe hinfahren, ohne daß ich mich ausgerechnet mit einem Typen treffen will.«

Schweigen. Connie sah Dinah an. Schließlich sagte sie: »Versprich mir nur, daß du nichts Verrücktes anstellst, bevor du noch mal mit mir sprichst.«

»Connie, ich stell nichts Verrücktes an.«

»Glaubst du. Versprich mir, Dinah, daß du noch mal mit mir redest, bevor du dich zu was hinreißen läßt.«

Dinah zuckte die Achseln. »Okay.«

»Okay was?«

»*Okay*«, rief Dinah gereizt. »Ich verspreche, daß ich mit dir spreche, wenn ich was Größeres vorhabe.«

»Vorher«, drängte Connie.

»Gut, vorher, vorher. Zufrieden? Können wir uns jetzt massieren lassen?«

—

Dinah träumte, daß sie sich mit Rudy im Bett wälzte. Sie hielten sich umschlungen, küßten sich, lachten. Dinah bemerkte, daß irgend etwas im Bett war, kleine Sachen unter der Decke. Rudy stand auf und ging ins Bad. Dinah blickte nach unten und sah, daß das Bett mit kleinen Holztieren übersät war. Sie fegte sie auf den Boden. »Rudy«, rief sie lachend. »Was sind denn das für Spielsachen?«

»Was für Spielsachen?« sagte eine Männerstimme, eine Stimme, die nicht ganz die Rudys war. Ein lächelndes Gesicht erschien in der Badtür. Das Gesicht von Joshua Souther, des Schauspielers, der Blaine MacDonald in *Herzenswunsch* spielte. Der Schauspieler, der Rudy spielte.

—

Dinah fuhr aus dem Schlaf. Connie lag auf der nächsten Bank, das Gesicht mit Honig und Gurken bedeckt, den Körper mit Öl eingerieben. Für Dinah sah sie aus wie ein Schlachtopfer. Das Blutopfer für den großen King Kong. In Öl gesalbt, eingeseift und blank poliert. Bereit für das Eheleben, für das Opfer an den Großen Affen, den Mann. Braut Christi, Mrs. Kong im silbernen Licht des Vollmonds.

Eine ungeheuer dicke Frau wabbelte zur nächsten Bank, eine Riesenbraut für King Kong. Eine Koreanerin. Sie legte sich auf die

Bank, schloß die Augen und begann, ein Lied zu summen, während sich eine andere mit Öl und Honig um sie bemühte. Das Summen klang nach »Que será, será«. Dinah fing an mitzusingen. Connie stimmte ebenfalls ein, und die Masseusen, die nicht Englisch konnten, lachten und kneteten im Rhythmus des Lieds.

> When I was just a little girl
> I asked my mother what will I be.
> Will I be pretty?
> Will I be rich?
> Here's what she said to me.
> Queeeee será, será...

Beim letzten Refrain wurde Dinah klar, daß sie wahrscheinlich nach Hampton fliegen würde.

Wie's kommt, so kommt's eben, genau. Der nächste Schlamassel kommt bestimmt. »Wie spät ist es eigentlich?« fragte sie plötzlich. Mein Gott, wie spät war es denn schon? Sie hatte vor sich hin geträumt – und was, wenn sie jetzt Rudys Anruf verpaßt hatte? Rudy wollte doch anrufen. Jetzt oder bald. Sie mußte sofort zu Hause anrufen. Wann hatte er gesagt? Sie wußte ganz genau, wann. Um zwei Uhr. »Wie spät ist es eigentlich?«

»Viertel vor eins«, antwortete Connie. »Was ist denn los? Hast du noch was vor?«

»Ich erwarte einen Anruf.« Dinah zog sich in aller Eile an. »Rudy hat gesagt, er wird mich noch anrufen, bevor er abreist.«

Eigentlich hatte er ja nur gesagt, er würde zusehen, daß er sie anrufen konnte. Wie sieht man zu, daß man jemanden anrufen kann? Sie stellte sich vor, wie er nach dem Telefon griff, aber es irgendwie nicht schaffte. Wie er die Nummern drückte, aber irgendwie ließen sie sich nicht ganz hinunterdrücken.

Auf dem Parkplatz trennte sie sich von Connie. Sie fühlte sich belebt und allein.

»Laß dich nicht zu was...«

»Good-bye, Con. Danke für alles«, unterbrach sie Dinah.

Als sie zum Auto ging, rief ihr Connie nach: »Denk immer dran, Dinah, Leute, die mehr als vierhunderttausend Dollar im Jahr verdienen, ändern sich nicht mehr.« Dinah wandte sich um. Connie ergänzte: »Und Rudy verdient um einiges mehr.«

»Und ich um einiges weniger. Darauf wolltest du doch hinaus, oder?«

Connie öffnete die Tür ihres Autos. »Nicht um einiges weniger, aber weniger.«

Dinah schützte ihre Augen mit einer Hand gegen die Sonne. »Und das heißt? Daß ich mich ändern soll?«

»Ich will damit nur sagen, daß er sich nicht ändern wird«, rief Connie und schlug die Autotür zu.

Dinah fuhr nach Hause und wartete auf Rudys Anruf. Als er nicht kam, packte sie ihren Koffer, nahm den Hund, schloß das Haus ab und fuhr zum Flughafen, um den nächsten Flug nach Osten zu nehmen. Getrieben von Sehnsucht, floh sie Hals über Kopf zur älteren, zivilisierteren Küste, zum Heim Rudys und seiner Kindbraut, zu ihrem geliebten Garten, den Streitereien, die nicht stattfanden, den geteilten Nächten, dem tiefen Schlaf, den tiefen Küssen, ihrem gemeinsamen Himmel. Dinah ließ sich auf der grauen Autobahn zum Flughafen dahintreiben, auf dem Asphalt-strom, der in Rudys Meer der Liebe mündete, nahm den Nacht-flug, ließ sich tragen auf Luftströmungen, leicht wie eine Feder, wie ein Pfeil schoß sie ins Herz von Hampton, hilflos angezogen von Rudys Welt, seinem Glück, immer tiefer hinter die feindlichen Linien... que será... die geschiedene Mrs. Kong.

Die winzige männliche Spinne nähert sich der vergleichsweise riesigen weiblichen und beginnt sich mit ihr zu paaren. Noch während der Paarung verschlingt das Weibchen seinen Partner — ein Akt des sexuellen Kannibalismus. Sie frißt seinen Kopf, doch der Rumpf bleibt sexuell aktiv, so daß sein Samen in ihren Leib gelangen kann. Das Tarantelmännchen hat an seinen Vorderbeinen ein Paar gebogener Fortsätze, mit denen es die Kiefer der weiblichen Tarantel auseinanderhält, damit sie während der Paarung nicht nach ihm schnappen kann.

-8-

Noch am Vormittag erreichte Dinah South Hampton. Sie lenkte ihren unansehnlichen Mietwagen an einem Feinkostladen, einer Bibliothek, Autos, Bäumen und Menschen vorbei und bog nach links auf den Three Mile Highway in Richtung East Hampton ab. Es gab nicht mehr so viele Radioprogramme wie früher. Mehr statisches Rauschen, weniger Wahlmöglichkeiten. Sie fand »Moondance« von Van Morrison. In einem engen Zimmer komponiert, dachte sie, als die Landschaft ruhig und sommerlich an ihr vorüberzog. Sie drehte lauter, tauchte in die Klangwelt hinein, trieb dahin zwischen einer Stimme und einer Gitarre. Hübsche Einfamilienhäuser, glitzerndes Wasser, hohes Gras, Strände, Bäume. Sie fuhr weiter über Long Island in Richtung Amagansett. Wie an einer unsichtbaren Schnur in die Nähe von Rudys neuem häuslichen Glück gezogen. Rudy mit Lindsay auf Sommerfrische – er schrieb ein neues Stück über sie und widmete es ihr. Lindsay bediente ihn, verhätschelte, bekochte, beschwichtigte und küßte ihn – einfach nicht zu fassen. Dinah suchte nach lauter Musik, um sich abzulenken. Als sie auf »Sultans of Swing« stieß, drehte sie voll auf und raste in den hellen Vormittag.

Überall sah sie nur noch Paare. Händchenhaltend, lachend, spontan und voller Lebensfreude. Freude über etwas, das nur ihnen gehörte. Die Arche ließ grüßen. Dinah versenkte sich wieder in die Musik. Hörte für zwei. Verließ ihre Welt und betrat die seine. Eine Motte gebannt von seinem Licht.

Rudys Begeisterung für seine Zeitgenossen kannte Grenzen, enge Grenzen sogar. Und wenn sie verflog, stellte sich der von

Dinah so getaufte »Sumpfgestank« ein. Und immer wenn dieser Geruch aufkam, wenn Rudys Fähigkeit schwand, in Gesellschaft anderer beinah glücklich zu sein, zog sie es vor, ihm aus dem Weg zu gehen. Wer es wagte, ihm in solchen Momenten unter die Augen zu treten, den strafte sein kritisch blitzender Blick. Ein Einsiedler, der uns bisweilen die Gnade seines Besuchs zuteil werden läßt. Doch zuletzt zieht es ihn wieder zurück in seine einsame Behausung, und wir Verlassenen weinen um ihn, taumelnd und betäubt.

Die Zurückgezogenheit, zu der ihn seine Arbeit zwang, ließ sein Bedürfnis nach anderen Menschen nur allzu rasch verebben, bis es schließlich ganz versiegt war. Oft hatte sich Dinah verschätzt und war zu spät von der Bildfläche verschwunden, so daß sie sich plötzlich einer Dürreperiode ausgesetzt gesehen hatte. Irgend etwas mußte sie falsch gemacht haben. Sie hatte entweder zu laut oder zuviel geredet, verschlafen, zuviel ferngesehen, war zu spät gekommen, hatte zuviel telefoniert, hatte überhaupt viel zu viele Freunde, sogenannte Freunde, die viel zu oft anriefen. Wenn er ans Telefon ging und es war für sie, dann sah er sie an – und manchmal hatte sie ihm das auch unter die Nase gerieben –, als hätte sie gerade in seinem Wohnzimmer einen Polizisten niedergeschossen.

Sie konnte nicht begreifen, daß es Menschen gab, die sich liebten. Vielleicht tut sich, wenn man bereit ist, einfach ein Spalt auf und jemand tritt in deinen Stoffwechsel ein und vermischt seine Pheromone mit deinen. Auf einmal ist es um dich geschehen, und nur dieser eine Mensch kann dich retten. Du wächst hin zu seinem Licht, bist gestimmt in seiner Tonart. Und das alles nur, weil deine sonst verschlossene Blüte sich an diesem einen Tag den Strahlen seiner Sonne geöffnet hat und jetzt für keine andere mehr blühen will. Wie albern, wie unfair und erniedrigend, erbärmlich und dumm. Nur weil er zum richtigen Zeitpunkt da war, bist du ihm, seinen Launen und Ausbrüchen, für immer ergeben. Ergeben und bezwungen.

Gegen Mittag kam sie an. »Amagansett, gegründet 1790« stand auf der Tafel. Hinter dem zweiten Immobilienbüro auf der rechten Seite hielt sie an, vor allem weil es einen Parkplatz hatte. Auf einem Schild vorne las sie »Sommerhäuser zu vermieten«. Aber das hieß noch gar nichts. Dinah ließ den unglücklichen Tony im Auto sitzen und schritt eine kleine Rampe hinauf bis zu einer Glasschiebetür. Eine dicke Frau saß hinter einem Schreibtisch.

»Hi«, sagte Dinah. »Also, ich hätte gern ein Haus gemietet.«

Das Lächeln der Frau versank seriös im Fleisch. »Selbstverständlich, da darf ich Sie zu einem unserer Herren bitten.« Sie brachte Dinah in ein geräumiges, sonniges Zimmer mit vielen Aluschreibtischen und Aktenschränken. Ein ungefähr fünfzigjähriger Mann saß in der Ecke und sprach ins Telefon. Ebenfalls am Telefon saßen zwei Frauen einander gegenüber, jede auf ihrer Seite des Zimmers. Die Empfangsdame geleitete Dinah hinüber zu dem Mann. Er trug eine Brille und hatte riesengroße Kaninchenzähne, die sich nur selten hinter seinen Lippen verstecken ließen. Auf einem Schild auf dem Schreibtisch stand sein Name, Barney Shout. Barney gab Dinah mit einem Zeichen zu verstehen, sie solle sich inzwischen vor seinem Schreibtisch hinsetzen. Die Dicke formte mit dem Mund das Wort »Sommerhaus«, und Barney nickte geduldig. Sie watschelte davon, und Dinah hörte sich Barneys Telefongespräch zu Ende an.

»Sie können sich ja mal überlegen, wie lang Sie über die Saison hinaus verlängern wollen ... vielleicht bis Oktober? Denn, wie gesagt, sie sind sehr interessiert ... ja genau ... lassen Sie sich ruhig Zeit ... in Ordnung, dann sprechen wir uns also Ende der Woche wieder ... Vielen Dank einstweilen, Mrs. Adelson ...« Er setzte für Mrs. Adelson ein Kaninchenlächeln von fast hörbarem Umfang auf und legte den Hörer liebevoll auf die Gabel. Das Lächeln konzentrierte sich jetzt auf Dinah. Er stand auf und streckte ihr die Hand entgegen. »Mein Name ist Barney Shout.« Seine Hand war kühl.

»Ich heiße Dinah Kaufman«, sagte sie eifrig.

Barney setzte sich wieder hin. »Und was kann ich für Sie tun?«

»Naja«, fing Dinah an, »ich wollte ein Haus mieten.«

»Natürlich. Aber wir haben Hochsaison. Die meisten Sachen sind schon vergeben.«

»Das ist mir klar. Ich dachte nur, lieber spät, als gar nicht. Und vielleicht gibt's so was wie einen Preisnachlaß für Spätzünder.«

Barney lachte. »Vielleicht, vielleicht.« Er öffnete das Auftragsbuch vor sich. »Sehen wir doch mal, was wir da haben.« Fröhlich runzelte er die Stirn. »Was schwebt Ihnen denn vom Preis her so vor?«

Dinah verzog den Mund. »Weiß ich nicht. Wie hoch liegt der Durchschnittspreis... die Miete meine ich?«

Barney lächelte und leckte sich die berührungsscheuen Lippen. Er hatte ein Karohemd und eine Weste an. »Der Preis für die ganze Saison reicht von ein paar tausend Dollar bis hinauf zu fünfundsiebzigtausend. Hängt alles ab von der Größe, der Aussicht, dem Swimmingpool und so.«

»Fünfundsiebzigtausend!« Dinah fiel halb in Ohnmacht. »Dafür kann man sich ein Haus *kaufen*.«

»Aber kein besonders tolles Haus«, meinte Barney. »Eine anständige Anzahlung, mehr nicht.«

»Oder ein paar Autos. Oder ein paar Jahre davon leben.«

»Gehe ich recht in der Annahme, daß Sie sich etwas weniger Kostspieliges vorgestellt hatten?«

»Sie gehen recht«, beschied ihn Dinah. »Ich hatte keine Ahnung, daß das so teuer ist. Ich bin sonst immer mit meinem Mann... Freund hergekommen, und er hat alles bezahlt. Ich meine, ich hatte ja keine Ahnung, was so was kostet. Wow.«

Sie hätte Rudy um Unterhaltszahlung bitten müssen. Was heißt hier bitten, verklagen hätte sie ihn sollen! Auf Schadenersatz. Aber dann hätte er die Platte aufgelegt: Dinah, die Abhängige. Dinah, die Klette. Und wozu auch Unterhalt? Sie verdiente doch nicht schlecht. Wozu? Kann ich dir verraten. Dann hätte sie jetzt Geld, deswegen. Genug, um in der Nähe von Rudy und seiner Freundin ein Haus zu mieten und laute, rauschende Feste zu feiern. Von seinem Geld. Und sie als der große, gute Gatsby.

»Ja«, sagte Barney erwartungsfroh und legte die Hände gefaltet vor sich auf den Schreibtisch. Sein Hemd spannte sich so dramatisch um die Schultern, daß Dinah aus ihrem Wachtraum hochschreckte.

»Ja, eher so im Bereich von ein paar tausend«, sagte sie. »Je weniger, desto besser. Ach, meinen Hund habe ich auch noch dabei. Einen ganz kleinen.«

»Das schränkt uns natürlich ein bißchen ein.« Seine Augen verengten sich, als er das Auftragsbuch studierte. Dinah fühlte sich wie im Büro des Schuldirektors. Barney hatte bis zum Ende durchgeblättert. »Sehen wir uns doch mal Springs an.«

»Wo ist das?«

»Noch in Hampton«, erwiderte Barney. »Man könnte sagen, das sparsame Hampton.«

»Das billige Hampton«, murmelte Dinah.

Nachdem Barney vier oder fünf Einträge aus der Akte herausgenommen hatte, fuhren er und Dinah in seinem beigen Eldorado durch Springs und sahen sich kleine, verkümmerte Häuschen an, die letzten Mohikaner der Saison. Behausungen voll von deprimierendem Linoleum und ausrangierten Möbeln. Auf der Fahrt von einer Zwergenhöhle zur nächsten saß Dinah zusammengesunken in Barneys Wagen und starrte durch das Fenster auf die bunte Umgebung. Tony saß mit heraushängender Zunge brav auf dem Rücksitz.

»Am besten, ich verkaufe einfach mein Auto, dann krieg ich vielleicht was halbwegs Anständiges.« Dinah verging die Lust. »Aber wenn ich so an meinen Wagen denke, da fehlt es wahrscheinlich immer noch meilenweit bis zu was Anständigem. Außerdem hab ich ja nicht mal ein Auto – nur ein Mietauto.«

»Na, na, nur nicht den Kopf hängen lassen«, ermunterte sie Barney, als sie beim letzten Objekt des Tages angelangt waren. »Salter's Cottage« lag am hinteren Ende der Fireplace Road. »Was sind Sie von Beruf, wenn ich fragen darf?« wollte Barney plötzlich wissen.

»Schriftstellerin«, gab Dinah zurück, als sie das Ende der

Kiesauffahrt erreichten. »Fürs Fernsehen«, fügte sie hastig hinzu. Sie wollte sich um keinen Preis als die große Künstlerin ausgeben, die die Dritte Welt erlöst.

»Wirklich? Fürs Fernsehen? Welche Serien?« Er parkte den Wagen und sah sie neugierig an.

»Schnulzen. Eine Serie, die *Herzenswunsch* heißt.«

Barney Shout strahlte Dinah an. »Hey, das ist einfach super. Das muß ich meiner Frau erzählen. Die wird vielleicht Augen machen. Sie ist total verrückt auf diese Serien. Wie heißt Ihre noch mal?«

»*Herzenswunsch*.« Dinah stieg aus.

»*Herzenswunsch*«, intonierte Barney feierlich.

Vor ihnen lag eine Landzunge mit vielen winzigen Hütten. Ganz vorne stand ein größeres Haus, von dem aus eine Wäscheleine zu einem Baum führte. Zwei weiße T-Shirts flatterten in der sanften Brise. »Da wohnt Mrs. Salter«, meinte Barney verschwörerisch. »Ich hole nur mal schnell den Schlüssel.«

Der Kies knirschte unter seinen Schuhen, als er behutsam zum Haus hinüberging, den Blick gesenkt, als wollte er seinen Füßen bei der Arbeit helfen.

Dinah stand verlassen in der Auffahrt und blickte an den Hütten vorbei auf das schimmernde Wasser. Hoffentlich gefällt es mir hier, dachte sie. Am Horizont tauchten Boote auf.

Freudestrahlend trat Barney aus dem Haus. Die Tür schlug hinter ihm zu. Sonnenreflexe huschten über seine Brille. »Ich hab ihn!« verkündete er und reckte die geballte Faust mit dem Schlüsselbund triumphierend hoch. »Es ist das letzte Haus rechts, fast unten am Wasser.« Knirschend marschierten sie an zwei anderen kleinen Häusern vorbei. »Eigentlich hat ein Ehepaar es gemietet, aber anscheinend ist ein Verwandter von ihnen krank geworden, da konnten sie nicht wegfahren«, erklärte Barney. »Sonst wäre so ein Haus schon längst vergeben, das können Sie mir glauben. Und halb geschenkt ist es außerdem. So nah beim Wasser und alles.«

Sie kamen zur letzten Hütte auf der rechten Seite, die fast direkt am Wasser lag. Nur noch eine andere stand dazwischen. »Es ist nur ein Katzensprung zum Strand«, verriet der gute alte Barney und steckte den Schlüssel ins Schloß. Dinah mußte an einen jungen Welpen denken, der freudig erregt mit dem Schwanz wedelt. »Ich habe Mrs. Salter erzählt, daß Sie eine Schriftstellerin sind, und sie sagt, daß sie hier oft Schriftsteller haben. Jetzt auch wieder ein paar. Einer von ihnen hat eins von diesen beiden Häusern am Wasser.« Er zeigte undeutlich auf das Wasser. Dinah blinzelte halbherzig in die angedeutete Richtung. Dann folgte sie Barney ins Haus.

Sie traten in ein winziges Wohnzimmer mit einem schwarzen Sofa, zwei Holzstühlen mit beigen Kissen, einem Tisch in der Ecke und einer riesigen roten Lampe. Ein alter vergilbter Teppich mit spärlichen Fransen bedeckte einen Teil des Linoleumbodens.

Vor dem Sofa ein Fernseher. Unter der Bartheke die dazugehörigen Barhocker. Die Sonne warf optimistische, bräunlichgelbe Blicke durch die Vorhänge. Ein abgestandener, schimmliger Geruch erfüllte das Zimmer. Staubfäden tanzten im Sonnenlicht. Alles in allem genau das richtige Versteck für einen nur halbherzig verfolgten Verbrecher.

»Echt gemütlich hier, nicht?« bemerkte Barney unbefangen. Er schlenderte zu einer Tür und öffnete sie.

»Weniger niederschmetternd als die anderen Häuser. Nicht so modern. Sieht nicht ganz so wie ein möblierter Wandschrank aus«, konstatierte Dinah.

Barneys Lachen drang aus dem anderen Zimmer. »Möblierter Wandschrank – das ist wirklich gut. Muß ich unbedingt meiner Frau erzählen. Hier ist übrigens das Schlafzimmer.«

Dinah riskierte einen Blick. Ein Bett, daneben ein Tisch mit einer Leselampe und einem Telefon mit Wählscheibe.

»Eine fabrikneue Matratze«, prahlte Barney. »Dort haben Sie Ihren Wandschrank, und da drüben die Tür führt zum Bad.« Dinah nickte. »Und hierdurch geht's zur Küche.« Dinah bemerkte einen kleinen Riß in seiner Hose. »Alles nagelneue Ge-

137

räte.« Barney deutete durch den Raum. »Hierdurch«, er öffnete eine Tür neben dem gelblichen Kühlschrank, »geht's zur Veranda, da können Sie essen oder schreiben oder was Ihnen gerade einfällt. Schön warm und sonnig den ganzen Tag. Und kein Mensch kann Sie sehen.«

Sie standen auf einer nicht überdachten Terrasse mit einem kleinen Picknicktisch, zwei Bänken und einem Stuhl. Die Aussicht ging teils aufs Wasser und teils auf die Rückseite der Hütte, die direkt am Strand lag.

»Wieviel kostet es?« fragte Dinah so tapfer wie möglich.

Barney lächelte wehmütig und betrachtete seine Hände.

»Leider kostet dieses Haus ein wenig mehr, wegen der Aussicht.«

Dinah schloß die Augen und sah auf ihre Schuhe hinunter. »Wieviel?«

»Viertausend«, sagte Barney sachte.

»Viertausend! Für diesen Hühnerstall?«

Barney zuckte hilflos mit den Schultern. »Sie sagen ja selbst, daß es netter ist als die anderen Häuser – kein möblierter Wandschrank. Und wenn sie netter sind, dann kosten sie eben auch mehr«, rechtfertigte er sich. »Ich meine, Sie haben hier zwar keine Aussicht in dem Sinne, aber das enorme Potential müssen Sie doch sehen…«

Ein Mann bog um die Ecke und marschierte an Dinah und Barney vorbei zum Strand oder zum letzten Haus. Dinah starrte ihn an und hörte auf zu reden. Er hatte dunkle Locken und tiefblaue Augen, war mittelgroß und schmächtig. Er trug eine hellbraune weite Hose und ein weißes Hemd, dessen Ärmel bis zu den Ellbogen hochgekrempelt waren. Er hielt ein Buch in der Hand: P. G. Wodehouse.

»Hallo«, sagte er mit freundlicher und nervöser Stimme. »Ziehen Sie ein?« Er setzte ein verlegenes, entwaffnendes Lächeln auf. Dinah stand wie angewurzelt da. Er war attraktiv und auf beunruhigende Weise neu.

»Ja«, antwortete sie automatisch. Genausogut hätte er sie

nach ihrem ersten Sohn fragen können. Ja. Nein. Sie wurde rot und blickte Barney an. »Das heißt, ich glaube schon.«

»Prima«, sagte der Neue nervös. »Ich bin Roy. Roy Delaney. Ich wohne in dem Haus nebenan. Wir sind dann wohl Nachbarn.« Seine Hand fuhr durchs Haar, über den Mund, in die Hosentasche und wieder heraus. Er verlagerte das Gewicht von einem Fuß auf den anderen. Seine großen Augen leuchteten und lächelten. Er war wie eine Richterskala für ein Land, in dem es ständig kleine Erdbeben gab.

Dinah lächelte scheu. »Ich bin Dinah Kaufman», sagte sie.

»Und ich bin Barney Shout.« Barney streckte die Hand aus.

»Ziehen Sie beide ein?« Roy griff nach der dargebotenen Hand und ließ dabei sein Buch fallen. Er schüttelte sie kurz und hob dann das Buch auf. Dabei hielt er die andere Hand in die Luft, um das Gleichgewicht zu halten. Kontrollierte Epilepsie.

»Ich?« lachte Barney. »Nein, nein, ich bin nur der Makler.«

»Ach so.« Roy lächelte und ließ sein Buch aufs neue fallen. »Oh.« Er hob es wieder auf und wischte es an der Hose ab. »Na dann…« Er sah Dinah an und nickte leicht, »herzlich willkommen.« Ihre Blicke trafen sich und beide mußten lächeln. Nervös. »Nachbarin«, setzte er hinzu und wechselte sein Standbein.

»Nachbar«, gab sie zurück und nickte gleichzeitig mit ihm. Einen Augenblick lang glichen sie Puppen mit Wackelköpfen. Roy hob die freie Hand.

»Bis bald.« Er trat ein paar Schritte zurück, ehe er sich umdrehte und in seinem Haus verschwand, das den Hauptteil von Dinahs Aussicht bildete.

»Bis bald«, sagte Dinah, als die Tür hinter ihm zufiel. Sie wandte sich wieder Barney zu. Schmunzelnd stand er da, die Hände in den Taschen. Sie wollte sich noch nicht geschlagen geben. »Trotzdem ist es viel zu teuer.«

Barney setzte ein unschuldiges Lächeln auf und versenkte sich in die eingehende Betrachtung seiner gewaltigen Pranken.

Wenn sie jemanden so weit hat, daß er sie liebt, glaubt Dinah, muß sie ihn nicht mehr lieben. Liebe ist für sie eine einseitige Angelegenheit – der Verfolgung und Verführung – kein Zustand der Ruhe. Sobald sie geliebt wird, ist ihre Aufgabe erledigt, dann kann sie weiterziehen. Als ob sie nur liebte, um wiedergeliebt zu werden. Das Fesselnde, das Einzigartige an Rudy war, daß sie sich seiner nie ganz sicher war. Einmal sagte sie zu ihm: »Ich will dich für mich gewinnen.« – »Honey, das hast du doch schon vor Jahren«, lautete seine Antwort.

»Ja schon. Aber ich möchte, daß du es mir auch zeigst.«

So weit brachte sie ihn nie. Sie wollte etwas von Rudy, was er nicht geben konnte – seine Anerkennung. Stetig, begeistert, aufrichtig. Und weil sie Liebe mit Beifall verwechselte, fand sie die ideale Spielwiese für ihre ewige Beziehungsangst. Wenn sie Rudy so lange lieben würde, bis er sich ein sichtbares Zeichen des Lobs abrang, dann müßte sie ihn ewig lieben.

»Du bist zu sehr auf Anerkennung aus«, ließ er sie wissen. »Für überschwengliche Lobreden bin ich nicht zu haben. Ich rede keinen Scheiß daher. Wenn ich ein Kompliment mache, kannst du es wirklich glauben.«

»Daß du mich magst, spüre ich eigentlich nur auf einer bestimmten Ebene«, sagte Dinah, »*gesehen* habe ich es bis jetzt noch nie.«

»Natürlich mag ich dich. Außerdem, seit wann traust du dem, was du siehst? Traust du denn Leuten, die ihre Gefühle einfach offen zur Schau stellen? Bestimmt nicht.«

»Nein.« Traurig, aber wahr.

Wahrscheinlich würde sie sich ohnehin niemals geliebt fühlen, und war es da nicht viel einfacher, die Ursache im Verhalten anderer zu suchen, statt bei sich? Das Problem der anderen wurde ihr Problem. Aber letzten Endes, wie indirekt sie es auch angehen mochte, war es dann doch das ihre.

Dinah fuhr ziellos auf Long Island herum, von Amagansett nach East Hampton und weiter bis nach Sag Harbor. An einem Baum hing ein handgemaltes Schild, das eine Zigeunerin und einen Pfeil zeigte. Sie folgte dem Pfeil bis zu einem Haus. An der Wand las sie: »Wahrsagerin – Parkplatz«. Beim Einparken stellte sie sich vor, wie sie ihr Auto telepathisch abstellte. Sie ging um das Gebäude herum zur Vorderseite, von der ein Neonmond herablächelte auf die Verheißung: »Tarot – erfahren Sie Ihre Zukunft«. Dinah betrat einen kleinen, ziemlich kahlen Raum, dessen gesamte Einrichtung aus einer beigefarbenen Couch, einem runden Spiegel darüber und einem zeitschriftenbeladenen Tischchen bestand. Dinah taxierte vorsichtig. Dreitausend im Monat, schloß sie und sah sich weiter um. In der Ecke verbarg ein Perlenvorhang einen Durchgang. Im Zimmer nebenan lief ein Fernseher. Dinah nahm sich eine Zeitschrift vom Stapel, als der dunkle Kopf eines jungen Mannes zwischen den Perlen auftauchte.

»Einen Augenblick bitte«, rief er erschrocken, und sein Kopf verschwand wieder in der Höhle der Kartenlegerin.

Was mache ich eigentlich hier? fragte sich Dinah. Vielleicht wußte es die Wahrsagerin. Sie schlug das Magazin auf, als eine kleine, untersetzte Indianerin den Vorhang auseinanderfegte und plötzlich vor den heftig zitternden rosa Perlen stand.

Die Indianerin winkte sie zu sich. Dinah folgte ihr um eine Ecke und durch einen weiteren Perlenvorhang. Klimpernd stießen die diesmal bernsteinfarbenen Perlen aneinander.

In dem kleinen Raum standen zwei Stühle einander gegenüber. Sie setzten sich, ihre Knie berührten sich fast. Die Höhle glich eher einer Zelle, einer Wahlkabine für die Toten. Auf einem niedrigen Regal ruhte eine Art Altar. Darüber eine bunte Lichterkette, daneben Tarotkarten und Kerzen. Ein Christusbild an der Wand starrte düster auf den Hinterkopf der Wahrsagerin. Dinah sah sie jetzt genauer an. Sie hatte metallgraues Haar und dunkelbraune Haut, die an ihr herunterhing, als hätte sie einst einer größeren Frau gehört, eine Haut aus zweiter Hand. Sie hatte winzige, goldene, von tiefen Furchen schwer bewachte Augen und ein vollkommen flaches Gesicht, ein Kanaldeckel mit verschlagenen Äuglein. Sie hatte den Anflug eines Schnurrbarts und wunderbar weiße Zähne. Falsche Zähne. Dinah war nervös und hoffte, daß sich das alles wenigstens lohnen würde und sie nicht allzu teuer zu stehen kam. Die Wahrsagerin lächelte wie ein Doppelagent. Wie jemand zwischen Diesseits und Jenseits.

»Ich bin Mama«, sagte die Frau mit hartem Akzent und nahm die Tarotkarten in die Hand. »Heb bitte ab.« Mama sah zu, dann nahm sie eine Hälfte und breitete die Karten fächerförmig aus, so daß die Figurenkarten vor Dinah lagen. »Such dir vier Karten aus.« Ihr forschender Blick schien Dinah zu durchbohren.

»Darf ich sie mir ansehen?«

»Natürlich«, erwiderte Mama.

Dinah suchte sich ihre Karten so sorgfältig aus, als hinge alles davon ab. Die erste zeigte einen Mann und eine Frau, die einen Kelch hielten, die zweite einen Mann und eine Frau unter einem Regenbogen mit zwei tanzenden Kindern, die dritte die Hohepriesterin und die letzte einen imposanten Buben. Dinah überreichte Mama die Karten und sah versehentlich zu Jesus auf. Schuldbewußt senkte sie den Blick.

Mama studierte die Karten. »Du wirst ein langes Leben haben«, verkündete sie.

Na also, dachte Dinah, eine Sorge weniger. Die Karten haben gesprochen — oder so steht es in den Karten. Sie zuckte zusammen.

»Du bist gesund.«

Dinah zeigte ein unbeschwertes Lächeln. Kann nicht schaden.

Mama starrte sie ungerührt an. »Nach außen lächelst du, aber innen bist du voller Trauer.«

Da haben wir den Salat. Ich darf mich auf ein langes, gesundes, trauriges Leben freuen. Hinreißend.

»Kapiert?« Mamas Stimme erhob sich eindringlich.

Dinah nickte so feierlich sie konnte.

»Du bist einsam. Kapiert?«

Was sollte daran so schwer zu verstehen sein? Dinah nickte.

»Dunkelheit ist über dir – eine Wolke – kapiert?«

Dinah brachte ein zaghaftes Nicken zuwege. Mama übersah es. »Wann bist du geboren?« fuhr sie fort.

Dinah sagte es ihr.

»Du bist im siebenundzwanzigsten Grad deines Tierkreiszeichens geboren«, erklärte sie. »Ein sehr interessanter Grad. Der Punkt, der genau zwischen dem sechsundzwanzigsten und siebenundzwanzigsten Grad liegt, heißt Plejadischer Grad. Menschen, die im siebenundzwanzigsten Grad ihres Tierkreiszeichens geboren sind, stammen von unserem Ursprung im Kosmos ab, den Plejaden. Auch mein Ursprung sind die Plejaden. Alle Sternenmenschen kommen von dort her. Du bist also eine sehr alte Seele, und außerdem warst du noch vor nicht allzu langer Zeit an vielen verschiedenen Orten und stehst in tieferem Einklang mit den Himmlischen Kräften als normale Menschen. Das ist nicht leicht für dich, du bist einsam und spürbar anders. Du hast keine Brüder und Schwestern, mit denen du reden kannst und die dich kennen, weil du von ganz woanders herstammst. Du bist aus freien Stücken hierher gekommen. Du hättest nicht müssen. Aber wenn wir erst einmal hier sind, dann bleiben wir hängen. Wir wollen alles bis zur Neige auskosten, so wie es die Himmlischen Wesen den Sternenmenschen aufgetragen haben, als sie nach Atlantis kamen.«

Aha, dachte Dinah. Jetzt ist die Katze aus dem Sack. Die Spirituelle Katze. Atlantis. Alles klar.

Mama fuhr unbeirrt fort. »Die Sternenmenschen sollten die Lehrer der Menschen sein und ihr Bewußtsein auf eine neue Stufe heben. Sie sollten auf geistiger Ebene wirken, nicht auf körperlicher. Aber der Leib ist das Geschenk unseres Planeten, und der Leib bietet eine andere Art der Erfahrung. Das Sammeln von Erfahrungen ist auch für dich ein tiefer Beweggrund – ein sehr tiefer. Du hast für alles starke Gefühle, und du gehst bis zum Äußersten, um von deinen Gefühlen mitgerissen zu werden. Du bist ein Lehrer und lehrst so wie schlechte Eltern. Du gehst mit schlechtem Beispiel voran. Du bist dein eigener Lehrer. Das ist die

Kraft, die du nach deinem eigenen Willen verkörperst. Keine Verkehrtheit wohnt in dieser Kraft, aber sie wirkt in die falsche Richtung. Der Mond…« Sie sinnierte vor sich hin. »Aber du gehörst zu den Plejadenwesen, die zweimal soviel leisten müssen wie die anderen, weil zwei verschiedene Kräfte an ihnen zerren. Du bist wie Kali, die zerstörerische Göttin; du lebst und handelst intensiv, das Verstehen wächst nur langsam. Die Kraft, dies alles zu begreifen, wirst du erst mit vierzig Jahren haben, und so alt bist du doch noch nicht, oder?«

Dinah schüttelte den Kopf. »Achtundzwanzig.«

»Ahh«, Mama nickte langsam, als hätte sie mit diesem letzten Mosaiksteinchen die Lösung gefunden: »Du bist in der Phase der Saturnwiederkehr.«

»Saturnwiederkehr?«

»Eine Phase, in der alles drunter und drüber geht. Dein ganzes Leben ist in Aufruhr. Viele Veränderungen.«

»Aha.« Dinah hielt eigentlich nicht viel von diesem Zeug, aber interessant war es, und für den Fall, daß vielleicht doch etwas dran war, konnte sie hier schon mal einschlägige Erfahrungen sammeln. Falls es Sternenmenschen gab und Atlantis und Götter, dann konnte ein kleiner spiritueller Flirt nicht schaden.

»Wenn du vierzig bist, wirst du den Dingen mehr abgewinnen können, du wirst sie mit mehr Humor sehen. Dein nördlicher Knoten liegt im Skorpion, das bedeutet Macht, jede Menge Macht.«

Dinah fuhr dazwischen. »Mein nördlicher Knoten?« Mama nickte. »Na prima, den vermisse ich nämlich schon seit Jahren. Richtig Sorgen hab ich mir um ihn gemacht.«

Mama lächelte. »Du bist immer zu einem Spaß aufgelegt. Du bist auf die Erde gekommen, um dich zu amüsieren. Du bist anspruchsvoll im Denken, und du magst Menschen mit anspruchsvollen Gedanken. Künstler. Leute mit einem wachen Verstand. Was für ein Tanz um die Macht, was für ein Tanz um die Macht. Aber wegen des zehnten Grads bist du wirklich stark für eine Frau. Auch wenn du klein bist und zart und schön.«

Dinah mußte lächeln und wurde rot.

»Du bist so stark, deine Kraft würde auch für einen Mann reichen. Nur ein sehr starker Mann kann diese Kraft bändigen. Und doch werden viele weiche Männer zu dir kommen.«

»Weiche Männer«, überlegte Dinah. »Viele weiche Männer. Ach du Schande.«

»Und das läßt dich an dir selbst zweifeln, an deiner Weiblichkeit, weil du dich für zu hart hältst. Du suchst nach der Erfüllung in der richtigen Beziehung. Du bist nicht geschaffen für ein Leben allein. Der Tanz um den Herd fällt dir nicht leicht. Du willst einen ebenbürtigen Partner, aber du gleichst mehr einem König als einer Königin. Deshalb bist du unzufrieden mit dir als Frau. Deine Himmelskarte ist von solch überströmender Kraft. Ein helles Feuer lodert in dir. Das Extreme zieht dich an. Du reißt dir die Haare aus und die Kleider vom Leib. Und du siehst dir dabei zu und wunderst dich: Was hab ich da gemacht? Was ist passiert? Wie seltsam. Wo ist mein Partner? Du hast eine mächtige alte Quelle zum Fließen gebracht. Du mußt die Heilkunde der Schwarzen Witwe studieren.«

Dinah nickte. »Okay. Gibt's hier in der Gegend so was wie eine Schule für Schwarze-Witwen-Heilkunde?«

»Alle Frauen mit Träumen wissen die Spinne zu schätzen. Die Schwarze Witwe ist so bedeutungsvoll. Du weißt doch, wie das bei Schwarzen Witwen ist? Wenn das Männchen sehr schnell und schlau vorgeht, kann es das Weibchen befruchten, ohne sein Leben dabei zu verlieren. Es kann passieren. Aber… es gibt ihn, den ebenbürtigen Partner, der dein Leben und Weben versteht. Dein Uranus steht im elften Grad des Löwen, also müßtest du in der Filmindustrie wahre Wunder vollbringen. Instinktiv bist du zur rechten Zeit am rechten Ort; du hast diese Kraft begründet, als du von diesem Körper Besitz ergriffen hast. Du bist nicht für dich selbst hier, du gehörst nicht dir, sondern der Welt. Auch deswegen hast du es so schwer. Hier auf unserer Welt geht es einem eben besser, wenn man zu jemandem gehört. Aber du kannst mit niemandem zusammenbleiben, ohne ihn umzubringen. Bildlich gesprochen. Du gehörst nur den Sternen. Das Ausbleiben der Erfüllung wird schließlich deine Erfüllung sein. Nimm das Geld in die Hand, und du hast zwei Wünsche frei. Das macht dann fünfunddreißig Dollar.«

Dinah kramte in ihrer Börse nach dem Geld. Fünfunddreißig Dollar war gar nicht so viel für solch eine traurige, dunkel umwölkte Sitzung, einsam, zart und schön. Sie knäulte die Scheine respektlos zu einem Bündel zusammen.

»Erster Wunsch, bitte.«

»Ich möchte ein Kind haben.« Weshalb hatte sie das gesagt? Sie war noch nie auf die Idee gekommen, ein Kind zu wollen. Naja, noch *nie* vielleicht nicht. Nur in letzter Zeit nicht mehr.

Mama nickte. »Aha.« Sie setzte ein ernstes Lächeln auf. »Möchtest du das Kind mit einem bestimmten Mann haben?«

Dinah nickte wie hypnotisiert. Warum sollte sie sich auch bremsen? Wenn schon übergeschnappt, dann keine halben Sachen. »Mit meinem Ex-Mann.«

»Aha.« Mama lächelte, als hätte sie die ganze Zeit schon Bescheid gewußt. Über Rudy und Hunderte von Frauen, die täglich zu ihr hereinströmten, weil sie ein Kind von ihrem Ex-Mann wollten, der gerade eine neue, verheißungsvolle Beziehung mit einer anderen eingegangen war. Mamas Kopf wakkelte auf und ab, sie konnte sich gar nicht mehr beruhigen. »Aber es gibt ein Problem.«

Sie weiß es! dachte Dinah. Sie kann mir helfen. Es ist also doch was dran!

Mama verschränkte die Arme vor der Brust und starrte sie ungerührt an. »Ich kann den dunklen Schleier von deinem Kopf nehmen, aber das kostet mehr.«

So ist das also. Dinah räusperte sich und fragte zweifelnd: »Mehr?«

Mama warf ihr einen ungehaltenen Blick zu, die Haut wie einen Umhang um Muskeln und Knochen drapiert. »Ich werde klare Farben um deinen Kopf legen. Kapiert?«

Dinah verstand nicht ganz, aber es hörte sich zumindest nicht schlecht an.

»Normalerweise verlange ich für diesen besonderen Dienst...« Mama legte eine dramatische Pause ein. »Tausend Dollar.«

Dinah riß die Augen auf. Das Piepsen des Zweifels wuchs zu einem lauten Schrei an. Sie hatte eine Hochstaplerin vor sich. Die mit ihrem Scheißatlantis, das kenn ich schon. Und das bescheuerte Gefasel von wegen Ursprung im Kosmos und Heilkunde der Schwarzen Witwe. Schwarze Witwen, die ihre Männchen umbringen, und bei mir soll es also genauso laufen. Obwohl das wahrscheinlich stimmt. Und wenn doch was dran wäre und ich bloß nicht dran glaube, wenn es meine einzige Chance wäre? Kosteten manche Dinge nicht deshalb besonders viel, weil sie einfach wertvoller waren? Wie die Männer, die immer begehrenswert schienen, solange man sie nicht kannte. Und die sich bei näherem Kennenlernen als Reinfall erwiesen. Tausend Dollar für das Beseitigen einer schlechten Aura, für einen Regenbogen im Tausch gegen einen dunklen Schleier. »O Mann« – sie sah Mama an wie ein verwirrtes Kind – »so viel Geld hab ich wirklich nicht.«

Mamas goldene Augen starrten Dinah ungerührt an. »Wieviel hast du?«

Dinah warf die Stirn in Falten und umklammerte ihre Tasche. »Hundert.« Es klang wie eine Frage, eine höfliche Bitte.

»Hast du einen Scheck?« fragte Mama und faltete die Hände.

»Nein.« Dinah zeigte Mama beschwörend ihre geöffnete Börse, als wollte sie sie auffordern, darin herumzusuchen.

Mama ließ sich von der offenen Tasche nicht beeindrucken. »Wieviel hast du zu Hause?«

»Zweihundert«, antwortete sie mit dünner Stimme, der Stimme einer erwachsenen Frau, die eine Wahrsagerin mit hängender Haut belog.

»Ich werde deinen Kopf mit farbigen Lichtern schmücken – ich werde die Hindernisse zwischen dir und deinem Mann beseitigen. Aber es muß mehr kosten. Du wirst mir dankbar sein. Du wirst Mama lieben und ihr Geschenke bringen. Ich werde Kerzen anzünden.«

Dinah beobachtete Mama beim Sprechen. Sie hatte Angst vor direktem Blickkontakt, aber als Mama verstummte, starrte Dinah ihr auf einmal mitten in die Augen, wie hypnotisiert.

»Du mußt Vertrauen haben zu Mama, absolutes Vertrauen.« Mamas Augen wurden zu Schlitzen. »Ich sehe noch einen anderen Mann.«

»Einen anderen Mann?« Dinah schöpfte wieder Hoffnung und nahm sich vor, ihre Zweifel zumindest so lange auf Eis zu legen, bis sie mehr von dem anderen Mann erfahren hatte. Vorsichtig sah sie Mama an.

»Aber du liebst deinen Mann.«

»Ja, sicher«, bemerkte Dinah, »aber was ist mit dem anderen Mann?«

»Bis wann kannst du mit den Zweihundert wieder hier sein?«

Dinahs Lippen umspielte der Hauch eines Lächelns. »Das hängt zum Teil von meinem Ursprung im Kosmos ab – und zum Teil von dem anderen Mann.«

Mama betrachtete sie streng. Sie saßen sich in der winzigen Zelle gegenüber, Knie an Knie. Jesus blickte ernst auf sie hinab. Sie starrten einander an, beide voll gespannter Erwartung. Schließlich begann Mama zu lachen, langsam und von tief innen. Die Haut um ihren Hals zitterte förmlich. Sie lachte lauthals. Sie warf den Kopf zurück und schlug sich mit den Händen auf die Schenkel. Dinah sah ihr lächelnd zu.

»Was ist mit dem anderen Mann?« äffte sie Dinah nach. »Was ist mit dem anderen Mann?«

Dinah wurde rot.

Als sie sich wieder beruhigt hatte, wischte sich Mama die Augen. »Gib mir deine rechte Hand.« Dinah folgte der Aufforderung. Mama hielt Dinahs Hand zwischen den ihren. »Der andere Mann ist dein Bruder aus einem anderen Leben. Ihr wart beide Jungen, Zwillinge.« Sie betrachtete die Seite von Dinahs Hand.

»Hier sehe ich noch einen Mann.« Dinah beugte sich nach vorn, um den Mann auf der Seite ihrer Hand zu sehen. »Ein jüngerer Mann, ein Freund.«

»Sie meinen, er ist jetzt schon mein Freund?«

Mama nickte. »Vielleicht ist es ein Japaner. Vielleicht. Ich sage nur, was ich sehe. Du hast viele Männer. Männer sind für die Welt geschaffen. Frauen sind für die Männer geschaffen. Wann wirst du mit dem Geld wieder hier sein?«

Dinah überlegte kurz: »Morgen nachmittag. Viele Männer, sagen Sie?«

Mama schloß Dinahs Hand zur Faust und gab sie ihr zurück. »Ich werde farbige Lichter um deinen Kopf legen – mach dir keine Sorgen. Du wirst deinen Mann wiederkriegen.«

Dinah nickte zerstreut. Sie war nicht bei der Sache. Was für ein Japaner?

Sie versprach Mama wiederzukommen, warf Jesus einen verstohlenen Blick zu und ging.

Was für ein Japaner?

Diese Japaner müssen sich ja *überall* einmischen.

Sie verließ Sag Harbor und fuhr halb absichtslos und eher zufällig durch East Hampton zurück nach Amagansett. Vielleicht sollte sie sich eine Pizza holen und ins Kino gehen.

Sie fuhr auf einer Straße mit dem Namen Further Lane und bemerkte aus dem Augenwinkel einen Holzzaun. Rudys Haus. Sie fuhr langsamer. Auf dem Rasen hinter dem Zaun standen einige große Bäume, die das grauweiße, zweistöckige Landhaus halb verbargen... Rudys Haus... Rudy und Lindsay... glücklich... glücklich... Dinah hielt an und starrte auf das Haus und durch das Haus zurück auf einen gemeinsamen Nachmittag mit Rudy in eben diesem Haus. Rudy sah sich ein Baseballspiel an. Den Yankees ging es nicht besonders und dementsprechend ging es auch Rudy nicht besonders, ein Mann und seine Mannschaft... Dinah hatte ihren Laptop auf dem Schoß und arbeitete an der nächsten Folge für *Herzenswunsch*. Ab und zu warf sie einen Blick auf das Spiel, auf Rudy und das Spiel. Lou Pinella schlug einen Flugball. Er rannte hinüber zum ersten Mal. Der Ball wurde irgendwo im Außenfeld gefangen. Lou rannte zurück zum Unterstand – dem Cockpit, wie Dinah es normalerweise bezeichnete – und bekam von einem anderen Spieler einen Klaps auf den Hintern, als er die Stufen hinabstieg. Dinah hatte aufmerksam zugesehen. Sie schüttelte den Kopf und meinte lächelnd: »Was für eine tolle Sache für euch Männer, dieses Gemeinschaftserlebnis beim Sport. So was haben wir Frauen nicht.«

Rudy warf ihr einen giftigen Blick zu. »O Mann, dein dauerndes Gejammer geht mir allmählich auf die Nerven.«

Dinah wußte nicht, wie ihr geschah.

Ein Hupen riß sie aus ihrem Tagtraum. Sie gab Gas und fuhr weiter.

Dabei war das noch die gute Zeit gewesen, wenn auch das Ende der guten Zeit. Danach war alles den Bach runtergegangen. Die Yankees verloren, und mit Dinah und Rudy ging's bergab.

Beim Losfahren blickte sie in den Rückspiegel. Schemenhaft konnte sie hinter sich eine junge Frau mit blonden Haaren erkennen, honigfarbenen Haaren. Dinahs Herz schlug wie wild. War das Lindsay? Erst als sie an der Ampel bremste, riskierte sie einen weiteren Blick in den Rückspiegel. Sie wollte nicht beim Spionieren ertappt werden und als Hysterikerin dastehen. Und wirklich, der Wagen war weg. Dinah schloß die Augen und ließ den Kopf aufs Steuer sinken. Was machte sie eigentlich hier?

O Mann, dein dauerndes Gejammer geht mir allmählich auf die Nerven.

Irgendwo in dem Bereich zwischen Lieben und Nichtlieben lauerte Dinah auf Rudy. Eingekeilt. Sie liebte ihn als Erinnerung und als Möglichkeit. Als Aussage über sich.

Dinah hatte großen Respekt vor Rudys Arbeit. Da sie in dem Glauben erzogen worden war, daß die Frau ihren Mann unterstützen muß, wollte sie sich hinter jemanden stellen, an den sie wirklich glauben, zu dem sie sagen konnte: »Gut gemacht,

Liebling, immer weiter so. Du bist große Klasse. Wirklich.« Sie konnte natürlich artikulierter sein und es vor allem ehrlich meinen. Ein Mann dagegen mußte bestimmt nicht hinter dem stehen, was seine Frau machte. Er sah nicht zu ihr auf, er übersah sie. Bestenfalls wurde er von seiner Frau nicht in Verlegenheit gebracht – dafür konnte er die Schönheit seiner Frau als Trophäe vorweisen. Der Wert eines Mannes hingegen bemaß sich nach seinem Reichtum, seiner Macht, seinem Talent. Allerdings brauchten die Männer, zu denen eine Frau aufblicken konnte, auch jemanden, der nach ihnen sah. Das war zwar nicht in Ordnung, aber es war eben so. Der Mann suchte nach einer Mutter für sein Kind, die Frau nach einem Versorger für die Familie. Oder wie ihre Freundin Connie immer sagte: die Identität einer Frau liegt in ihrem Mann, die Identität eines Mannes in seiner Arbeit. Also mußte man sich einen Mann mit einer guten Arbeit suchen. Zunächst mußte Dinah die Dinge wohl so hinnehmen. Konnte sie überhaupt etwas daran ändern? Natürlich, auch eine Frau mag großes Selbstvertrauen aus einer sinnvollen Arbeit schöpfen, aber ein Gefühl tiefer Befriedigung stellt sich erst ein, wenn sie einen Helden hat, einen tollen Typen oder – nach einer bestimmten Zeit – schlicht einen Typen. Wie im Kino: Die Haupthandlung konzentriert sich auf den Herrn der Schöpfung, und die Funktion der Frau beschränkt sich auf ihre Rolle in der Lovestory.

So war es Dinah auch mit Rudy ergangen. Sie bewunderte seine Disziplin, seine Gabe, sich klar für oder gegen etwas zu entscheiden. Um ihre Entschlußkraft war es weniger gut bestellt. Ein starker Wille gehörte nicht zu ihren Kardinaltugenden.

Rudy hielt sich eher für organisiert als für diszipliniert. Sie konnte da nicht mithalten, konnte höchstens auf ihre rechte Gehirnhälfte bauen. Manchmal brachte sie es allerdings fertig, aus einem rechtslastigen Hut ein linkslastiges Kaninchen zu zaubern.

Dann hatte Dinahs Arbeit immer mehr überhandgenommen, ein Tumor, der ihre Aufmerksamkeit für Rudy zerfraß. Statt hinter ihm zu stehen, telefonierte sie oder schrieb an einem Skript. Ihr

Verlangen, ihm beizustehen, verlor sich im Ungewissen. Sie hatte keine Zeit oder nahm sie sich nicht mehr und war böse auf ihre Arbeit. Sie sagte zu Rudy: »Wenn ich den ganzen Tag nur dich anschauen soll, mußt du wenigstens so interessant wie das Fernsehen sein.«

Kurz gesagt, ihre Nachtarbeit litt unter ihrer Tagarbeit.

Was Dinah an Männern anziehend fand, waren Stärke, Intellekt, künstlerische Fähigkeit – sogar so eine abstrakte Eigenschaft wie Achtbarkeit. Alles Dinge, die sie an sich vermißte. Sie durchkämmte den Erdball nach ihrer besseren Hälfte. Hatte sie ihren Traummann dann gefunden, dachte sie, wofür hält er sich eigentlich?

In Rudys Gegenwart fühlte sie sich oft jung, dumm und im Unrecht. Anders gesagt, Rudy war älter, klug und im Recht.

Dinah sah in den Rückspiegel. Das Mädchen mit dem honigfarbenen Haar in dem hellblauen Auto war verschwunden. In Richtung von Rudys Haus? Stand sie jetzt hinter ihm und flüsterte: »Einfach großartig, dein neues Stück, Liebling – arbeitest du schon an einem neuen?« Dinah hätte schwören können, daß es so war.

Sie fuhr weiter, durch Amagansett hindurch, ausgesetzt auf offener See, tief im Schatten von Rudys Bann. Niemand ist eine Insel? Einige sehen aber ganz danach aus.

Dinahs Innenleben war ein finsterer Abgrund. Früher hatte sie sich, immer wenn sie von solch einer Stimmung übermannt zu werden drohte, aus dieser Finsternis herausgeschrieben, hatte mit ihrer Feder den Abgrund bezwungen. Dann, mit der Arbeit an *Herzenswunsch*, wurde aus ihrem Hang zum Schreiben allmählich der Zwang zum Schreiben. Und jetzt schrieb sie fast gar nicht mehr, außer fürs Fernsehen. Doch hier in Amagansett überkam sie zum ersten Mal seit langer Zeit das alte Verlangen. Sie hatte weder Block noch Stift mitgebracht. Sie fuhr also zurück nach East Hampton und kaufte sich, was sie brauchte. Wieder im Wagen, begann sie, in ihrem großen, kindlichen Gekrakel zu schreiben, als wollte sie die Wörter loswerden, ein für allemal.

Ich hab was für dich.
Was, weiß ich nicht, aber es weiß von sich, und es weiß von dir.
Es wartet auf dich. Es gehört dir, glaub ich.
Ich sah es, bald nachdem ich dich sah.
Es schlug sich durch mein Leben und sehnte sich nach
    deinem Sein, deinem Wort, deinem Zorn.
Es weiß von dir, es benennt dich, es möchte bei dir sein.
Oh, ich wollte es eines Besseren belehren, aber es war der
    bessere Lehrer.
Mich hat es und dich will es.
Ich trage es singend herum, um es in den Schlaf zu wiegen, aber
    es will nicht hören auf die seltsame Musik
    der Vernunft.
Nein, es will dich lobpreisen und nach dir forschen in den Gesich-
    tern anderer Leute. Erinnert dich, enthält mich.
Es ist eine einzige Qual.
Ich hab was für dich.
Was Großes, Rührseliges, und ich mitten drin warte betäubt
    auf
das Fallen der Würfel.
Ich hab was für dich, das mich als Geisel genommen hat und
    dich
freipressen will.
Dies schreibe ich in seinem Auftrag.

Nachdem sie sich ihre Ohnmacht, die wuchernde Wut in ihrem Innern, von der Seele geschrieben hatte, fühlte sie sich sehr erleichtert. Sie fuhr zurück nach Salter's Cottage, ihrem neuen Zuhause, wild entschlossen, sie wußte nur nicht, wozu. Sie fragte sich nicht mehr, weshalb sie hergekommen war, sie wußte nur, sie hatte kommen müssen, und es war richtig so. Der Tag starb eines schönen Todes, zart und glühend, und im Radio lief »Stop Dragging my Heart Around«. Voller Zuversicht brauste sie durch Springs, die Nase im Wind.

Dinah wartete darauf, daß die Einsicht in die ganze Tragweite ihres Dilemmas an die Oberfläche stieg wie eine Luftblase. Wie seltsam, diesen langen Weg hatte sie zurückgelegt, den ganzen Kontinent durchquert, nur um in nächster Nähe ihres Ex-Gatten zu sein, dort, wo er sein neues Liebesparadies gefunden hatte. Nein, gar nicht seltsam – dringend notwendig und absolut richtig kam es ihr vor. Wie wenn man an einer Unfallstelle immer langsamer fährt und alles begafft, um sich nichts von dem Grauen entgehen zu lassen. Rudys Glück war ihr ein Grauen, war die unter dem Aufprall eines Menschen zerborstene Windschutzscheibe, und als sie nach dem bedauernswerten Opfer sehen wollte, fand sie nur sich selbst. Aber das hatte sie schon vorher gewußt.

Hier war sie also in Hampton und begaffte die Unfallstelle von Rudys Liebe. Ein Zusammenstoß, den Rudy und Lindsay unbeschadet überstanden hatten, nur Dinah war ihrem Glück zum Opfer gefallen. Aber sie wollte nicht nur verletzt werden von dieser Liebe, sie wollte überwältigt werden. Sie wollte eine Wallfahrt machen zum Schrein ihres Glücks und sich darin verirren, um sich danach wiederzufinden. Die Vorstellung, daß sie auch nur irgend etwas miteinander teilten – das Leben, das Glück, die Wohnung, das Bett –, erschien Dinah geradezu unhygienisch. Sie fühlte sich ausgestoßen, ausgeschlossen aus dem Paradies der wahren Liebe. Es beschlich sie der feierliche Verdacht, daß Rudy bei Lindsay gefunden hatte, was sie ihm nicht hatte geben können. Daß er bei Lindsay mühelos und leicht erreicht hatte, was ihm bei ihr auch unter größten Anstrengungen nicht geglückt war.

Solche Gedanken beunruhigten Dinah auf der Rückfahrt von der Wahrsagerin in Sag Harbor, vorbei an idyllischen Häusern. In solchen Häusern gediehen Seelengemeinschaften, während sie sich in einem überteuerten Schuppen am Stadtrand eingemietet hatte, mit einem nervösen Schriftsteller als Nachbarn. Ein Hasenstall, eine Behausung für ein einsames Geschöpf, über dessen Kopf sich dunkle Wolken zusammenzogen und dessen langes, trauriges Leben sich endlos vor ihm erstreckte, bis es im Nichts verschwand. Im sanften Schein der Abendsonne leuchtete alles wie von innen her. Sie versuchte, sich zu erinnern, wann es mit Rudy, wann es mit ihrem Leben schief gelaufen war. Im Radio sangen die Stones »Miss You«. Das Stück war auf dem Fest gespielt worden, auf dem sie Rudy kennengelernt hatte. Tränen traten ihr in die Augen. Eine glitt unter der Sonnenbrille hervor und lief über die Wange bis hinunter zum Kinn. Dinah wischte sie ab und fuhr weiter, blickte angestrengt durch die Sonnenbrille und die Windschutzscheibe. Bald mußte die Abzweigung nach Springs kommen.

Daheim in ihrer Hütte fütterte sie den Hund und machte sich fertig zum Schlafengehen. Dann glitt sie zwischen ihre Laken wie der Brief in seinen Umschlag und ließ sich in den Schlaf schicken.

Im Traum stand sie zusammen mit Lindsay in einer Hotelhalle. Und war begeistert von ihr. Noch nie war sie einer so bezaubernden Frau begegnet, und irgendwie hatte sie das Bedürfnis, sie zu beschützen.

Schweißgebadet wachte sie auf. Das Bett in ihrem kahlen Schlafzimmer lag in der hellen Vormittagssonne. Tony saß neben ihr und wachte über ihr Erwachen. Doch so vertraut sein Anblick auch war, ihre Umgebung erschien ihr fremd. Sie brauchte einige Minuten, um sich zurechtzufinden. Die alte Küste, die interessante Küste, Rudys Welt. Fremde in einem fremden Land.

»Jemand zu Hause?« rief eine Stimme, anscheinend nicht in ihrem Kopf, die erste seit viel zu langer Zeit. Oder hatte sich ihr Kopf einfach ausgedehnt und annektierte einen immer größer werdenden Raum, bis er sich in alles ergoß und sie keinen Unterschied mehr wahrnahm zwischen innen und außen?

»Hallo?« Eine männliche Stimme von weit oben. »Miss Kaufman?« sagte die Stimme, körperlos und warm, genau wie sie es gern hatte. »Ich bin's, Ihr Nachbar, Roy Delaney.«

Dinah saß auf einmal kerzengerade. Tony bellte. »Komme

sofort!« rief sie. Tony sprang vom Bett und schaute schwanzwedelnd zurück zu Dinah. Dinah schwang die Beine aus dem Bett und betrachtete zweifelnd ihre Füße. Ihr kleiner Zeh war so winzig, daß sie ihn nicht bewegen konnte. Sie konzentrierte sich und versuchte es. Nichts. »Naja, es muß ja nicht sofort sein«, tröstete sie ihren leblosen Zeh.

»Hoffentlich habe ich Sie nicht aufgeweckt«, rief Roy verlegen.

»Nein, überhaupt nicht«, versicherte ihm Dinah. »Wie spät ist es eigentlich?«

»Kurz vor elf.«

»O Gott.«

»Vielleicht wollen Sie nachher mal reinschauen, wenn Sie...«

»Was? Was soll ich sein?«

»Wach. Wenn Sie richtig wach sind«, sagte Roy. »Ich komme gerade vom Markt, und ich habe Brötchen mitgebracht.«

»Super.« Dinah hörte, wie sich Roys Schritte rhythmisch knirschend zu seiner Hütte entfernten. Mißtrauisch stand sie vor dem Spiegel und besah sich ihr Gesicht. Es machte einen unfertigen Eindruck. Unausgegoren, unsicher, im Übergang. Sie ließ den Kopf sinken und fuhr sich ungeschickt mit der Hand über das kurz geschorene Haar. Nie hätte sie es sich so kurz schneiden lassen dürfen, nie hätte sie sich dermaßen preisgeben dürfen.

Zum ersten Mal hatte sie sich das Haar vor acht Jahren schneiden lassen, als sie nach New York kam. Alles radikal runter. Es hatte zu ihrer neuen Lebensphilosophie gepaßt. Neue Arbeit, neuer Haarschnitt, New York. Aber kaum war es weg, verfolgte es sie – Phantomhaarspliß, trockenes, im Nachtwind wehendes, auf Nimmerwiedersehen verschwundenes Haar. Sie kam sich vor wie ein femininer Junge, ein kränklicher Schwuler, unsportlich, introvertiert, androgyn, schüchtern, ein abtrünniger Chorknabe. Damals hatte es etwas Symbolisches gehabt, die Stufen zum Friseur hinaufzusteigen und ihm tapfer ihre Locken darzubieten. *Ein Symbol wofür?* Sie wollte ihr Haar zurückhaben. Sie sah aus wie eine Zwergenschönheit, ein alternder Wildfang. Wie das Haar von jemand anderem sah es aus. Da muß ein

Irrtum vorliegen. Der neue Haarschnitt sollte sie schöner machen und ihr den Start ins neue Leben erleichtern, den Weg ebnen zum Mittelpunkt des Geschehens, zum harten Kern derer, die zu leben wußten. Auch danach trug sie es kurz, und sei es nur, weil sie so stets vor Augen hatte, um wieviel besser sie aussähe, wenn sie fünf Pfund abnehmen und sich das Haar wieder wachsen lassen würde. Nur diese niedrige Hürde stand zwischen ihr und wirklicher Attraktivität. Mit dem Kurzhaarschnitt fühlte sie sich wie eine angestoßene Ware – diese Woche erst herabgesetzt, eine einmalige Gelegenheit, die Preise purzeln, wir räumen unser Lager –, und im Geiste hatte sie sich schon vom Liebesmarkt verabschiedet. Sie verschloß das Gesicht, hielt den Atem an und hörte ihrem Haar beim Wachsen zu.

Sie stellte die klapprige Dusche an und trat unter den warmen Strahl. Wieder einmal nahm das Ritual der Vorbereitung für den Großen Affen seinen Lauf.

Eine halbe Stunde später stand Dinah, frisch geschrubbt und bemalt, in Roy Delaneys Tür. Emanzipiert, aber resigniert; Kapitulation ohne Lächeln. »Hallo«, war alles, was sie zuwege brachte.

»Hi«, kam die Antwort aus Roys Sommerdomizil. Dinah sah ihn schon durch die Fliegentür auf sich zukommen. »Da sind Sie ja.«

Er lächelte, als er die Tür öffnete.

Ein Raubmörder, dachte Dinah. Ein Raubritter – der Wunderbare Räuberhauptmann.

»Da bin ich«, lautete ihre Antwort. *Jetzt bloß keine Witze*, ermahnte sie sich und verbesserte dann: *Jetzt bloß keine schlechten Witze.*

»Ich hab die Brötchen aufgebacken, aber wahrscheinlich sind sie jetzt nicht mehr ganz warm.« Roy verlagerte sein Gewicht von einem Fuß auf den anderen.

»Lauwarm mag ich sie eh lieber«, sagte Dinah und folgte ihm ins Haus.

Roy lachte nervös und stolperte fast über einen Stuhl. »Oh. Also kein Brötchen-Fan.«

»Klar erkannt. Kein BF.«

Dinah sah Roy an. Wenn sie miteinander ein Kind bekämen, dann würde es so gut wie keine Oberlippe haben. Aber schöne Augen, wenn es seine hätte. Ihre Augen waren dunkelbraun. Seine waren hellblau und blickten verträumt. Würde sich da nicht ihre Augenfarbe durchsetzen? Am besten wäre es natürlich mit seinen Augen und einer normalen Oberlippe. Sprach da vielleicht der Mutterinstinkt? Löste die biologische Uhr Bild auf Bild aus, immer wenn sie das Gesicht eines neuen Mannes sah, das Gesicht des möglichen, des unmöglichen, irgendeines Mannes?

Wie ein Schraubstock hielt die Phantasie ihren Verstand gefangen. Sie stellte sich vor, mit Roy verheiratet zu sein, wunschlos glücklich mit Roy; nur auf ihn hatte sie gewartet. Vorher – das zählte nicht mehr, das war gar nicht sie gewesen. Sie war bloß nicht dem Richtigen begegnet. Es gab für jeden auf der Welt einen Menschen, und gerade wenn man die Hoffnung schon aufgeben wollte, kam er und zeigte einem, wo's lang ging. Jemand, für den sie wie geschaffen war, der sie akzeptierte, wie sie war, und den sie dafür liebte. Sie bewunderte seinen Geschmack, sein Wesen. Sie wollte ihn erforschen, sein Innerstes zärtlich nach außen kehren.

Hatte sie nicht recht gehabt, als sie auf die anderen herabsah? Nicht aus Furcht vor der Intimität, nein, aus Furcht vor der Intimität mit dem Falschen. Klaustrophobie. Der Richtige quält dich nie, er langweilt dich nie, er bleibt immer bei dir. In ihrer Phantasie liebte sie Roy, und Roy liebte sie, und alles war wunderbar. Alles hatte sich zum Besten gefügt, die Würfel waren gefallen, nichts und niemand konnte sie mehr ängstigen. Que será.

Roy und Dinah
Sitzen auf 'nem Baum
und K-Ü-S-S-E-N sich
Erst die Liebe
Dann die Ehe
Dann das…

Dinah versuchte, wieder Gewalt über sich zu gewinnen, ihren Verstand aus dem furchtbaren Würgegriff dieser berauschenden Phantasie zu befreien. Du triffst einen Mann, und schon geistert die Vision vom Ehemann und potentiellen Familienvater durch deinen Kopf. Das weibliche Gegenstück zu einer Erektion. Mann trifft Frau – Erektion. Frau trifft Mann – Eheglück. Er vögelt sie, wenn er Glück hat. Sie wird gevögelt, wenn sie Pech hat. Gevögelt von einer Phantasie. Nein, verführt von einer Phantasie und gevögelt von der Realität.

Ein Grund für Dinahs Kinderwunsch war, daß Frauen mit Kindern, wie sie irgendwo gelesen hatte, weniger krebsgefährdet sind. Außerdem plagte sie manchmal die Angst vor dem Sterben, und sie bildete sich ein, daß ein Kind dem Tod den Schrecken nähme. Ein Kind, dem sie ein Stück von sich mitgeben konnte. Jemand, der ihre Tradition aufrechterhielt. Nicht, daß sie überhaupt auf eine Tradition zurückblicken konnte. Nur für den Fall, daß sich später unvermutet doch noch eine einstellen sollte. Um sicher zu sein, daß ihre Tradition in der Neuen Welt fortleben und vielleicht einmal in einer Highschool-Cafeteria belächelt werden würde. Wenn sie schon nicht mehr in der Wirklichkeit leben dürfte, wollte sie wenigstens noch als eine Ahnung weiterleben, als Vermächtnis an ihr Kind.

> K-Ü-S-S-E-N sich
> Erst die Liebe, dann die Ehe
> Dann das Baby und die Mühe

»Sie sind so still. Woran denken Sie?« fragte Roy mit warmem Blick.

Dinah sah auf seine Oberlippe und lächelte. »Nichts, nichts.« Sie schüttelte den Kopf. »Ich bin bloß noch nicht richtig wach.«

»Sie sehen aus wie ein Filmstar«, sagte er zu ihr und ging zum Küchenschrank. »Möchten Sie mir nicht ein Autogramm geben?«

Dinah winkte ab. »Ich hab zuviel Lippenstift aufgelegt fürs Frühstück.« Sie wischte sich mit dem Handrücken über den Mund. »So, jetzt seh ich nur noch aus wie ein Starlet.« Sie saß an Roys kleinem Küchentisch und sah zu, wie er Kaffee einschenkte.

Während er umrührte, sah er sie über die Schulter an. »Und ein bißchen wie Sinead O'Connor mit Migräne.«

Dinah spielte mit dem Gedanken, darauf einzugehen, beschloß dann aber, das Thema zu wechseln. »Ihre Hütte ist größer als meine.«

Roy brachte eine Tasse Kaffee und stellte sie ihr hin. »Milch?«

»Ja bitte«, sagte Dinah. »Alles, was Sie haben, und wenn es Autoteile sind.«

Roy holte aus dem Kühlschrank eine Tüte Milch. »Wenn es hier wirklich größer ist als bei Ihnen, dann zahle ich auch mehr dafür, darauf können Sie sich verlassen. Hier zahlt man für jeden Quadratzentimeter Wohnfläche und Aussicht.«

Er schenkte Milch in Dinahs Tasse. »Sagen Sie halt.« Es dauerte eine Weile.

Schließlich sagte sie: »Halt«.

Roy warf ihr einen seltsamen Blick zu und setzte sich ihr gegenüber hin, den schwarzen Kaffee und das kalte Brötchen vor sich. »Also...« begann er, schlug die Beine übereinander und lehnte sich nach vorne. Dinah schaute ihm über den Rand der Tasse hinweg zu. »Und was bringt Sie nach Hampton, wenn ich fragen darf?«

Sie sah ihn bestürzt an; mit einer solchen Frage hatte sie nicht gerechnet. »Was?« Sie rang um Fassung.

Roy zeigte Verständnis. »Was bringt Sie hierher – haben Sie Urlaub?«

Dinahs Haut schimmerte blaß in der Mittagssonne. Langsam gewann sie wieder den nötigen Durchblick. »Urlaub. Zwangsurlaub. In L.A. ist Autorenstreik, und da...«

»Sie sind Autorin?«

Dinah nickte fast entschuldigend. »Ich schreibe an einer Serie fürs Fernsehen.«

»Ach wirklich?« fragte Roy, als könnte er es gar nicht glauben. »Ich bin auch Autor. Drehbuchautor.«

»Weiß ich doch schon längst. War ein Kaufargument für meinen Schuppen. Oder besser Mietargument. Der Makler meinte, hier gibt's 'ne Menge Autoren. Sie waren das Vorzeigeexemplar.« Sie biß in ihr Brötchen. »Da wollte ich mich eben der Gruppe anschließen.«

Roy lachte. »Die Autorengruppe von Springs. Abartig.«

Dinah lachte. In ihrem Kopf waren sie verheiratet, beim gemeinsamen Frühstück, alles hatte sich zum Besten gefügt. Dort saß er, ein vollendetes Konzept. Ein Fangnetz. Der Himmel. Und wenn sie schön brav war, dann kam sie mit seiner Hilfe auch hinein. Dann würde sie die große Belohnung bekommen. Mrs. Kong. Sie mußte lächeln.

»Wollen Sie hier arbeiten?« fragte sie höflich.

»Ja. Ich schreibe an einem Roman. Eigentlich sollten es nur Kurzgeschichten werden, aber jetzt ist es ein Roman geworden. Ich halte mich an den Streik, was aber in meinem Fall nicht viel bedeutet. Im Winter kommt ein Film von mir heraus, also muß ich eh so lange warten. Außerdem kann ich dann wahrscheinlich einen besseren Vertrag abschließen. Aber warum erzähle ich Ihnen das alles? Das interessiert Sie doch bestimmt nicht.«

»Es interessiert mich nicht gerade *leidenschaftlich*, aber dafür im allgemeinen. Schließlich erzählen sich die Leute ja deshalb irgendwelche Sachen, um eine Reaktion auszulösen. Sie wissen schon, um Eindruck zu machen, oder um zu beweisen, wie lustig oder klug oder interessant oder erfolgreich sie sind. Um sich in ein schmeichelhaftes Licht zu rücken. Manchmal würde ich am liebsten die Abkürzung nehmen und die Leute einfach bitten, daß sie mich mögen oder mich für interessant oder lustig halten. Oder sie vielleicht noch an andere weiterverweisen, die mich schon mal für interessant oder lustig gehalten haben.«

»Für mich wäre dann die Abkürzung wohl, daß ich jemand bin, der etwas macht, was nicht völlig belanglos ist.«

»Glaub ich Ihnen aufs Wort. Zumindest wirken Sie wie so jemand.«

»Und Ihre Abkürzung?« fragte er.

»Ich bin interessant und lustig…« Sie verlor den Faden.

»Ja?«

»Und zur Zeit geht's mir eher dreckig. Mein Ex-Mann hat eine neue Freundin und ist sehr glücklich mit ihr. Gibt's dafür auch 'ne Kurzform?«

»Sie sind ein Mensch.«

»Ich bin besessen. Und er ist hier.«

»Aha. Deshalb also…«

»Ja, deshalb also. Aber wer weiß? Vielleicht mache ich zur Abwechslung ja mal wieder was Konstruktives? Wie zum Beispiel sonnenbaden. Oder nach Hause fliegen.«

»Das geht nicht. Mit wem sollte ich sonst meine lauwarmen Brötchen teilen? Alle anderen mögen sie lieber heiß. Außerdem brauche ich für meinen Roman noch eine weibliche Figur.«

»Und wo ist Ihre weibliche Hauptfigur?«

»Äh ja, ich hab eine Frau, die ist in einer Nervenheilanstalt und eine Freundin, die sich ärgert, weil ich meine Frau noch nicht verlassen und dafür sie geheiratet habe. Aber ich kann sie nicht verlassen, weil sie sich sonst umbringen würde.«

»Die Kurzform davon lautet dann wohl, daß Sie sehr beliebt sind.«

»Zu populär.«

»Also halten Sie wahrscheinlich nicht viel von einer Affäre mit einer Freundin meines Ex-Gatten?«

»Sie sagten doch, die beiden sind glücklich.«

Dinah zuckte mit den Schultern. »Ich dachte nur, daß so was gutes Anschauungsmaterial für Ihr Buch abgeben würde.«

»Die Kurzform in diesem Fall wäre dann wahrscheinlich, Sie können der Vorstellung nichts abgewinnen, daß wir…«

Dinah stand auf. »Ich glaub, das reicht für einen Tag. Vielleicht reden wir lieber später weiter. Wenn wir uns länger kennen. Länger als zehn Minuten, mein ich.« Sie ging zur Tür.

Roy erhob sich und folgte ihr. »Wir sehen uns also wieder, später. Na dann: bis später.«

Dinah lächelte und schob die Tür auf. »So weit, so gut, aber auch so früh, so spät?« Mit dieser Bemerkung schritt sie über seine Veranda und verschwand um die Ecke. Ein starker Abgang.

Die Luft, die sie umschwebte, war leichter als Luft, gewichtslos, wie der Atem eines Kindes. Ein pastellfarbener Hauch, der sie als warme Ahnung einer flüchtigen Gestalt streifte.

Als wunderbare Ahnung.

Sie trat in ihre Hütte und ließ Tony laufen. Sie starrte auf das Telefon. Sie hielt sich zurück, solange sie konnte, das hieß einige Sekunden, und dann hielt sie es nicht mehr aus. Sie hob ab und wählte. Wählte Rudys Nummer, hoffte nur, seine unverbindliche Stimme zu hören. Statt dessen vernahm sie das Besetztzeichen und hörte eine Weile zu, fühlte sich dadurch mit ihm verbunden, spürte, wie das Besetztzeichen zu ihrem Herzschlag wurde, zu ihrem gebrochenen Herzschlag, der für ihn schlug und auf sie einschlug: Krallen der Verzweiflung und Einsamkeit. Sie fuhr sich mit der Hand durchs Haar, betrachtete den Tanz des Staubs im Sonnenlicht, eine Waise im Wirbel der Hormone. Nachdem sie sich eine Zeitlang mit *Madame Bovary* herumgequält hatte, schaltete sie den Fernseher ein.

Ausgerechnet *Jane Eyre* lief. Edward sagte zu Jane: »Es ist mir, als verbinde uns eine unsichtbare Saite. Und nun fürchte ich, daß sie springen wird, wenn ein paar hundert Meilen Land zwischen uns kommen; ich habe das unangenehme Gefühl, innerlich zu verbluten.«

Dinah schaltete auf einen anderen Kanal um. Dort kam gerade *Herzenswunsch*.

—

Blaine sitzt vor dem Fernseher. Die Yankees spielen. Rose tippt auf ihrem tragbaren Computer. Sie sieht zum Fenster hinüber, als irgendwo im Außenfeld ein Flugball geschlagen wird. Der Schlagmann läuft zum erstenmal, als der Ball gefangen wird. Er läuft die Stufen zum Unterstand hinunter, und ein anderer Spieler gibt ihm einen Klaps auf den Hintern. Rose schüttelt den Kopf und sagt lächelnd: »Was für eine tolle Sache für euch Männer, dieses Gemeinschaftserlebnis beim Sport. So was haben wir Frauen nicht.«

Blaine wirft Rose einen giftigen Blick zu: »O Mann, dein dauerndes Gejammer geht mir allmählich auf die Nerven.« Mit diesen Worten steht er auf und stürmt aus dem Haus. Rose läßt fast den Computer fallen und rennt ihm nach. An der Tür schreit sie ihm hinterher: »Dann geh doch! Aber glaub nicht, daß ich nicht weiß, wohin. Die ganze Stadt spricht ja schon darüber. Du triffst dich mit –«

Dinah schaltete aus. Sie brauchte etwas zum Essen. Sie wollte irgendwohin fahren.

Sie war auf dem Markt in Amagansett, betrachtete mit leerem Blick das Obst, die Ware. Rudy mochte Früchte, oder? Genau. Er aß doch immer welche. Saftige rote Äpfel... für Schneewittchen? Oder doch lieber Bananen... Bananen tun dir gut. Aber machen sie nicht dick? Vielleicht, aber zumindest sind sie nicht ungesund. Keine leeren Kalorien, sondern die richtigen. Außerdem macht es mehr Spaß, Bananen zu essen als Äpfel. Bananen sind wie Babynahrung, Spielzeugessen. Äpfel können das Zahnfleisch angreifen und dann machen sie auch noch soviel Krach. Bananen sind weich und zart. Dinah hatte den Entscheidungsprozeß abgeschlossen und wollte gerade nach einem Bund Bananen greifen, als sie direkt hinter der Waage John Delman erkannte, Rudys Schwager.

Dinah zog die Hand zurück, als wäre sie von einer Schlange gebissen worden. Als ob sich die Erscheinung dadurch in Luft auflösen würde. John würde verschwinden, und die Bananen würden bleiben. Doch schon war in sein Gesicht ein überraschter Ausdruck getreten. »Dinah, Dinah! Ich kann's gar nicht glauben! Wie geht's dir denn?« Er umarmte sie mit einer plötzlichen Bewegung. Sie wurde auf dem falschen Fuß erwischt und mußte sich an ihm festhalten. John löste sich wieder von ihr. »Laß dich anschauen, Menschenskind. Ich hab dich ja schon seit Ewigkeiten —«

»Und du? Wie geht's dir? Siehst gut aus.« Sie konnte es nicht ausstehen, wenn man sie musterte, aber noch weniger behagte es ihr, wenn man es ihr auch noch ankündigte. In solchen Augenblicken versuchte sie sich an ihr Aussehen zu erinnern, aber sie schaffte es nicht. Und es war doch so wichtig.

»Kann nicht klagen, kann nicht klagen. Hab ein paar Pfund zugenommen — hab ich wohl auch nötig gehabt.« John war mittelgroß, ungefähr fünfundvierzig und sehr, sehr mager. Er hatte eine kleine Nase, die Nase von jemand anderem, und einen Schnurrbart. So lang sie John kannte, war sein Gesicht immer schon hager gewesen. Das Gesicht eines Adeligen oder eines Indianers. Eines lauten, adeligen Indianers. Irgendwie hätte sich sein Gesicht gut auf einer Flasche mit Salatsoße gemacht.

»Und wie geht's Laura?« fragte Dinah. Laura war Johns Frau, Rudys Schwester.

»O gut, gut. Sie möchte immer noch das Rauchen aufgeben.«

Dinah lächelte. Laura war der überspannteste Mensch, den sie je kennengelernt hatte. So ausgeglichen Rudy war, so unausgeglichen war sie. Entweder sie lachte oder sie weinte oder sie rauchte. »Richte ihr bitte schöne Grüße aus«, sagte Dinah.

»Nein, du mußt vorbeikommen«, bat John. »Daß du nicht mehr mit Rudy zusammen bist, heißt ja noch lange nicht, daß wir nichts mehr von dir wissen wollen. Wir sind immer noch mit dir verwandt.« Seine Hände waren tief in den Taschen vergraben. Er zog sie heraus und glättete sich den Schnurrbart. Er sah sie an. Dinah nahm sich eine Banane und begann, sie zu schälen.

»Wirklich lieb von dir, John.« Sie kaute an ihrer Banane. »Aber irgendwie hab ich doch ein komisches Gefühl dabei.«

165

»Unsinn«, sagte John herzlich. »Das sind doch alles bloß Hirngespinste.«

»Einiges davon vielleicht«, sagte sie mit vollem Mund. »Ein Teil davon sind aber auch Gefühlsgespinste.«

»Aber man kann nur damit fertig werden, wenn man der Sache ins Auge sieht, stimmt's?«

»Und wie macht man so was?« fragte sie kleinmütig und dachte, daß es bestimmt viel angenehmer wäre, die Sache von der Seite anzusehen.

»Du kannst zum Beispiel jetzt gleich mit mir zum Mittagessen mitkommen.«

Wie sehr sich Dinah auch winden mochte, sie saß fest, war gefangen in Rudys Spinnenwelt und wurde allmählich vom Zentrum angezogen, in dem seine Gegenwart nur darauf lauerte, sich über sie zu stülpen.

Sie kaufte sich einen Bund Bananen, drei Maisbrötchen und eine Packung Heftpflaster. Sie klebte sie sich schon unterwegs zum Auto auf die Daumen. Schließlich war das eine Situation mit reichlich Spannungspotential, und ihre Daumen kriegten in solchen Fällen immer das meiste ab. Sie stieg in ihr Auto und entdeckte John, der sie mit seinem Wagen zu dem unerwünschten Mittagessen lotsen wollte. Aber hatte sie es denn nicht so gewollt? Zugang gewinnen zu Rudys Leben durch eine Vielzahl von Seitentüren. Das Geheimnis seiner neu gefundenen Zweisamkeit entdecken und ihre Mängel offenlegen. Daß sie anfänglich nicht so sehr unter Rudys Verlust gelitten hatte, lag vor allem daran, daß sie ihn nicht wirklich verloren hatte, nur verlegt. Er existierte noch immer irgendwo dort draußen in der Welt für sie. Als Tatsache. Wie Grönland. Er gehörte zwar nicht ihr, aber auch keiner anderen. Aber jetzt hatte sie ihn nicht mehr nur aus den Augen verloren, sondern an eine andere. Sie hatte ihn verloren, und eine andere hatte ihn gefunden.

Grönland war von der Landkarte verschwunden.

Pflichtschuldig folgte sie Johns braunem BMW. Gehorsam. Um das Neueste über Rudy und Lindsay zu erfahren, direkt von der Quelle sozusagen. Und wenn sie nur Gutes zu hören kriegte? Sie wollte es nehmen wie ein Mann. Aber wie nahmen Männer es? sinnierte sie, als sie nach links in die Egypt Lane einbog. Ohren steif halten, Sportsfreund, so irgendwie. Wie ein Engländer. Wie Oscar Wilde. Naja, der paßte vielleicht nicht so gut wie – wer? J. B. Priestley? Kingsley Amis?

Dinah beschloß, sich kopfüber in die Sache hineinzustürzen, ganz gleich, wie sie ausging. Hauptsache, der Kopf war dabei. Sich hineintreiben lassen, wie es sich ergab. Sie war so weit gegangen, jetzt mußte sie auch noch den Rest der Strecke zurücklegen. Sie sah sich um. Es war ein freundlich strahlender Tag, stolzgeschwellt, glänzend vor Lebensfreude. Ein Tag, wie geschaffen für eine Entscheidung, auch wenn sie nur bestätigte, was man sowieso schon tat. Die eigene Wahl bekräftigte. Roys Klingelzeichen war ertönt, und Dinah sauste dahin in ihrem Auto und begrüßte voller Freude die mit ihrer Lieblingsphantasie geschmückten Fakten. Johns Auto fuhr in die Einfahrt eines grauweißen Einfamilienhauses. Dinah stellte ihr Auto dahinter ab. Ein hysterisch bellender Hund schoß durch die Tür auf sie zu.

»Platz, Mitch«, befahl John, als der Terrier auf Dinah traf und ihr vor lauter Freude auf die Schuhe pinkelte.

Dinah kniete sich nieder und tätschelte ihm beruhigend das Fell. »Ist schon gut«, sagte sie. Der Hund leckte ihr die Hand. »Jaja, du bist ein ganz Braver«, lobte sie ihn. »Hmmm. Ein ganz Braver.«

Ein Kreischen drang aus dem Haus, gefolgt von einer Mischung aus Stöhnen und Lachen. Mit ausgestreckten Armen und tränenden Augen stürzte Laura durch die Tür.

»Sieh mal, wen ich auf dem Markt aufgelesen habe«, rief John mit dröhnender Stimme. Behende und unbeirrbar steuerte Laura auf sie zu. Dinah wurde angst und bange. Sie trat einen Schritt zurück, als ihr Laura um den Hals fiel und sich daran festhielt, als hätte sie sich ein ganzes Leben nach Dinah verzehrt. Dinah erwiderte zaghaft die Umarmung und starrte bestürzt über Lauras Schulter auf John, der die Szene wohlwollend verfolgte.

»Ich kann's nicht glauben, ich kann's einfach nicht glauben!«
rief Laura entzückt. »Du hier! Seit wann denn? Warum hast du
denn nicht angerufen?«

Dinah fühlte sich, als wäre über ihr Gehirn die totale Aus-
gangssperre verhängt. »Ich bin gerade erst angekommen«, sagte sie mit winziger Stimme. »Ich wollte gleich anrufen. Tu einfach
so, als würd ich dich jetzt gerade anrufen.«

Laura war perplex. Dann kämpften sich Dinahs Worte durch
ihre dunklen Gehirnwindungen vor, bis es ihr dämmerte. Ihre
Augen weiteten sich, und sie lachte. »Ich tu einfach so, als
würdest du mich gerade anrufen.« Gackernd sprudelte sie die
Worte hervor und führte Dinah ins Haus. »Dann tu du jetzt einfach
so, als würd ich gerade antworten.« Sie traten über die Schwelle.
John glättete sich den Schnurrbart und folgte ihnen hinein.

Drinnen war es kühl. Kühl und weiß. Die Frontseite war ganz
aus Glas und mit Jalousien verdunkelt. Von dort aus gelangte
man auf eine Terrasse mit Blick auf das Meer. Von oben hörte
man Vogelgeschrei, und Dinah sog dankbar die Meerluft ein.
Laura wollte schnell Eistee für sie zubereiten. Dinah zog die
Jalousie nach oben und sah auf das Wasser hinunter, Rudys
Wasserwelt, die allmählich ihren Kopf überflutete. Auf dem Wasser lagen Boote, Kinder spielten am Strand, ihre Schreie wurden
von der Brise heraufgeweht. Laura kam mit dem Eistee.

»So, das hätten wir«, verkündete sie fröhlich. Das dunkle Haar
fiel ihr ins Gesicht. Ihre blauen Augen sahen Dinah wie abwesend an, gefangen in der Erinnerung an etwas Seltsames oder
Trauriges aus ferner Vergangenheit. »John duscht sich noch
schnell«, sagte sie mit verlegener Stimme, als ob er sich einem
finsteren Ritual hingeben würde, das sie nicht begriff. Dinah
suchte Rudys Züge in Lauras Gesicht – seine schmale Nase,
gestrandet in ihrem weichen Gesicht, sein strenger Mund, fast
nicht mehr erkennbar, besänftigt von ihrer ungezügelten Emotio-
nalität. Und doch fand Dinah Rudys Züge wieder. Der Mund
sprach: »Total unglaublich das mit Dan Quayle, findest du
nicht?«

»Was denn?« fragte Dinah. »Und wer ist Dan Quayle?«

»Wer *Quayle* ist?« Laura konnte es gar nicht fassen. »Na Bushs Kandidat als Vizepräsident. Was hast du denn gemacht? In den Nachrichten bringen sie nichts anderes mehr.«

Dinah wurde blaß vor Verlegenheit. »Ich war...« Sie suchte nach einer plausiblen Entschuldigung. »Abgelenkt. Auf Reisen. Ich habe meine politischen Hausaufgaben nicht gemacht. Sag's bitte nicht weiter. Ist das schlimm mit Quayle?«

Laura zuckte mit den Achseln. »Blöd ist es. Aber es kann sich als schlimm erweisen, wenn Bush...« Seufzend wechselte sie das Thema.

»Hast du Rudy gesehen?« fragte sie unschuldig, so unschuldig sie konnte.

Lächelnd ließ Dinah das Kinn auf die Brust sinken und schüttelte den Kopf. »Nein. Nicht hier. In L.A. haben wir uns getroffen, aber nicht hier.«

Laura sah Dinah fragend an. »Und? Wirst du ihn hier sehen?«

Dinah lachte und seufzte gleichzeitig. »Wohl kaum. Er hat doch eine neue Freundin, und da...«

Laura lehnte sich zurück und hielt ihre Teetasse wie um sich zu schützen. »Er hat es dir also gesagt?«

Dinah nickte und beobachtete dabei Laura. »Kennst du sie schon?« fragte sie beiläufig und schlug die Beine übereinander. Dabei nahm sie eine Miene gelassener und gütiger Anteilnahme an, wie jemand, der schon lange erhaben ist über die kümmerlichen Bande menschlicher Beziehungen; ein souveräner, großherziger Mensch, der höfliches Interesse an gesellschaftlichen Sitten bekundet.

Laura schien erleichtert über Dinahs ruhige, unbewegte Fassade zu sein. »Ja, schon, wir haben sie schon ein paar Mal gesehen, seit die beiden zusammen sind. Sie ist recht lieb, glaube ich, und still.«

»Wer ist still?« dröhnte Johns Stimme von der Tür. Frisch geduscht und umgezogen kam er herein, der Hund hinterdrein.

»Du bestimmt nicht, Schatz«, meinte Laura ungerührt, als sie

169

sich zu ihm umwandte. John setzte sich neben sie, sein Haar war noch feucht und glänzte in der Sonne. »Wir unterhalten uns über Lindsay, Schatz«, erklärte Laura, »Rudys neue Freundin«.

»Ah ja«, sagte John und süßte seinen Tee. »Süßes Mädchen, die Lindsay, ja. Genau das, was er braucht. Oder was meinst du, Schatz?«

»Natürlich gar nichts im Vergleich zu dir«, beeilte sich Laura an Dinah gewandt zu versichern. Bestürzung stand in ihren blauen Babyaugen. »Aber ihr zwei seid ja irgendwie nicht miteinander... klargekommen – und da ist so jemand wie Lindsay bestimmt die zweitbeste Lösung.« Nach den letzten Worten lag wieder Hoffnung in ihrem Blick.

So jemand wie Lindsay, dachte Dinah. So ist sie wahrscheinlich auch. Jemand, so wie jemand. Jemand so wie sie, statt sie selbst. Sie sagte: »Natürlich, genau das Richtige für ihn«, als hätte sie sich endgültig freigeschwommen.

»Warum holst du uns nicht was von deinem köstlichen Thunfischsalat, Laura?« sagte John mit kraftvoller Stimme zu seiner Angetrauten. Dinah bemerkte, daß sein Hemdkragen hochgeschlagen war, wie man es öfter bei Männern sehen konnte – als bliese ihnen ein starker Modewind ins Gesicht. Laura ging in die Küche, und Dinah blieb allein mit John und seinem ungebärdigen Kragen.

»Ich muß auch sagen, das freut mich für Rudy«, fuhr er fort. »Und ich glaub, daß es mit ihr was werden kann. Sie könnte die Richtige sein. Hat er dir von seiner neuen Theorie über Beziehungen erzählt?«

Dinah gönnte sich eine Pause, ehe sie antwortete: »Ich glaub nicht.«

»Ja, also wirklich interessant. Mal sehen, ob ich's noch zusammenbringe...« Er legte die Hände hinter den Kopf und blinzelte in die Sonne. Dinah wartete. »Im Grunde meint er wahrscheinlich, man soll sich jemanden aussuchen und dann dafür sorgen, daß es auch hinhaut.«

Dinah schluckte diese Sentenz hinunter. Schließlich wiederholte sie mit tonloser Stimme: »Jemanden aussuchen und dafür sorgen, daß es hinhaut.«

John nickte. »Ja, irgendwie in die Richtung. Rudy meint, daß es mit jedem Schwierigkeiten gibt – nein, warte, hat er das wirklich so gesagt? Vielleicht doch nicht. Auf jeden Fall, irgendwie so, daß man sich jemand aussuchen soll, der Zeit hat für einen... und nicht dieses Zeugs mit der großen Liebe und so... Genau, jemand, den man mag, und daraus wird dann auch so was wie Liebe entstehen.«

»Verstehe«, sagte Dinah. Sie verstand überhaupt nichts; sie wollte nicht einmal zuhören.

John verschränkte die Arme und sah hinaus auf die Sonnenreflexe auf dem Wasser. »Schaut fast so aus, als ob er sie heiraten möchte.«

Dinah blieb die Luft weg. Etwas in ihrem Inneren zerbrach und hinterließ eine klaffende, schmerzende Wunde. »Wie schön«, preßte sie mühsam hervor.

»Es ist wirklich schön für ihn. Nach der ganzen Geschichte da mit euch beiden, hätt ich nicht geglaubt, daß er es überhaupt noch mal probiert. Bei dir ist das was anderes, du hast ja noch so viel Zeit. Aber er ist doch um einiges älter. Und wenn er Kinder will, dann muß er sich allmählich ranhalten.«

»Meinst du, sie wollen Kinder?« fragte Dinah mit hohler Stimme. Hypnotisiert saß sie da, festgebannt, und unaufhörlich fielen ihr die Wassertropfen der chinesischen Folter auf den Kopf.

»Ich hoffe, daß sie Kinder haben werden. Sie will garantiert welche. Sie ist genau im richtigen Alter. Naja, sie ist in *deinem* Alter.« Dinah nickte stumm. John war jetzt nicht mehr aufzuhalten. »Sie haben sich sogar schon neue Wohnungen in der Stadt angeschaut. Sie möchte einfach ein neues Leben anfangen, glaub ich.«

Dinah hörte nichts mehr. Eine neue Wohnung in der Stadt. Für eine neue Wohnung hatte sie ihn nie begeistern können. Und Kinder. O Gott. O Gott. Der Thunfischsalat kam an. Dinah schob ihn auf dem Teller hin und her. Laura blickte sie teilnahmsvoll an.

John sprach inzwischen von anderen Dingen. Neue Filme, das Wetter, Barbara Bush, Marilyn Quayle. Sie beobachtete seinen Mund, nippte an ihrer Tasse und erhob sich schließlich. Innerlich fühlte sie sich kraftlos und krank. Sie umarmte Laura und versprach, anzurufen.

»Bist du sicher, daß es dir gutgeht?«

Dinah konnte sich nicht erinnern, gesagt zu haben, daß es ihr gut ging. Alles war möglich. Rudy war verlobt, und alles war möglich. »Mir geht's super«, sagte sie, als sie ins Auto stieg. »Danke für den Salat.« Endlich. Sie startete den Motor und fuhr los. Direkt zu Rudys Haus. Wie ein Pfeil, der von der Sehne geschnellt singend auf sein Ziel zufliegt, geradeaus ins Zentrum, ins Schwarze.

Beim Fahren hatte Dinah stets das Gefühl, die Situation zu beherrschen. Sie hatte eine Richtung, keiner durfte sie unterschätzen. Und obwohl ihre Denkmuster im Augenblick alles andere als geordnet waren, konnte sie sich auch jetzt, da sie am Steuer saß, der Illusion hingeben, zweckorientiert zu handeln.

In Amagansett kam sie an einer Ampel hinter einem anderen Wagen zu stehen, in dem ein Paar saß. Der Mann und die Frau küßten sich, hingen aneinander wie zwei dunkle Pfirsiche, bissen sich ins süße Fruchtfleisch. Dinah stellte sich den Fruchtsaft vor, der ihnen die Hälse hinunterlief. Und wo ist mein dunkler Pfirsich?

Sie fand Rudys Straße und parkte ihr Auto einen Block weiter in sicherer Entfernung. Mit gesenktem Kopf lief sie über die Straße und in den Hof des Nachbarhauses. Sie ging möglichst unauffällig durch die Einfahrt und blickte durch die Bäume auf Rudys Haus. Alles schien ruhig in der Sommerhitze zu liegen. Dinah wischte sich die Stirn ab und schlich weiter.

Rudys Auto war nicht zu sehen. Auch der hellblaue Wagen stand nicht in der Einfahrt. Fahren sie denn nicht miteinander weg? fragte sich Dinah, als sie sich durch die Büsche auf Rudys Hinterhof schlich. Sie sah zu Boden und dann wieder zurück über die Schulter, das Herz schlug ihr bis in den Hals. Sie huschte über den Hof und die Stufen zur Terrasse hinauf. Und wenn doch jemand da ist? O Gott, was mach ich eigentlich hier? Sie werden mich erwischen, atmen nicht vergessen, was sag ich bloß, wenn sie mich erwischen? Hi, ich war gerade in der Gegend? Ich glaub, ich hab vor drei Jahren meinen roten Bikini hier vergessen. Ich sollte abhauen, ein neues Leben anfangen. Ich hab ein neues Leben angefangen, und was hat es mir gebracht? Ich bin in mein altes eingestiegen wie ein Dieb. Sie stand jetzt vor der Hintertür, sah zwei Paar Schuhe. Seine und ihre. Sie probierte es mit der Tür, und sieh da: sie war offen. Jetzt war sie schon drin. Sie hatte die Schwelle des Anstands überschritten.

Sie blieb stehen. Nein. Es gibt doch Grenzen. Selbst sie wußte das. Und was suchte sie hier eigentlich? Beweise für eine Lebenslüge? Lindsays Kleider? Das vielleicht noch am meisten. Sie wollte sehen, wie sich Rudys Neue anzog. Wollte sich vergewissern, sich ein Bild über Lindsay machen. Und über die Beziehung zwischen diesem Bild und ihrem eigenen. Auf einmal erschien ihr das alles falsch und kleinlich und jämmerlich. Dumm. Sie wandte sich zum Gehen. Und sah Rudys Auto in die Einfahrt biegen.

Dinah erstarrte, alles um sie herum stand still. Die Möbel, das Haus, der Teppich, die Wände, die Türen, die Bäume, das Sonnenlicht hielten sie festgebannt, als sie durch ein Seitenfenster beobachtete, wie Rudys stahlgrauer Mercedes anhielt. Dann verstummte auch das Motorengeräusch, und Dinah wurde wieder lebendig. Die plötzliche Stille trieb sie weiter in das Haus hinein. Sie stand im Wohnzimmer… wo sollte sie sich bloß verstecken? Die Kleiderkammer im Gang? Los mach schon… sie können jeden Moment zur Tür hereinspazieren… entscheid dich… wohin, wohin… lauf… lauf… die Treppe rauf. Nein, nicht hinauf. Wohin dann? …Die Kleiderkammer. Schnell… die Tür… mach die Tür auf. Dinah rannte zur Kleiderkammer, als sie Rudys Stimme und Schritte schon auf der Terrasse hören konnte. Sie kletterte hinein, sprang hinein – hatte sie zuviel Krach gemacht? Hatten sie sie gehört? Sie zwängte sich zwischen die Mäntel und zog so leise wie möglich die Tür hinter sich zu. Es war stockfinster. Die Kammer befand sich auf halbem Weg zwischen Wohnzimmer und Schlafzimmer. Das Leben kroch langsam wie ein jubelnder Karnevalszug an ihr vorüber.

Manchmal hatte Dinah beinah das Gefühl, als wüßte sie genau, was sie gerade tat. Ein sehr zartes Gefühl allerdings nur. Als würde es, wenn sie nur zu stark nieste oder sich zu schnell nach unten beugte, gleich wieder verschwinden. Hier und jetzt, gebückt zwischen all den Mänteln und Schuhen, erkannte sie, daß es verschwunden war. Völlig verschwunden. Hier hatte ihr raffinierter Masochismus seine äußerste Grenze erreicht. Alles was danach kam, war Hardcore.

Die Luft in der Kammer war stickig – sie hing an Dinah wie ein alter Lappen, ein Jammerlappen. Gefangen in abgestandener Luft. Alte, verbrauchte, tote Luft. Sie fragte sich allen Ernstes, ob sie noch aus den Zeiten stammte, in denen sie mit Rudy hier gewohnt hatte. Sie nahm das schützende Heftpflaster von einem ihrer Daumen und begann, daran herumzuzupfen. Da hast du uns ja wieder mal schön reingeritten, Roy, alter Kumpel. Sie hielt den Atem an. Ihr Schuh knarzte. Sie schloß die Augen ganz fest. Wenn sie nichts sehen konnte, konnte sie auch nicht gesehen werden. Was du nicht siehst, kann dir nichts anhaben, außer Bakterien und Gas. Die Fliegentür schlug zu.

»Ich meine, wir sollten einfach unsere Truppen aus Japan und Deutschland abziehen, und dann möchte ich mal sehen, ob ihre Wirtschaft immer noch boomt«, sagte Lindsay. Ihre Stimme drang aus der Küche. »Reichst du mir mal das Besteck?« Dinah riß die Augen auf, wiederbelebt von Lindsays Stimme. Wieder heil aus Sympathie zu Rudys neuer, besserer Hälfte.

»Aber Lindsay, wir können unsere Truppen nicht einfach so aus Deutschland und Japan abziehen. Wir haben doch Verträge mit ihnen. Naja, ich muß mich jetzt auf jeden Fall duschen.« Besteck fiel scheppernd zu Boden.

»O Gott«, sagte Lindsay. »Nein, laß nur, ich mach das schon.« Rudy räusperte sich. »Macht es dir auch wirklich nichts aus?«

»Nein.«

Rudys Schritte näherten sich, Dielen knarrten. Er blieb vor der Kammer stehen. Dinahs Herz pochte, das verräterische Herz, das geschwätzige, vorlaute Herz. »Hast du meine Turnschuhe weggeräumt?« rief er, direkt vor der Kammertür, so nahe, daß sie seinen Atem spürte. Konnte er sie hören? Sie preßte den Kopf an die Knie, machte sich so klein wie möglich. Klein und still. Bitte, lieber Gott. Sie kann Rudy haben. Sie können einander haben. Aber sie dürfen mich nicht finden. So eine Blamage würde ich nicht überleben.

»Wo waren sie denn?« rief Lindsay.

»Hier. Auf dem Treppenabsatz.«

»Ich hab sie wahrscheinlich in die Kammer gestellt.«

O mein Gott. Jetzt ist alles aus. Sie werden mich festnehmen. Ich mach mich ganz klein. Ich sterbe.

»Welche Kammer?« Der Türgriff dreht sich. Nein, bitte nicht.

»Die oben«, antwortete sie.

»Ich liebe diese Frau«, sagte sich Dinah. Der Türgriff schnappte zurück.

»Honey, bitte verräume meine Sachen nicht, okay? Ich habe sie auf der Terrasse stehenlassen, damit ich gleich reinschlüpfen kann, wenn ich morgens zum Joggen gehe.« Seine Schritte bewegten sich die Treppe hinauf.

»Tut mir leid«, rief sie.

»Schon gut.« Seine Trostworte kamen aus dem oberen Schlafzimmer.

Lindsay ließ Wasser ins Spülbecken laufen und öffnete den Kühlschrank. Erleichtert und fast liebevoll hörte ihr Dinah zu. Der Hals tat ihr weh, und die Zehen waren taub. Bitte, lieber Gott, laß mich nur das noch durchstehen. Dann gehe ich nach Hause, ich schwör's. Ich bin ganz brav. Ich geh eine stinknormale Beziehung ein. Ich werd's aushalten, und wenn es noch so schwer ist. Ich schreibe ein Skript, ich geh in die Kirche, ins Gotteshaus, wohin du willst; aber laß nicht zu, daß sie mich hier finden. Auch wenn er sie Honey genannt hat. Ich bin Honey. War Honey. Wir sind alle Honey. Sie bewegte sich nach vorne, um die Knie zu entlasten.

Ich bin eine Psychopathin, dachte sie. Eine Hedonistin und Psychopathin. Sie streckte sich ein wenig zwischen den Mänteln und ließ sich dann mit einem dumpfen Geräusch auf irgendwelche Stiefel niederfallen. Sie zog eine Grimasse und wartete in der neuerlichen Stille auf weitere Gefahren. Sie hörte nur den leisen Gesang Lindsays, die immer noch in der Küche herumhantierte.

Mit einer süßen, hohen Stimme sang sie die Melodie aus *Familie Feuerstein*.

Dinah mußte in ihrer dunklen Kammer unwillkürlich lächeln.

Dann fiel ihr wieder ein, wo sie war. Vielleicht stimmte sie ja doch, die Theorie vom stimmungsabhängigen Verhalten. Solche Sachen passierten bestimmt nicht jedem X-beliebigen. Da mußten schon plötzliche Regungen zu Edikten, zu unumstößlichen Gesetzen werden. Dinge, die sich ganz harmlos anlassen, aber im weiteren Verlauf von einem Rinnsal zu einer Sturmflut anschwellen. Man wähnt sich noch im Anfangsstadium, und schon steckt man mitten im Schlamassel, hat ihn schon wieder hinter sich. Aber das wollte Dinah einfach nicht wahrhaben; nach dem Motto, wenn man nicht hinsah, war es auch nicht da. Diese Einstellung machte ihr unter anderem beim Autofahren sehr zu schaffen. Serotonin, genau, so hieß es. Die Flüssigkeit im Gehirn, die die Verbindung zwischen den Neurotransmittern herstellte. Und davon hatte sie zuviel. Oder kein Epinephrin. Oder zuwenig. Kam ganz darauf an. Pam oder Roy. Ebbe oder Flut. Und was war es diesmal? Welche Welle hatte sie in diese Kammer gespült? Serotonin. Ihre Stimmung spielte die Musik, und ihr Kopf schrieb das Libretto. Ein Serotonin-Musical.

Lindsay sang immer noch das Lied von Fred Feuerstein und seinen Abenteuern. Dinah konnte sich nicht an den Text erinnern. Werbesendungen fielen ihr ein, Musikbrocken aus Reklamen, die in ihrem Bewußtsein haften geblieben waren. Medienmantras als Zerstreuungsstrategie, die sie im Lauf der Jahre entwickelt hatte, wenn kein Fernseher oder Radio zur Hand war, um sie vom

Augenblick und seinen Sorgen abzulenken, um sie hinüberzugeleiten in ihre Phantasiewelt.

»Na, wie geht's?« Rudys Stimme kam die Treppe herunter.

»Gut«, murmelte Dinah im Finstern.

»Gut«, rief Lindsay aus der Küche. »Willst du ungeschälten Reis oder geschälten?«

»Geschälten«, rief Rudy direkt über Dinahs Kopf. »Du weißt doch, ich muß auf meinen Cholesterinspiegel achten.«

»Dann hätten wir vielleicht lieber nichts beim Chinesen holen sollen, sondern beim Japaner.«

Wunderbar, nickte Dinah, einfach wunderbar. Da haben wir den Salat. Den Beziehungssalat. Mit den Chinagerichten, die ihm in ihrer Gesellschaft zum Hals herausgehangen hatten, stopfte er sich in Lindsays Gegenwart den Wanst voll. Sie riß das Pflaster vom anderen Daumen und zupfte an der Haut unter dem kläglichen Nagelrest.

»Das macht nichts.« Rudys Stimme hatte wieder einen tröstenden Tonfall angenommen. »Das Huhn mit Cashewnüssen ist doch nicht schlecht.«

»Und die Zuckerschoten«, fiel Lindsay ein, »die Zuckerschoten sind doch echt gut.«

Dinah murmelte: »Zuckerschoten sind echt gut.« Sie hörte Rudys Schritte, der an ihrem Versteck vorbei in die Küche ging.

»Zuckerschoten sind in Ordnung«, stimmte er Lindsay zu. Dinah hörte, wie die beiden in der Küche Vorbereitungen zum Essen trafen. Der Kühlschrank wurde auf- und wieder zugemacht. Das Knacken des Eisbehälters, dann das Fallen von eins, zwei, drei, vier Würfeln in ein Glas. Flüssigkeit wurde in das Glas gegossen. Das Plopp eines Weinkorkens. Teller wurden auf den Tisch gestellt, Stühle zurückgeschoben. Jetzt saßen sie wahrscheinlich.

Dinah lauschte angestrengt, das Ohr gegen die Tür gedrückt. Was hatte diese Frau, das sie nicht hatte? Oder hatte sie weniger von dem, was bei Dinah im Überfluß vorhanden war? Wahrscheinlich. Hatte nicht zu allem eine eigene Meinung, war netter, fügsamer, der geeignete Rahmen für sein Weltbild; nicht so anspruchsvoll, besinnlicher; weniger auf ihre, mehr auf seine Karriere bedacht. Zuverlässiger, interessierter, weniger interessant, weniger kompliziert. Eine Ehefrau eben. Ach Scheiße, ich möchte auch so eine Ehefrau. Nein, das stimmt nicht. Ich will einen Partner, einen Gefährten, einen Verbündeten, der mir die Hand reicht und seine geheimsten Sehnsüchte mit mir teilt. Einer, der mich immer interessiert. Oder vielleicht nicht immer, aber meistens. Ja, meistens. Was denkt er jetzt, auch wenn ich nicht unbedingt einverstanden bin? Was hat er geträumt, was sagt er?

Das einzige Licht fiel durch den Spalt, der als dünne Linie um die Tür herumführte. Der stickig abgestandene Geruch der kleinen Kammer kitzelte sie in der Nase. Dinah rieb sich ein paar Mal fest mit dem Handrücken darüber. Vorsichtig schob sie einen Gummistiefel zur Seite, der sich gegen ihr Bein quetschte. Sie kam sich vor, als müßte sie eine Strafe absitzen. Von einem zornigen Gott ins Fegefeuer verbannt, um ihre Sünden zu bereuen. Eingeschlossen in diese Kleiderkrypta als Rudys geheime Schuld.

»Ich hab heute ein paar neue Kochbücher gekauft«, sagte Lindsay, anscheinend nach dem ersten Bissen. Dinah drehte sich vorsichtig, um näher an die Tür zu kommen, da sie jetzt leiser sprachen und weiter weg waren.

»Ach?« antwortete Rudy mit vollem Mund. »Was für welche denn?«

»Eins über New England – für die Muschelsuppe, du weißt schon, hab ich dir doch erzählt, und das andere ist eine Überraschung. Für morgen.«

Dinah schüttelte bekümmert den Kopf. Die Überraschungen einer Hausfrau. Oje, mit einer Hausfrau konnte sie es natürlich nicht aufnehmen. Sie schälte einen langen Hautfetzen von der Seite des Daumens herunter. Plötzlich blieb er hängen, und sie mußte ihn abbeißen. Die Stelle begann zu bluten. Gedankenverloren sog sie an der Wunde. Die Unterhaltung ging weiter.

»Du darfst also morgen den ganzen Tag nicht in die Küche«, sagte Lindsay ernst.

Dinah hörte, wie ein Stuhl zurückgeschoben und der Kühlschrank geöffnet wurde. »Den ganzen Tag? Warum?«

»Naja, die Muschelsuppe dauert allein schon vier oder fünf Stunden, wenn sie wirklich gut sein soll. Ich meine, die Zutaten klein schneiden und dann das Kochen. Und das Ganze zusammen mit – der Überraschung… ich glaub schon, daß ich dafür fast den ganzen Tag brauche. Natürlich mach ich dir erstmal dein Frühstück. Vielleicht Melone und Müsli. Und dann bloß was Leichtes zu Mittag. Vielleicht einen Thunfischsalat.«

Dinah ließ verzweifelt den Kopf nach vorne fallen. Sie seufzte lautlos. Müsli und Thunfischsalat… Scheiße, da kann ich nicht mithalten. Ich weiß ja nicht mal, was Müsli ist. Das einzige, was ich kann, ist Bananenbrot und schlapper Kalbsbraten. Sie mußte sich hinlegen. Im Sitzen konnte sie das nicht mehr ertragen.

»Ja, hört sich fein an. Oder vielleicht nur ein paar Truthahnscheiben«, sagte Rudy.

O Mann, dachte Dinah und schob ein paar Schuhe zusammen, um den Kopf darauf zu legen. Sie hätte nie geglaubt, daß Rudy sich so fürs Essen interessierte. Doch wenn sie jemanden hätte, der ihr jeden kulinarischen Wunsch von den Augen ablas, würde sie vielleicht auch reinhauen. Eine aufmerksame Mutter, die voll in ihrer Aufgabe aufging, und keine Geschwister, die sie von ihr ablenken könnten. Alles nur für dich, mein Liebling. Dinah gähnte und atmete die schale, verbrauchte Luft ein. Plötzlich mußte sie niesen, leise, aber vernehmlich. Ach du Schande! Erschrocken schlug sie die Hand vor den Mund und wartete, starrte auf das Dunkel um sich herum und auf die helle Kontur der Tür.

»Hast du auch was gehört?« fragte Lindsay ruhig.

Rudy brauchte einige Sekunden zum Nachdenken. Ein Stuhl wurde zurückgeschoben, und seine Schritte trugen ihn an Dinah vorbei zur Vordertür. Er machte auf und sah nach. »Ich kann nichts sehen«, sagte er schließlich und kam wieder zurück. »Es war wahrscheinlich gar nichts. Höchstens eine Fledermaus.«

Dinah schloß die Augen vor Erleichterung und ließ sich wieder auf die Schuhe zurücksinken. Im Mund ein einsamer, vergessener Geschmack. Der Geschmack mangelnder Häuslichkeit, der Geschmack einer Frau, die in Restaurants ißt, die sich das Essen nach Hause bringen läßt. Sie fuhr sich mit der trockenen Zunge über die Lippen. Vielleicht sollte sie jetzt lieber nicht daran denken. Morgen wollte sie es sich durch den Kopf gehen lassen. So wahr mir Gott helfe... hoffentlich hilft er mir.

Lindsay sagte etwas. »Wann machen sie das mit dem Feuerwerk gleich wieder? Samstag, oder?« Man hörte das Klappern von Tellern. Es wurde abgeräumt.

»Ja, Samstag.« Rudys Stimme drang nur schwach zu ihr, das Wasser lief. »Samstag nach Einbruch der Dunkelheit. Aber wir müssen schon früh weg, weil wir sonst nie einen Parkplatz bekommen.«

Dinah wälzte sich zur Seite, legte den Arm unter den Kopf, machte es sich bequem.

»Kümmer dich nicht ums Abwaschen, das mach ich«, sagte Lindsay. »Geh du lieber an deine Arbeit.«

Dinah lächelte, fast schon im Schlaf. Das ist wie in einem Traum, dachte sie. Wie in einem Männertraum. Die perfekte Hausfrau.

»Meinst du wirklich?« fragte Rudy, schon auf dem Weg nach oben zu seinem Schreibtisch.

»Na klar.« Dinah spürte Lindsays Lächeln fast körperlich; es beruhigte sie. Über ihrem Kopf hörte sie Rudys Schritte, die laute Ouvertüre ihrer Träume. Er hing über ihrem Kopf wie eine Comicfigur.

»Rudy?« rief Lindsay vom Treppenabsatz.

Rudy hing immer noch dort oben, am Faden von Lindsays Stimme. »Ja?«

Dinah lag zwischen ihnen, ungesehen, unbewiesen. Fast schon eingeschlafen, träumte sie von ihnen, träumte seine Antwort, träumte ihre Stimme, die sagte: »Aber du glaubst doch nicht wirklich, daß es hier Fledermäuse gibt, oder?«

Rudy geht ohne Dinah auf zwei Parties. Sie regt sich furchtbar auf und sucht im Haus von Connie und Chuck nach irgendwelchen Pillen. Die beiden haben ein komisch aussehendes Baby. Schmollend und ohne Pillen zieht sie wieder ab. Eine Ratte verfolgt sie, eine verliebte Ratte, die sie nicht mehr losbringt, und das ist noch schlimmer als alles andere. Schließlich kann sie die Ratte doch abschütteln und ist plötzlich in einer Fernsehserie. Irgendwo stehen Rosen. Ein gutes Zeichen für sie, Dinah fühlt sich erleichtert. Jemand hat ihr seine Aufmerksamkeit bezeugt. Sie macht sich auf die Suche nach Rudy, bestärkt durch dieses Erlebnis. Die Suche ist langwierig und schwierig. Zuletzt findet sie ihren Vater, der eine Genickstütze trägt, zusammen mit anderen Leuten. Anscheinend ist etwas schiefgelaufen mit dem Baby.

—

Dinah fuhr aus dem Schlaf, verkrampft und verwirrt, das Gesicht brannte vom Abdruck eines Schnürsenkels, die Daumen taten ihr weh, das Herz pochte wie rasend. Das Zirpen der Grillen von draußen war leiser geworden. Sie stützte sich auf den Ellbogen, ihre Augen gewöhnten sich wieder an die Dunkelheit, an die kaum noch erkennbare Kontur der Tür. Sie setzte sich auf und schob mit einem Arm die Mäntel zurück. Angestrengt lauschte sie nach irgendwelchen Geräuschen, nach Lebenszeichen. Nach Ehelebenszeichen. Alles still. Das fröhliche Pulsieren des Grillengezirps trieb sie an, lockte sie heraus. Langsam, ganz vorsichtig stand sie auf und legte die Hand auf den Türgriff. Das Herz schlug immer noch mitternächtlich, viel zu schnell vom plötzlichen Aufwachen. Sie drehte den Griff und öffnete behutsam die Tür. Alles still. Sie brachte wieder Ordnung in das verräterische Durcheinander von Schuhen und Stiefeln und schloß das Tor zu ihrer jüngsten Vergangenheit. Sie stahl sich durch das Haus und durch die Hintertür auf die Terrasse. Dort hielt sie inne. Sollte sie nach oben schleichen, um einen kurzen Blick auf die beiden Schlafenden zu erhaschen? Sie stellte sich Rudy und Lindsay vor, die aneinandergeschmiegt dalagen wie Löffel im Besteckkasten, denselben Traum hatten, dasselbe Essen verdauten. Synchroner Herzschlag, Einklang der Herzen, der Dinah in Schach hielt, in ihre Grenzen verwies. Sie schlich sich zurück ins Haus, stieg vorsichtig die Stufen hinauf und erstarrte wie vom Blitz getroffen – betäubt vom lauten Knarzen einer Diele. Lautlos glitt sie die letzten Stufen hinauf, durch den Gang zu ihrem alten Zimmer. Schwankend stand sie im Türrahmen vor einem gähnenden Abgrund: Rudys neues Liebesglück. Dinah erkannte im Dunkeln die Gestalten der beiden Liegenden. Blinzelte mit trockenen Augen und flüchtete sich zurück in ihr eigenes Leben, ihr hoffentlich bald eigenes Leben.

Die Grillen zirpten müde, und Tau glänzte auf dem Gras, als Dinah um zwei Uhr morgens mit zu hohem Puls und schmerzenden Daumen zu ihrem Wagen huschte und in die Nacht davonbrauste.

Die weibliche Fledermaus stößt nach der Paarung ein lautes Pfeifen aus, das nach Meinung einiger Experten andere Weibchen dazu auffordern soll, sich mit demselben Männchen zu paaren.

9

Dinah zog sich mit aller Sorgfalt einen Hautfetzen vom Daumen, und ein dünner Faden Blut erschien. Sie drückte auf die Stelle, so daß der Faden zu einem runden, zitternden Tropfen wurde, der herabzufallen drohte. Sinnierend sog sie am Daumen. So weit hatte sie gar nicht gehen wollen. Aber das waren eben die Gefahren des Daumenschälens. Des Schälens wohlgemerkt. Sie biß ja nicht an den Nägeln. Ihre Nägel waren sogar recht schön. Aber was nützte das, wenn ihr die Daumen nur als Reservoir dienten, aus dem sie je nach Bedarf kleine Hautstreifen herausriß, bis sie nur noch ein verschrumpeltes und verschorftes Bild des Jammers boten.

Es war ein grauer, wolkenverhangener Tag, als Dinah nach East Hampton fuhr, um sich nach einem Buchladen und einer Drogerie umzusehen. Grüne Bäume säumten die Straße, ein gähnender Schlund, der den bedeckten Himmel um Regen anflehte. Sie schob die Sonnenbrille weiter hinauf, die Straße unter ihr schoß dahin wie ein Fließband.

So war es also, wenn man verstört war. Nach allem, was ihr schon passiert war, hatte sie jetzt Angst. Angst, allein draußen vor der Tür zum Leben zu stehen und das Lachen von drinnen zu hören. Und immer, wenn sie hinzutrat, verstummte das Lachen.

Da war etwas in ihr, das für niemanden zugänglich war, nicht einmal für sie selbst. Es bewohnte eine Wildnis, lag außerhalb der Reichweite der Sprache. Übersetzte notdürftig aus dem Sanskrit der Gefühle, des Ungesagten, des Unsagbaren. Ein Etwas, das sie unweigerlich zum Außenseiter machte.

Sie war ein Leuchtturm im stürmischen Meer der Welt, suchte es mit ihrem Augenlicht nach drohenden Gefahren ab und wies alle in die Schranken. Keiner konnte an sie heran, alle zerschellten an dem unerbittlichen Felsen ihrer Persönlichkeit.

Sie lebte, als wäre die Antwort nein und sie selbst die Frage. Die meiste Zeit war sie damit beschäftigt, zwischen dem tödlichen Ernst und der umwerfenden Komik der ganzen Angelegenheit nicht aus dem Gleichgewicht zu geraten. Sie atmete tief ein und stellte sich vor, die beiden Seiten mit physischer Kraft auseinanderzuhalten. Und sich zusammenzureißen.

Sie parkte hinter der Drogerie und streifte beim Aussteigen die kleinen abgerissenen Hautfetzen vom Schoß. Sie trat ein und durchkämmte die Gänge nach Schätzen, nach Beute, nach mehr Heftpflaster für ihre geschundenen Daumen.

Sie kaufte zwei verschiedene Sorten. Die aus Stoff, weil man sie nicht so einfach herunterreißen konnte, und die aus Plastik, weil man es konnte. Dann fiel ihr ein, daß sie noch eine Bleichcreme mitnehmen könnte, nur für den Fall, daß die Haare auf ihren Armen über Nacht schwarz wurden. Zufrieden trug sie ihre Sachen zur Kasse. Jetzt konnte sie das Leben meistern: mit hellen Haaren und glatten Daumen.

Dinah zahlte und ging über die Straße zum Buchladen. Unterwegs klebte sie sich Heftpflaster auf die Daumen. Die Kochbuchabteilung war gleich rechts neben dem Eingang. Unsicher stand sie vor der Bücherwand. Was es da alles gab! *Spaß am Kochen. Die cholesterinarme Küche.* Chinesisch, japanisch, vegetarisch, Brot, Suppen, Desserts. Mexikanisch, Feinschmecker, arabisch, Salate, Soufflés. Das vielleicht. Ja, warum nicht? Wenn sie Soufflés machen konnte, dann konnte sie alles machen. Mochte Rudy Soufflés? Aber die mochte doch jeder. Außerdem konnte sie damit ihre Kochkünste unter Beweis stellen und Lindsays Muschelsuppe in den Schatten. Doch um sicher zu gehen, nahm sie auch noch ein Kochbuch für Suppen mit. Suppen, Soufflés, und *Spaß am Kochen.* Wenn die Sache auch noch Spaß machte, dann wollte sie das auf keinen Fall verpassen.

Die drei Kochbücher unter den Arm geklemmt, drang Dinah weiter in den Laden vor, bis sie in der Ratgeberabteilung gelandet war. Hier entschied sie sich für *Wie gebe ich ihm, was er will, ohne mich ausgenutzt zu fühlen; Kluge Partner – keine Partnerschaft; Du liebst ihn immer noch* und, nur so aus Jux, *Dein Freund, das Geschlechtsorgan.* Zusammen mit den Kochbüchern war das wohl genug Material für ein interessantes Wochenende.

Ein wenig verlegen reichte sie ihre Ausbeute der Kassiererin, aber die verzog keine Miene. Um die Sache abzurunden, legte Dinah noch *Schlanke Schenkel in dreißig Tagen* dazu, das auf dem Auslagetisch präsentiert wurde. Konnte gar nicht schaden bei dieser ganzen Kocherei. Mit bandagierten Daumen griff sie nach der Tüte. Beim Verlassen des Ladens dachte sie: Und wer bin ich jetzt?

Hoffentlich jemand, der kochen kann.

Sie entschied sich für ein Dessertsoufflé. In erster Linie weil es nicht so schwer war und sie nicht schon beim Einkaufen ins Rotieren kam. Anfangs hatte sie auch mit einem Kartoffel-Möhren-Soufflé geliebäugelt, aber dazu hätte sie Schalotten gebraucht, und leider wußte sie nicht, was Schalotten waren. Also machte sie ein Eselsohr in die Seite mit dem Joghurtsoufflé mit Bananen und Rum. Nur so zum Ausprobieren. Sie fuhr hinüber zum Markt in Amagansett, diesmal ohne Zwischenfälle. Ohne jemandem aus ihrem oder Rudys Bekanntenkreis über den Weg zu laufen.

Sie sammelte die Zutaten für eine nicht ganz so komisch aussehende Suppe aus dem Kochbuch. Aber selbst die erschien ihr immer noch reichlich merkwürdig. Sie nannte sich amerikanische Gemüsesuppe, was ja schön einfach klang, bis man dann zu den Zutaten kam – zum Beispiel Yucca und Chilischoten und Maisgries. Was zum Henker ist Yucca? fragte sie sich und wollte die Sache schon abhaken wie die Schalotten, als sie zufällig darauf stieß. Weißes, klumpiges Zeug, das gefroren war. Sie suchte den Rest ihrer Zutaten zusammen und ging zur Kasse. Hoffentlich hielt man sie für eine Hausfrau, für eine Frau mit Mann und Kindern. Eine Frau mit einer Lebensaufgabe.

Beladen und triumphierend trat Dinah in das dunstige Licht des Spätnachmittags. Eine Spionin im Haus der Häuslichkeit.

Die amerikanische Gemüsesuppe erwies sich als südamerikanische Gemüsesuppe. Die Yucca war wie Gummi und schmeckte für Dinah irgendwie nach Holz. Im Rezept war ständig vom Würfeln die Rede, und da sie nicht ganz sicher war, was sie darunter zu verstehen hatte, improvisierte sie und begann, alles in gleichmäßig winzige, beflissene Kuben zu schneiden. Je mehr sie jedoch schnitt, desto mehr ging es ihr auch auf die Nerven, so daß die Stückchen immer unförmiger und unregelmäßiger wurden. Während dieser Prozedur verlor sie zwei Fingernagelspitzen. Das Heftpflaster sog sich mit Zwiebelsaft voll, und die wunden Stellen brannten wie die Hölle.

Als sie schon mitten drin war, stellte sie fest, daß es wahrscheinlich besser gewesen wäre, zuerst alles zu schneiden und dann die Zwiebeln und den Knoblauch anzubraten. Aber da war es schon zu spät. Und wie war das mit dem Feinhacken? Im Rezept stand etwas von feingehacktem Knoblauch, und das hörte sich ja wirklich ziemlich klein an. Also versuchte es Dinah mit der Reibe, was sich als Schlag ins Wasser herausstellte, weil es ausgesprochen schwierig war, den Knoblauch von der Reibe herunterzukratzen. Die Zwiebeln brachten sie Gott sei Dank nicht zum Weinen, was sie als gutes Zeichen auffaßte: sie fühlte sich stoisch und der Situation gewachsen. Heroisch nahm sie den Kampf gegen die Uhr auf und würfelte Karotten, grüne Bohnen, Sellerie, Chili und die gefürchtete Yucca, während die Zwiebeln und der Knoblauch braun wurden. Aber zu guter Letzt war dann doch alles in einem großen Topf und köchelte auf kleiner Flamme, ein buntes, exotisches Allerlei, und Dinah konnte sich an ihr Dessertsoufflé wagen.

Das mit dem Eiweiß war Knochenarbeit. Sie konnte sich noch so reinhängen, sie kriegte das Zeug nicht steif. Sie überlegte sich, ob sie nicht noch schnell ein Handrührgerät kaufen sollte, um die Sache ein wenig zu beschleunigen. Aber dann entschied sie sich dagegen. Nein, andere Frauen schafften es schließlich auch so, also gab es keinen Grund, warum sie es nicht fertigbringen sollte.

Aber nach fünfzehnminütigem, zähem Ringen mit der Schüssel und dem Schneebesen und einem weiteren Versuch mit einer Gabel und dem anderen Arm mußte sie zugeben, daß all ihre Anstrengungen mit nicht viel mehr als ein wenig Schaum belohnt worden waren. O Mann, sollte sich diese Kocherei als Alptraum erweisen? Aber sie wollte sich nicht einschüchtern lassen von diesem kleinen Rückschlag, von dieser Eiweißschlappe. Sie kam zu dem Schluß, daß schaumig zumindest im Ansatz schon so etwas wie steif war. Vielleicht reichte es ja doch. Sie konnte sich einfach nicht vorstellen, daß alle Frauen auf der Welt die Kraft und die Ausdauer besaßen, um aus Eiweiß ganze Berge von Eischnee zu schlagen. Außerdem mußte ihr Soufflé ja nicht unbedingt etwas für Gourmets sein. Trotzdem war es ein Soufflé. Rudy würde Augen machen. Sie wollte es ihnen allen zeigen. Und mit dem Löffel eingeben. Naja, vielleicht nicht allen.

Sie stellte den Backofen an und wandte sich dann wieder ihrem Eiweißwaterloo zu. Wie das Rezept vorschrieb, schlug sie das Eiweiß brav weiter und fügte den Zucker hinzu. Im Rezept hieß es dann allerdings, daß das Eiweiß »fest aber noch glatt« sein sollte. Glatt war es schon, weil es fast noch flüssig war, aber fest war es garantiert nicht. Na schön. Vielleicht sollte sie sich jetzt lieber mal um den Rest des Rezepts kümmern.

Sie war auf das Joghurtsoufflé verfallen, weil es irgendwie exotisch klang, ohne gleich eine Bedrohung für den Cholesterinspiegel darzustellen. Und weil die Zutaten nicht ausgefallen waren. Sie schüttete den Joghurt und den Hüttenkäse zusammen und verrührte das Ganze, bis es glatt war. Kein Problem. Dann rührte sie die anderen Zutaten unter: Bananen, Rum, Ahornsirup und Zitronensaft. Auch das ging ohne Zwischenfälle ab. Jetzt mußte sie den Eischnee zugeben. Den alles andere als steifen Eischnee. Mein Gott, na und? Es war ja nur für sie, zum Ausprobieren. Ein wenig entmutigt, aber immer noch entschlossen, fügte sie das Eiweiß zu dem restlichen Gemisch und rührte das Ganze zusammen. Und da stand es nun: ein beiges, cremiges Etwas. Da sie keine Ahnung hatte, wie es aussehen mußte, ging sie davon aus, daß alles in Ordnung war. Dinah stellte die Schüssel beiseite und verstrich Butter in dem einzigen soufflétauglichen Gefäß, das sie hatte, einer Art Keramikschale. Und das, obwohl das Rezept »drei mit Butter ausgestrichene, mit Zucker bestreute und gekühlte Souffléformen« vorschrieb. Aber wenn man keine drei Soufflé-formen besaß? Sondern nur eine Keramikschüssel? O bitte, nur keine Panik, schließlich mußte ja jeder mal klein anfangen.

Dinah kippte den so mühsam bereiteten und trotzdem verdor-benen flüssigen Brei in die Schale und stellte sie beiseite. Jetzt mußte man das Dessert nur noch in den Ofen schieben. Und die Suppe köchelte vor sich hin. Jetzt konnte sie sich die Haare auf den Armen färben. Genau. Sie würde sich in die Vorbereitungen für den Großen Affen stürzen. Mrs. Kong hatte ihrem abwesen-den Affenmann eine leichte Abendmahlzeit zubereitet, und jetzt wollte sie sich für das bevorstehende Opfer waschen, die Haare auf den Armen färben und die Haut salben.

Sie mischte die Farbe in einem Schüsselchen über dem Wasch-becken und zog sich aus bis auf die Unterwäsche und ein Handtuch, das sie sich um die Hüften wand. Dann strich sie die Flüssigkeit auf die Unterarme und sah auf die Uhr. Halb sieben. In fünfzehn Minuten mußte sie es wieder abwaschen. Sie legte gleich noch eine Gesichtsmaske auf, jetzt hatte sie beide Schön-heitskuren schon hinter sich. Sie sah aus wie ein Häuptling in voller Kriegsbemalung. Die Viertelstunde wollte sie mit einem Anruf überbrücken. Sie blätterte in ihrem Adreßbuch nach einem vielversprechenden Namen, nach jemandem, der ihr keine neu-gierigen Fragen stellen würde: was sie machte, warum sie in Hampton war, für wen sie sich eigentlich hielt. Aber keiner ihrer Bekannten kam da so recht in Frage. Connie konnte sie auf keinen Fall anrufen. Und dann stieß sie auf den idealen Ge-sprächspartner. Unter K – Herb Kaufman, ihr Vater. Langsam und sorgfältig wählte sie seine Nummer in Bolivien. Wie spät war es dort wohl? Ein paar Stunden früher, oder? Sie hörte das Rauschen einer weit entfernten Verbindung, und dann setzte das Freizeichen ein. Es klingelte immer wieder. Dinah hörte dem Freizeichen genau zwölf Minuten lang zu, das heißt, sie ließ es fünfhundertsiebenunddreißigmal klingeln, ehe sie auflegte und ins Bad ging, um sich die Bleichcreme abzuwaschen.

Dinah rührte gedankenverloren in der Suppe und starrte wie hypnotisiert hinein, als wartete sie auf eine Eingebung, eine Vision. Die Vision aus dem Gemüsefernseher. Das traurige Soufflégebräu wartete im Kühlschrank geduldig auf seine Feuerprobe im Backofen. Dinah seufzte, während sie umrührte, und fragte sich, seit wann sie nur noch Zuschauerin war und nicht mehr Beteiligte. Seit wann wartete sie nicht mehr gespannt auf die nächsten Ereignisse? Oder hatte sie nie gespannt darauf gewartet? Jetzt erschien ihr die Entwicklung fast jeder Situation als Selbstverständlichkeit. Dinge, die früher geheimnisvoll und aufregend waren, kamen ihr öd vor und lohnten die Anstrengung nicht. Rudy war ihr Gefährte gewesen, und sie war ihm davongelaufen, weil sie gemeint hatte, daß das Leben noch mehr zu bieten haben mußte – etwas Besseres, anderes. Es war ja auch so, durchaus; aber alles hatte irgendwie dieselbe Qualität, sie hatte es schon einmal gesehen, Variationen über ein und dasselbe Thema. Was konnte noch aus den Leuten werden, was noch aus ihr? Sie sah zu, wartete, erlebte eine Reihe ähnlicher Ereignisse, ging durch die Straßen, auf denen sich junge Leute drängten, die nur so strotzten vor Möglichkeiten, die Arme umeinandergelegt, lächelnd, redend; die Zigarette hing ihnen aus dem Mundwinkel, und sie fragten sich, was am Abend passieren würde, was hinter der nächsten Ecke auf sie wartete, welche Party, welches Mädchen, welches Vergnügen.

Dinah rührte ihre Suppe im kühlen Schatten der immer gleichen Ereignisse, eine widerwillige, untaugliche Hausfrau. Nein, nein, nein... warte. Das war Pam, klar. Sie selbst war zwar auch noch dabei, aber Pam hatte sich eindeutig zurückgemeldet. Und hatte sie ein wenig zu sehr nach hinten gedrängt, nach unten gestoßen. Dinah fühlte sich erleichtert. Solange sie es noch beim Namen nennen konnte, war sie einigermaßen in Sicherheit. Es war zwar nicht gerade angenehm, aber es ging vorüber. Es war keine Strafe für ihre Frevel. Dinah lächelte in ihren Topf mit südamerikanischer Suppe. Suppe aus der Wahlheimat ihres Vaters. Im Restaurant Chez Pam.

»Riecht's hier etwa nach Essen?« rief eine Stimme. Als hätte die Suppe selbst die Worte für ihre Existenzberechtigung gefunden.

»Sie haben es erfaßt, mein Herr!« erwiderte Dinah und sah auf. Ein Gesicht erschien vor ihrem Fenster. Roy, ihr neuer Nachbar, mit einem schüchternen Lächeln auf den Lippen. Dinah legte den Löffel weg. Wie ein Vollprofi wischte sie sich die Hände an der Schürze ab und ging zur Tür.

»Hätten Sie vielleicht für einen armen, abgekämpften Schriftsteller einen Teller voll mit irgendwas übrig?« fragte er. »Nicht, daß ich als Autor ums Überleben kämpfen müßte, nein, das Wort beschreibt nur ganz allgemein meinen Stil.«

Dinah wollte gerade die Tür aufmachen, als sie sich an ihre Gesichtsmaske erinnerte. Sie schnitt eine Grimasse. »Können Sie vielleicht noch eine Minute warten – abgekämpft wie Sie sind?« fragte sie fast flehentlich.

Roy zögerte einen Augenblick. »Klar. Das härtet Geist und Körper ab.«

»Was lange währt, wird endlich gut«, versprach sie und flitzte ins Bad, um die Maske abzuwaschen und zumindest einen Hauch von Make-up aufzulegen. Zufrieden mit ihrem Aussehen in Anbetracht der Zeitnot, lief sie zurück zur Tür, strich sich noch einmal über das Haar und nahm sich vor, beim nächsten Mal mehr Make-up zu tragen.

»Ein Teller voll mit irgendwas ist eine ziemlich gute Beschreibung von dem, was Sie bei mir kriegen, zumindest wenn ich gekocht habe.« Sie winkte ihn herein. »Wenn die Liebe durch den Magen geht, dann muß ich wohl die Umleitung nehmen.«

»Hauptsache sie führt ans Ziel.«

»Der Weg ist das Ziel«, erwiderte sie lächelnd. »Und wie geht's Ihnen so?«

»Gut.« Er stand unbeholfen im Türrahmen.

Dinah deutete auf den Küchentisch. »Nehmen Sie doch Platz. Wie wollen Sie Ihre Eier?« fragte sie und ging zurück in die Küche, um zwei Suppenschüsseln, Besteck und Gläser aus dem Küchenschrank zu holen. Tisch decken für Roy.

»Es gibt Eier?« Er zog die Jacke aus und ließ sich die Eier durch den Kopf gehen.

»Nur so 'ne Redensart«, erklärte sie. »Es gibt eine Suppe.«

Roy sah erleichtert drein, dann eher verwirrt. »Nur Suppe?« Dinah erklärte ihm, daß es sich um ein leichtes Essen handelte, eine Probemahlzeit, bestehend aus Suppe und Soufflé, weil beide Speisen mit einem S begannen. Sie redeten weiter, während Dinah die Suppe verteilte und das Soufflé in den Ofen schob. Sie öffnete eine Flasche Wein und stellte das Radio an, ganz leise. Der reinste Nesttrieb. An ihrem Tisch saß ein Mann, an dem sie ihre häuslichen Qualitäten ausprobieren konnte. Und das Bescheuerte daran war, es gefiel ihr auch noch. Wie die Suppe geworden war, daß sie sie gemacht hatte und daß sie Roy schmeckte. Es gefiel ihr nicht weniger als die meisten Sachen, die sie in ihrem Leben erreicht hatte, mit Ausnahme vielleicht der ersten Folgen, die sie für *Herzenswunsch* geschrieben hatte. Sie hatte das Gefühl, etwas Tolles und Wichtiges vollbracht zu haben. Sie lehnte sich zurück und sah, wie Roy seine zweite Schüssel Suppe zu Ende löffelte. Sie war zufrieden mit sich, im Einklang mit dem Provinzuniversum. Das Gespräch kam recht bald auf Beziehungen. Roy redete über seine beiden, seine Freundin und seine Frau.

»Mit Karen treffe ich mich zur Zeit gar nicht.« Er schob die leere Schüssel zurück. Seine Augen blickten unbestimmt nach links unten ins Leere.

Dinah schob die Lippen nach vorne. »Und Karen ist…?«

»Meine Freundin. Sie ist sauer wegen meiner Frau. Weil die

Sache ihrer Meinung nach immer wieder aufflackern kann. Deshalb hat sie mich auch im Verdacht, daß ich noch andere Verhältnisse habe.« Er blickte Dinah jetzt direkt in die Augen, verwechselte sie wohl irgendwie mit Karen. »Aber das stimmt überhaupt nicht«, rief er heftig. »Nicht ein einziges Mal ist so was vorgekommen.« Seine blauen Augen blitzten unter dem dunklen Lockenhaar. »Sie hat sich eingebildet, ich treff mich mit einer Verflossenen von mir. Dabei hat sie völlig unrecht. Aber sie glaubt mir einfach nicht. Und dann noch die Sache mit meiner Frau – Karen will nicht einsehen, weshalb ich mich nicht scheiden lasse. Ich hab ihr klargemacht, daß die Sache ziemlich kompliziert ist. Cindy ist so anfällig und –« er seufzte und sah auf die Hände vor sich – »und wir hängen auch sehr aneinander. Aber Karen will davon nichts wissen. Sie ist sehr besitzergreifend, und außerdem möchte sie ein Kind.« Er hielt inne und warf Dinah einen bedeutungsvollen Blick zu. »Da fällt mir ein, Cindy will ja auch ein Kind. Da sind sie sich einig. Ich bin für den Nachwuchs zuständig. Der Dienstbote für ihren Fortpflanzungstrieb.«

»Vielleicht sollten Sie sich als Zuchtstier ein paar Dollar dazuverdienen«, sagte sie grinsend.

»Kennen Sie das auch, diesen Trieb, diesen Wunsch – ist ja egal –, ein Kind zu kriegen?«

Achselzuckend ließ sie sich zurückfallen. »Wahrscheinlich. Doch, klar. Ich möchte eben alles erleben, was ich als Frau erleben kann. Das ist einfach geschlechtsspezifisch. Es ist manchmal echt furchtbar, eine Frau zu sein. Wir müssen die Männer dazu kriegen, daß sie uns heiraten oder ganz im Gegenteil so tun, als ob es uns nichts ausmacht, wenn sie es nicht tun. Oder andere Sachen. Letzte Woche war ich in einem Kaufhaus in der Wäscheabteilung ganz darin vertieft, nach Höschen und Nachthemden zu suchen. Ich seh mir die Sachen an, umschleiche meine Beute sozusagen, und auf einmal seh ich all die anderen Frauen, die genau das gleiche machen, und ich denk mir, wir sind doch alle nur Weibchen, die sich verlaufen haben in den Niederungen ihres Geschlechts und sich freuen über die vielen schönen Sachen, die sie kaufen können. Warum machen wir das eigentlich? Warum ist das alles so schrecklich interessant? Ich meine, wenn Ultima sich einen helleren Lippenstift zulegt, das juckt doch wirklich kein Schwein. Doch, mich schon. Sogar sehr. Und bei euch Kerlen ist es doch das gleiche. Ihr müßt euch unbedingt die Basketballend-spiele anschauen, sonst seid ihr nicht glücklich. Und wißt ihr warum? Nein. Ich durchstöbere die Kaufhäuser nach der pas-senden Unterwäsche und dem richtigen Lippenstift, und ihr schaut euch die Endspiele an.«

»Ich persönlich interessiere mich ja nicht so sehr für Basket-ball«, gab Roy fast verschämt zu.

»Ganz egal. Dann sind Sie eben einer von sieben Kerlen, die sich nicht für Sport interessieren.«

»Ich mag Hockey.« Er lehnte sich nach vorne, die Ellbogen auf die Knie gestützt.

»Sag ich doch«, rief Dinah triumphierend. »Mann bleibt Mann.« Sie stand auf und räumte die Suppenschüsseln ab. Roy machte eine Bewegung, als wolle er ihr helfen. Dinah schob ihn zurück in den Stuhl. »Nein, nein.« Dabei stellte sie die Schüsseln ineinander und hielt die beiden Gläser zwischen Zeigefinger und Daumen. »Das ist für mich ein Experiment in Sachen Häuslich-keit.« Sie trug die Schüsseln in die Küche und stellte sie behutsam in die Spüle. »Wie weit kann ich's bringen, ohne das absolute Chaos auszulösen? Ich würde Ihnen ja einen Kaffee anbieten, aber… ich kann nur Nescafé. Wollen Sie welchen? Oder Wein? Was ist Ihnen lieber?«

Roy überlegte einen Augenblick. »Wein wäre nicht schlecht. Bleiben wir beim Wein. Haben Sie noch welchen, oder soll ich schnell zu mir rüberlaufen und noch eine Flasche holen?«

Dinah ließ Wasser über das Geschirr laufen und sah im Kühlschrank nach. »Eine Flasche noch«, rief sie und hielt sie zum Beweis in die Höhe. »Aber Sie müssen sie aufmachen. Korkenzie-hen ist Männersache. Ich hab die erste nur deshalb selbst aufge-macht, weil wir bis dahin noch nicht richtig über Geschlechterfra-gen diskutiert hatten.«

Roy stand auf und nahm ihr die Flasche aus der Hand. Sie reichte ihm den Korkenzieher. »Sie sind die erste sexistische Frau, der ich bis jetzt begegnet bin.«

Dinah öffnete vorsichtig den Backofen und musterte kritisch das Soufflé. Sie nahm die Topfhandschuhe vom Küchenbord und zog sie sich an. Ihr Gesicht war ernst. »Ich halte mich nicht unbedingt für sexistisch, eher für praktisch. Die Lage hat sich zwar insoweit verändert, daß die Frauen zur Arbeit gehen können – wenn auch für weniger Geld –, arbeiten dürfen wir also inzwischen, aber die Hausarbeit ist im Grunde immer noch unsere Domäne. Jetzt können wir uns also mit beidem rumschlagen. Mit der Arbeit *und* dem ganzen Hauskram.« Sachte nahm sie ein jämmerlich aussehendes Ding aus dem Ofen. »Ich glaub, da stimmt was nicht«, sagte sie bekümmert. Roy trat hinter sie und sah ihr über die Schulter.

»Wie sieht es denn normalerweise aus?« fragte er großzügig und beäugte den Inhalt der Keramikschüssel zwischen Dinahs Handschuhen.

»So bestimmt nicht.« Dinah schüttelte leicht den Kopf. »Ich bin mir fast sicher, daß es hätte aufgehen müssen, und... die Farbe ist auch nicht so das Wahre.«

Roy ging zum Tisch zurück und wandte sich wieder der Weinflasche zu. »Probieren wir's doch mal aus«, sagte er, während er mit dem Korken kämpfte. »So schlimm wird's schon nicht sein.« Dinah sah ihn mit einer Mischung aus Dankbarkeit und Zweifel an.

»Alles eine Frage der Loyalität«, sagte sie und holte frische Schüsseln aus dem Schrank. »Ich werde es Loyalitätssoufflé nennen. Oder wie wär's mit So-schlimm-wird's-schon-nicht-sein-Soufflé?« Sie verteilte kleine Stückchen davon. Der Korken machte Plopp! Roy kam in die Küche, nahm frische Gläser heraus und schenkte ein.

»Sehen Sie's doch mal so an«, sagte er, »man kann es immer noch mit dem Wein runterspülen.«

»Tolle Idee«, sagte Dinah und stellte ihm ein graues Dessert

Surprise vor die Nase. »Die Geschmacksnerven bleiben unbelästigt, und man hat trotzdem was zum Verdauen.«

Als sie endlich von Dinahs weichem Wunderwerk kosteten, bellte in der Ferne ein Hund. Roy schob den Bissen mit einem Ausdruck konzentrierter Selbstbeobachtung im Mund hin und her. »Also, ganz so fürchterlich ist es auch wieder nicht«, setzte er an. »Es hat irgendwie…« Er stockte, suchte anscheinend nach einer geeigneten Metapher für diese Speise. Bevor er zu einem Ergebnis kam, unterbrach ihn Dinah.

»Es schmeckt wie Kreide«, verkündete sie grimmig und nahm einen Schluck Wein.

»Ja, aber nahrhafte Kreide. So eine Art süßer Mörtel.«

Dinah legte den Kopf zur Seite und schenkte ihm einen warmen Blick. »Sehen Sie? Es ist wirklich ein Loyalitätssoufflé.« Sie betrachtete ihn über den Rand ihres Glases hinweg und hoffte, daß er sie mochte. Nicht so sehr, weil sie ihn mochte, sondern weil sie seine Zuneigung brauchte. Sie wußte gar nicht so genau, ob sie ihn wirklich mochte, aber sie wußte, er *mußte* sie mögen, und sie würde ihn solange mögen, bis er es auch tat. Und es würde sie verletzen, wenn er es nicht tat. Dabei hatte sie keine Ahnung, wer er war oder was sie mit ihm anfangen sollte. Sie wußte nur, daß sie es so lange nicht mit sich selbst aushalten würde, bis Roy mit ihr leben wollte.

Roy und Dinah sahen sich einen Wimpernschlag zu lange in die Augen, verrieten eine gewisse biologische Voreingenommenheit. Eine physische Anziehung, die geheime Sehnsucht des Säugetiers. Beide blickten schnell weg. Dinah schloß die Augen, kämpfte den Wirbel der Hormone nieder, der sie bedrängte. Das Thema wechseln. Ein Thema finden. Irgendwas. Sie fingen gleichzeitig an zu reden.

»Sie wollen sich also –«

»Warum haben Sie –«

»Sprechen Sie ruhig«, sagte er.

Sie schüttelte lächelnd den Kopf. Errötend. »Nein. Sie zuerst.«

»Sie wollen sich also wieder mit diesem Typ zusammentun?«

Roy lehnte sich in seinen Stuhl zurück und sah sie erwartungsvoll an.

»Mit wem?« fragte Dinah geistesabwesend, und dann brach wieder alles über sie herein. »Oh, mein Ex-Mann!« Sie kam sich dumm vor, weil sie ihn einfach so vergessen hatte. »Sie meinen, wieder mit ihm zusammenleben?« Dinah blickte streng auf das vor ihr stehende Soufflé und beantwortete ihre Frage selbst. »Nein, auf keinen Fall! Wir sind nicht miteinander klargekommen. Ich weiß auch nicht so recht, was ich zur Zeit will. Ich mache einen Veränderungsprozeß durch.«

»Ach«, sagte Roy, um seine Verwirrung zu kaschieren. »Und was wollen Sie dann eigentlich von ihm? Sie haben die Vorstellung nicht ertragen, daß er eine andere Beziehung hat?« Er schlug die Beine übereinander, setzte das Glas ab und wischte sich über die Stirn.

Dinah zuckte verlegen die Achseln. »Wahrscheinlich. Vielleicht, ja. Ich muß zugeben, daß mir das zu schaffen macht.« Plötzlich sah sie ihn an. »Was würden Sie in so einem Fall tun? Ich meine, wenn Karen… oder…«

»Cindy«, half Roy nach.

»Cindy.« Dinah nickte. »Was würden Sie machen, wenn sich Karen oder Cindy einen anderen Freund zulegen würden?«

Roy lächelte und blickte auf seine gefalteten Hände. »Schon passiert. Karen ist mit einem Schauspieler ausgegangen. Es war furchtbar. Ich bin mir ziemlich sicher, daß sie es nur gemacht hat, um mir einen Denkzettel zu verpassen. Ich war zu der Zeit mit Cindy gerade in der Eheberatung, und Karen hatte natürlich was dagegen. Also hat sie sich diesem Schauspieler an den Hals geschmissen.«

»Und was kam dabei raus?«

»Ich bin nicht mehr zur Eheberatung gegangen«, sagte er. »Das Schlimme dran ist, daß ich erst recht scharf auf sie bin, wenn sie mit einem anderen vögelt. Und ich will sie ja nicht zu einer Beziehung zwingen, in der sie dauernd mit anderen Männern schlafen muß, nur damit ich mich mit ihr nicht langweile.«

Dinah nickte zögernd und versuchte, an einen seiner losen Gedanken anzuknüpfen. »Sie wollen also, daß sie sich einem anderen zuwendet, damit Sie sie wiedererobern müssen?«

»Genau. Und wissen Sie was? Vielleicht muß ich mich auf eine lebenslange Beziehung dieser Art einrichten. Und meine Frau sozusagen immer wieder aus den Fängen irgendwelcher Kerle befreien.«

Dinah lehnte sich nach vorn, die Hände um ihr Glas gelegt. »Ja, das mag ich so an Rudy. Er hat sich immer auf eine desinteressierte Art für mich interessiert. Und das Wahnwitzige ist, es hätte mir fast gereicht. Ich war sozusagen fast glücklich.«

»Fast. Aber nie wirklich«, stellte Roy sachlich fest. Dinah war ein wenig brüskiert.

»Aber ich will ja auch nicht mehr. Was hätte ich denn noch zu tun, wenn ich wirklich glücklich wäre?«

»Hä?« Roy blickte nicht mehr durch.

»Was mach ich, wenn ich glücklich bin? Wo ist dann noch eine Herausforderung? Wie soll ich da in Schwung bleiben?«

»Ja!« Roy sah erleichtert aus. »Ich weiß, was Sie sagen wollen, und ich stimme Ihnen zu, aber ich glaub nicht, daß ausgerechnet das die Herausforderung sein muß. Sie können auch anders in Schwung bleiben, schwarze Löcher gibt's überall. Es muß nicht unbedingt das sein. Verstehen Sie?« Roy hatte sich in Fahrt geredet und sah sie gespannt an. »Stellen Sie sich bloß mal vor, Sie haben ein behindertes Kind. Das wär doch eine Herausforderung, oder?«

Dinah sah ihn zweifelnd an. »Schon, aber…«

»Ich will damit nur sagen, daß einem das Leben ganz schöne Brocken hinwerfen kann.«

Ein neuer Gedanke erweckte Dinah zum Leben. »Also, was muß eine Frau für Sie tun? Ich meine, kocht Cindy zum Beispiel? Packt Sie Ihre Koffer? Kratzt Sie Ihnen den Rücken?«

»Naja, ich meine, zur Zeit ist sie im Sanatorium«, sagte er schüchtern.

»Ja gut.« Dinah tat den Einwand mit einer Handbewegung

ab. »Ich rede ja auch nicht von jetzt. Ich möchte wissen, was die ideale Frau für Sie tun muß.«

»Oh, ja also die ideale Frau… Auf Dienste, die ich auch kaufen kann, kann ich verzichten. Was man nicht kaufen kann, ist zum Beispiel –«

»Daß einem der Rücken gekratzt wird?«

»Nein, das kann man kaufen. Aber Standpunkte und Sensibilität nicht«, sagte er sanft.

Dinah lächelte dankbar, entschuldigend. »Und Sex. Ich meine, man kann…«

»Nein, kann man nicht. Ich meine, Sex, der wirklich was bedeutet.«

Erschöpft lehnten sich beide zurück. Eine Fliege umkreiste das Geschirr in der Spüle und landete schließlich auf einer Gabel. Tony, der auf der Couch lag, winselte im Schlaf. Roy starrte vor sich ins Leere und seufzte fast wehmütig.

»Eins hab ich irgendwie noch nie geschafft: daß ich so verliebt bin, daß… eine wirkliche Seelengemeinschaft entsteht und nicht… nur… eine ganz normale Sache, bei der sich ein Typ mit einer Frau trifft.« Er fischte mit Daumen und Zeigefinger einen Korkenkrümel aus seinem Glas. Dinah sah ihm gebannt zu.

Roy war noch nicht fertig. »Entweder bin ich so kaputt, daß ich nicht merke, die ist es – oder sie ist es wirklich nicht. Die sind es nicht. Beides läuft aufs gleiche raus, und sie muß sich damit abfinden. Sie müssen sich damit abfinden.«

»Genau«, sagte Dinah ein wenig ernüchtert. »Und das wäre dann die perfekte Ausrede, und nicht ohne Grund.« Sie sammelte sich kurz, dann legte sie los. Ihre braunen Augen blitzten schalkhaft. »Wollen Sie wissen, was für die Männer zählt?« Das, was sie jetzt an ihm ausprobieren wollte, war so ziemlich ihr bestes Material. »Fertig?«

»Fertig.«

»Okay.« Sie zählte die einzelnen Punkte ihrer Liste an den Fingern ab. »Sex, Arbeit – die beiden vertauschen ihre Rollen, je nach Alter –, also Sex, Arbeit, Essen, Sport und ganz zum Schluß, gnädigerweise, Beziehungen.« Roy wollte sie unterbrechen, aber sie schnitt ihm das Wort ab: »Und was zählt für die Frauen?« Sie hatte die Hände wieder zu Fäusten geballt, bereit für die Aufzählung weiblicher Bedürfnisse. »Beziehungen, Beziehungen, Beziehungen, Arbeit, Sex, Einkaufen, Gewicht, Essen.« Roy schüttelte verwundert den Kopf. Dinah kam sich ein wenig idiotisch vor. »Die Theorie ist natürlich nicht hundertprozentig hieb- und stichfest, aber die Hauptsache haben Sie wahrscheinlich in groben Zügen mitgekriegt, nehm ich an.«

Roy fuhr sich erneut mit der Hand über die Stirn. »Ja, so in groben Zügen schon. Frauen denken viel über Beziehungen nach.«

Beide schwiegen einen Moment lang. Eine leichte Brise wehte durch die Jalousie. In der Ferne pfiff ein einsamer Zug. Die Fliege war ins ölige Wasser gefallen und versuchte krampfhaft, sich zu befreien.

»Ich bin nicht gern allein«, sagte Roy schließlich.

»Aber Sie sind doch jetzt auch allein.«

»Nein«, sagte Roy halb gekränkt, halb im Scherz. »Ich bin bei Ihnen.«

»Sie wissen ganz genau, was ich meine.«

Roy rutschte auf dem Stuhl hin und her und vermied Dinahs Blick. »Ja… ich telefoniere viel und wenn nicht… Es fällt mir schwer. Vor allem das Einschlafen.«

»Mir auch.«

»Wenn jemand bei mir ist, dann schlafe ich eben besser.«

»Das Alleinsein selbst macht mir eigentlich weniger aus«, sagte sie. »Irgendwie gefällt's mir sogar. Aber mit dem Einschlafen hab ich auch Probleme. Immer noch.«

»Mir graust davor. Mir graust vor'm Alleinsein mit meinem Kopf, meinen Gedanken. Ich hab schon immer Probleme mit dem Einschlafen gehabt. Deswegen trinke ich auch.«

»Ich trinke eigentlich nur, wenn ich schüchtern bin und etwas machen möchte, was ich normalerweise nicht mache. Zum Beispiel mit jemandem schlafen.« Warum hatte sie das gesagt? Jetzt trank sie doch auch. Sie nahm die Hände vom Glas und zog sich schuldbewußt zurück. Hoffentlich übersah er den Wein auf dem Tisch.

Er ließ sich nichts anmerken. Den Kopf zur Seite gelehnt warf er ihr einen merkwürdigen Blick zu. »Sie schlafen normalerweise nicht mit jemandem?«

»Nein, normalerweise nicht. Zumindest versuch ich's.« Dinah begann, das Pflaster vom linken Daumen abzustreifen. Sachte. Unter dem Tisch.

»Und warum?«

»Ich weiß auch nicht. Ich bin ziemlich streng erzogen, und... es ist schwer, sich dann im Zaum zu halten. Ich meine, wenn man sich erst einmal für jemanden sexuell total geöffnet hat...«

Ein amüsiertes Funkeln trat in Roys Augen. »Sexuell total geöffnet?« fragte er leicht erstaunt.

»Äh, wie heißt es noch schnell, Fortpflanzung«, erklärte sie zögernd mit niedergeschlagenen Augen. Wie waren sie nur auf dieses Thema zu sprechen gekommen? Wahrscheinlich wieder einmal ihr Fehler. Zumindest zur Hälfte.

Roy kombinierte und spielte va banque: »Meinen Sie, miteinander schlafen?«

Dinah zog wieder den Kopf ein. »So könnte man es auch bezeichnen, ja. Wenn es also passiert ist – und ich spreche jetzt als Frau –, dann geht es los mit den ganzen Erwartungen. Den Spekulationen. Du machst etwas völlig anderes draus in deinem Kopf. Liebt er mich? Ruft er mich an? Was bedeutet es? Wird es gut gehen? Der reinste Voodoo, du gehörst dir nicht mehr selbst. Sein Bild beherrscht alle deine Gedanken.«

Sie sah zum Fenster hinaus, stellte sich vor, wie jemand, der hier lebte, ein Long Islander, durch die Landschaft auf sie zu trottete. Sich ihr als einziger Sohn der bewegten, klaffenden Landschaft präsentierte. Der einzige Mensch, den sie hervorgebracht hatte. Sie wartete darauf, was ihr die Landschaft bringen würde, bis ihr einfiel, daß sie ihr wahrscheinlich Roy gebracht hatte.

»Hört sich ja ziemlich schlimm an«, sagte er. Worüber hatten sie denn gesprochen? Ah ja, worüber Jungs und Mädchen immer sprechen.

»Deswegen hab ich mit den meisten auch nur so rumgemacht und gehofft, daß sie nicht sauer werden. Immer noch besser, als hoffen, daß die ganze Sache nicht den Bach runtergeht.« Das Pflaster löste sich. Dinah legte es sorgfältig zusammen und ließ es diskret unter ihren Stuhl fallen.

»Äh, da bin ich jetzt nicht so recht mitgekommen.«

»Macht nichts«, sagte Dinah. »Das ist bloß meine Spinnerei. Ich küsse gern. Ich meine, Rumschmusen ist für mich wie Babysitten für meinen Kopf... Aber die Männer dauernd nur so hinhalten, das geht auch nicht. Will ich auch nicht.« War das eine Einladung? fragten sich beide. Sie zupfte bereits am anderen Pflaster.

»Mhm. Ja, Küssen ist wirklich was Schönes.«

»Ja, was Wunderschönes.« Was für eine Unterhaltung!

»Natürlich steh ich auch auf Sex. Auf – wie sagten Sie – diese Fortpflanzungsgeschichte...«

Dinah lachte. »Fortpflanzungsvoodoo. Es ist... ich beherrsche ihn nicht perfekt – es ist mehr wie eine zweite Sprache für mich.«

Er lachte kopfschüttelnd. Wieder trafen sich ihre Augen, und das zweite Pflaster fiel zu Boden.

»Fortpflanzungsvoodoo«, murmelte Roy. Wärme überzog Dinahs Gesicht. Ihre Hände zitterten schwach und schutzlos. Sie erhob sich.

»Ich glaub, ich muß ins Bett«, sagte sie. Sie blickte in Richtung Schlafzimmer und dann zurück zu ihm.

Er stand auf. »Ja, ich auch.« Sie folgte ihm zur Tür. Sie sahen sich ins Gesicht.

»Ja, also...« Sie hielt ihm die Hand hin und enthüllte dabei teilweise ihren wunden Daumen. »Gute Nacht«, sagte sie schließlich.

»Gute Nacht. Und danke für die... schmackhafte Kreide.«

»Nahrhafte Kreide.«

»*Nahrhafte* Kreide«, wiederholte er folgsam. Damit waren alle Gesprächsthemen erschöpft. Wie festgewurzelt standen sie da. Gefangen in einem unsichtbaren Kraftfeld aus Pheromonen. Plötzlich beugte sich Roy herab und küßte sie. Dinah küßte ihn wieder. Verlangen vermischte sich mit Erleichterung.

Die Fliege in der Spüle kam auf einmal vom Wasser los und flog zum Licht.

»Was machen wir hier eigentlich?« seufzte Roy atemlos.

»So wenig wie möglich«, murmelte Dinah undeutlich zwischen seinen Lippen. Sie hielt ihn in den Armen und strich über sein weiches Hemd. Henry Stark. Donnerstagabend. Nein, das war nicht Henry. Wer denn? Rudy auf keinen Fall, da war sie sicher. Wer waren diese Kerle, die ihr das Leben aussaugten und dann wieder – gaben? Flinke Finger spielten mit seinem Haar. Sie atmeten einander ein. Er berührte ihren Nacken. Drückte sich an ihren weichen Körper. Langsam wankten sie hinüber zur Couch, ließen sich fallen, kamen zu liegen, Roy oben. Schreckten den schlafenden Hund auf, der verärgert von der Couch hüpfte und sich in der Nähe auf dem Boden niederließ. Sie küßten und unterhielten sich gleichzeitig, ein inniges Gespräch.

»So unverhofft«, sagte er.

»Was?«

»Das alles.«

»High School«, sagte sie.

»Bitte?«

»Das ist wie damals in der High School. Du bist mein Sweetheart. Andy Hardy.« War das hier Liebe? dachte sie. Nein, wahrscheinlich nur Andy Hardy. Noch einer. Und wie hieß sie gleich wieder? Judy Garland. Nein, die Figur im Film. Es fiel ihr nicht mehr ein. Nur der eine Satz: »Wir können in meine Scheune gehen.«

»Du mußt ein Kettchen mit meinem Namen tragen«, sagte er und lächelte ihr Lächeln an, die Hände in ihrem Haar. Sie schob ihn zurück, legte sich auf ihn, küßte ihn wieder, von oben jetzt, endlich von oben.

»Ich mach dir einen Knutschfleck«, sagte sie. Ihre Ellbogen lagen zu beiden Seiten seines Kopfes, die Hände darüber waren gefaltet.

Er biß sie verspielt ins Kinn. »Wir gehen zum Abschlußball«, versprach er ihr.

Sie schmiegten sich noch enger aneinander, und sie rief: »O ja, o ja!« Sie hob ein wenig den Kopf, als er ihr das Gesicht zuwandte.

Sein Gesicht lag ganz eng an ihrem. Ihre Hände fuhren wieder durch sein dichtes schwarzes Haar. Sie bissen sich in die Lippen, kosteten vom süßen Fruchtfleisch. Pfirsich aß Pfirsich. Ihr taten die Hände weh. Er schob sie sanft zur Seite, ihr Rücken lag an der Couchlehne, seiner zeigte auf das Zimmer. Ein Auto fuhr unten auf der Straße vorbei.

»Was machen wir eigentlich?« fragte er sie noch einmal mit ernster Stimme.

»Das«, antwortete sie und küßte ihn, auch um die Augen schließen zu können. Atemlos sprach sie weiter, ihre Stirn berührte die seine. »Wir waren so nervös. Das wirkt beruhigend auf uns.«

»Ich fühl mich jetzt besser«, sagte sie. »Du nicht?«

Er küßte sie. »Viel besser.«

Die Leidenschaft in ihnen schlug Funken, der Kuß brannte weiter, glühte nach in seinen Lenden und in ihrem Kopf. Ein vorübergehendes ewiges Licht. Ein sanftes Hämmern. Ein Heranbrausen, dann Stille. Ein Aufruhr der Sinne. Der Würfel war gefallen, war eingeschlagen wie ein Komet. Dinah wartete nicht mehr auf das Fallen weiterer Würfel, sie suchte nur noch nach den Einschlaglöchern.

»Roy«, sagte sie, nur um seinen Namen auszusprechen.

»Dinah«, flüsterte Roy und schob sie auf den Rücken.

Sie zog ihn an sich. »Wenn ich was Liebes sagen könnte, dann würde ich es jetzt sagen.«

Seine Hände glitten zärtlich über ihre Brust, eine Wolke über ihrer Sonne. Die Herzen pochten im lauten Rhythmus der Lust, der

Nähe, der bevorstehenden Erfüllung. Er griff nach hinten, um das Licht beim Sofa auszumachen. Als er den Arm wieder zurücknahm, traf er sie mit dem Ellbogen im Gesicht. Dinah zog zischend die Luft ein.

»O mein Gott, entschuldige bitte«, rief er erschrocken und sah sie an. Mit tapfer zusammengebissenen Zähnen lag sie auf seiner Brust.

»Halb so schlimm.« Sie lachte verlegen. »Das gehört wohl zur Eroberung des Territoriums.«

Sanft zog er ihren Kopf nach oben, so daß seine Nase an der ihren lag, sein Mund an ihrem. »Ich will dir nicht weh tun«, murmelte er leise an ihrem Mund und sog an ihrer Unterlippe. Dinah bewegte sich unruhig. Das hatte sie doch schon mal gehört. Hatte es schon mal durchgemacht, erinnerte sich an das Ende, rannte zum Ausgang. »Ich würde dir nie weh tun«, wiederholte er. Seine Hände wanderten, verweilten auf ihrem Hintern. Dinah erstarrte einen Moment und trat durch die Tür nach draußen. Rudys Gesicht erschien auf der Innenseite ihrer geschlossenen Lider. Oder doch nicht?

»Körperlich oder gefühlsmäßig?« fragte sie obenhin und schob sich das Haar aus der Stirn. Sie öffnete die Augen, so daß Rudy verschwand und Roy wieder auftauchte.

Er zog sie wieder an sich und gab ihr einen kurzen, festen Kuß. »Weder das eine noch das andere.«

»Dann paß aber auch auf«, sagte sie und versuchte, sich aufzurichten.

»Wo willst du denn hin?« fragte er und zog sie halb scherzhaft wieder nach unten.

»Hör auf damit«, sagte sie schmollend, verbissen. Er merkte, daß sie es ernst meinte, und ließ sie los. Sie setzte sich auf. Er lag auf dem Rücken und betrachtete ihre Silhouette im Halbdunkel. Dinah zog an ihren Kleidern, sammelte sich. Unhörbar für das ungeübte menschliche Ohr prallte irgendwo im Zimmer der Würfel auf. Tony hörte es und schreckte aus seinem Traum hoch. Verunsichert setzte er sich auf.

»Was hast du denn?« fragte Roy. Die Hand auf ihrem Bein streichelte sie, lockte sie zurück auf das Sofa. Komm, komm zu mir. Zerschelle an meinen Felsen, sang die Sirene.

Aber Dinah hörte nur ihre eigene Alarmsirene. »Du willst mir also nicht weh tun. Na schön. Mir ist nämlich gerade eingefallen, daß ich auch was dagegen habe, wenn du mir weh tust.«

»O Mann!« rief er zur unsichtbaren Decke. »Ich werd dir doch nicht weh tun! Wie soll ich dir denn auch weh tun?« Er saß jetzt, ein Verurteilter. Verurteilt zum Leben in einer zur Hälfte von Frauen bevölkerten Welt. Er stand auf, wollte eine Zigarette, zog eine zerdrückte Schachtel aus der Hintertasche.

»Was weiß denn ich«, antwortete sie müde. »Ist mir klar, daß du keine Ahnung hast, wie. Aber irgendeinen Weg findest du garantiert.« Sie streckte die Hand aus. »Gib mir auch eine.« Er reichte ihr eine Zigarette und suchte in seinen Hemdtaschen nach Streichhölzern. Das Streichholz warf einen flackernden Schein auf ihre Gesichter. Zwei Gefangene in einer Dunkelzelle. Wie oft schaff ich das noch, dachte Dinah. Diese Sache mit den Männern. Was sind das überhaupt für Kerle? Seufzend atmete sie den Rauch aus. Er schwebte vor ihrem Gesicht und löste sich allmählich auf.

Der Hund stand auf, sprang auf die Couch und ließ sich neben Dinah nieder. Zerstreut streichelte sie ihn. Sie bedauerte, daß es so gekommen war und wollte dafür wenigstens zu ihrem Hund lieb sein.

»Scheiße«, sagte Roy mit jungenhafter Stimme. »Wir kennen uns noch nicht mal einen Tag, und da reden wir schon davon, daß ich dir weh tue.«

Dinah inhalierte tief. Ihre Augen brannten. Sie lehnte sich zurück. »Naja, irgendwann wär's ja eh soweit, warum dann noch warten?«

Roy setzte sich wieder neben sie. »Warum? Ich kann dir sagen, warum. Weil es schön ist. Die Zeit zwischen der Begegnung mit jemand und dem ›Ich will nicht, daß du mir weh tust‹ kann einfach wunderschön sein.«

Sie sah ihn an, ihre Augen hatten sich an die Dunkelheit gewöhnt. »Ich hab dir ja gesagt, daß ich diese Sprache nicht perfekt beherrsche.«

Sie stand auf und schlich müde in die Küche, um im Schrank nach einer Untertasse zu stöbern, die sie als Aschenbecher benutzen konnten. Sie schaltete das Radio ab, kam zurück und streifte ihre Asche an dem Teller ab, bevor sie ihn vor der Couch auf den Boden stellte. Sie setzte sich wieder neben ihn und fragte sich, wie sie wohl aussah, glücklich, daß es dunkel war. Ach, scheiß drauf. Roy seufzte und schlug nachdenklich die Beine übereinander.

»Ich bin wie der Spanische Bürgerkrieg«, sagte er schließlich. »Romantisch, aber von vornherein zum Scheitern verurteilt.«

Dinah sah ihn an. »War der Spanische Bürgerkrieg wirklich so romantisch?«

»Natürlich. Hast du denn nicht *Wem die Stunde schlägt* gelesen?«

Schweigen trat ein. Lastete schwer auf ihnen, hielt sie gefangen, nahm sie unter seine schwarzen Fittiche.

»Es ist so still«, bemerkte sie traurig und fuhr sich mit der freien Hand durchs Haar. Schweigen. »O mein Gott, ich weiß auch nicht. Tut mir leid. Aber die Männer sagen immer, daß sie dir nicht weh tun wollen, verstehst du? Naja, du hast davon natürlich keine Ahnung. Ich hab's dir jedenfalls nicht erzählt. Wie nennt ihr denn so was? Daß wir uns bis über beide Ohren in euch verliebt haben? Und inständig auf ein Leben mit euch hoffen? Daß ich auch bloß so 'ne Gans bin, die sich dir an den Hals schmeißt, weil sie meint, du bist noch zu haben? Ich meine, ich weiß, daß ich einen Hang zum Phantasieren hab, aber ich hab auch einen ausgeprägten Sinn fürs Praktische.« Sie unterbrach sich jäh und nahm einen tiefen Zug von der Zigarette. »Ist ja auch egal«, fügte sie ruhig hinzu. Rauch drang ihr aus Nase und Mund. Wortlos saßen sie auf der Couch und rauchten.

Schließlich sagte Roy: »Jetzt hab ich richtig Angst davor, was Falsches zu sagen.« Verwirrt schüttelte er den Kopf. »Ich wollte ja nur, daß wir was Schönes miteinander teilen.«

Dinah seufzte und lächelte dann. »Irgendwie sind wir uns ziemlich ähnlich, glaub ich.«

Roy entspannte sich wieder ein wenig. »Wie, ähnlich?«

Dinah drückte die Zigarette aus. »Wir haben beide diesen bezaubernden Zug an uns. Wir sind Gewinner. Wir üben die gleiche Funktion aus. Wir machen uns gegenseitig überflüssig. Zu Dorfidioten. Und du kennst ja das Sprichwort: Zu viele Dorfidioten verderben das Dorf.«

Roy lehnte sich halb lachend, halb seufzend nach vorne und machte seine Zigarette aus. »Verstehe.« In Wirklichkeit verstand er gar nichts.

»Schau, ich denk mir eben, es gibt zwei verschiedene Sorten von Männern. Väterliche und brüderliche. Und du gehörst zur zweiten Sorte.« Mit einer eleganten Handbewegung entfernte sie einen Tabakkrümel von der Zunge.

»O Mann, du hast dir die Sache ganz schön durch den Kopf gehen lassen.« Roy zündete sich noch eine Zigarette an. »Willst du auch noch eine?« Sie schüttelte den Kopf. »Was ist ein brüderlicher Mann?« fragte er, die Zigarette hing nach Ganovenart in seinem Mundwinkel.

»Ein brüderlicher Mann ist ein eher unbeschwerter Typ, der nach Anerkennung sucht, und ein väterlicher Mann ist einer, dessen Anerkennung man gern hätte – und der sie einem vorenthält. Verstehst du, das Problem mit uns beiden – abgesehen davon, daß du noch zwei andere Beziehungen hast – ist letztlich, daß wir einander nicht erobern können, weil wir so damit beschäftigt sind, einander zu erobern. Ich meine, wir suchen die Reaktion beim anderen und zeigen selber keine. Wir sind eben bezaubernd und lassen uns nicht bezaubern, wir erobern und lassen uns nicht erobern. Wir überreden, schmeicheln, wir müssen immer was erreichen.« Die letzten Worte hatte sie in einem spöttischen Singsang gesprochen.

Roy schüttelte den Kopf. »Du hast wirklich viel darüber nachgedacht.«

Dinah legte die Hände auf die Knie. »Ich denke dauernd drüber nach. Es ist mein Job. Ich bin Gedankenleserin. Ich lese meine eigenen Gedanken.«

»Naja, wenn du uns von Anfang an schon jede Chance verbauen willst, okay, dann tu dir keinen Zwang an«, sagte Roy, jetzt schon ein wenig ungehalten. Überrascht zog Dinah die Augenbrauen hoch. »Aber weißt du was? Ich glaub, du machst schon alles kaputt, bevor ich überhaupt was verkehrt machen kann.«

»Lassen wir das«, unterbrach ihn Dinah, die rot angelaufen war. Sie unterdrückte ein falsches Gähnen. »Jedenfalls ist dein Leben sowieso schon kompliziert genug. Wollen wir Freunde sein?« Lächelnd wandte sie sich ihm zu. »Jetzt, wo keine Chance mehr besteht, daß du mein zweiter Mann wirst, könntest du mir da einen Gefallen tun?«

Stöhnend verbarg Roy das Gesicht in den Händen. »Womit hab ich das nur verdient?«

»Du wirst schon wissen, womit«, erwiderte Dinah zuckersüß. »Also?«

Roy zog die Hände vom Gesicht. »Was für einen Gefallen?«

Nachdem sie alles besprochen hatten, konnten sie sich endlich entspannen. Tagesordnung erledigt, sie konnten aufatmen. Und nur noch Freunde sein, die Gesellschaft des anderen genießen, ohne auf eine strahlendere Zukunft zu schielen. Nachdem sie beide erkannt hatten, daß die Fahrt nirgendwo hin ging, konnten sie den gemeinsamen Ausflug genießen.

Solange der Ausflug dauerte, sonnte sie sich im warmen Licht ihrer Wunschvorstellungen. Eine gemeinsame Identität. Umgeben von Menschen, die alle Anspruch auf ihre Zuneigung erhoben. Als Tochter, Ehefrau, Mutter, Großmutter, Urgroßmutter, liebenswerte Zeitgenossin, bis daß der Tod...

Nein.

Sie würde in ihrem Verstand leben. Hoch droben im Kopf, wo sie unerreichbar war. Hoch droben vom Leuchtturm über dem stürmischen Meer wollte sie herabsehen auf die machtlos geifernden Wellen.

Manchmal fühlte sie sich wohl in Krisen und Konfrontationen... brauchte die Herausforderung, der sie sich stellen konnte. Doch dann wieder wußte sie nicht mehr, wer sie war. Aber das war manchmal auch nicht so schlecht. Sie blieb die gleiche. Sie fragte sich, wann sie die Dinge endlich nicht mehr beschreiben, sondern nur noch erfahren konnte. Mehr als verstehen. Sie wollte fühlen, was sie beschrieb und erleben, was sie erklärte.

Sie brauchten Ewigkeiten, um einen Parkplatz zu finden. Sie waren mit Roys Wagen gefahren, weil Dinah es für angemessener hielt, wenn der Mann hinter dem Steuerrad saß. Abgesehen davon, war sein dunkelgrüner MG sehr viel ansehnlicher als Dinahs Mietwagen und konnte wegen seiner geringen Größe leichter abgestellt werden.

Aus beiden Richtungen stauten sich an der Kreuzung die Autos, die darauf warteten, von der Hauptstraße abzubiegen. An der Straße, die zum Ufer führte, drängten sich die geparkten Autos über einen Kilometer lang.

»Wir hätten früher fahren sollen«, sagte Dinah. Ganze Familien quollen aus ihren Autos, schleppten Körbe voll Essen oder riesige Kühltaschen auf den Schultern und marschierten mit Teenagern und Knirpsen im Schlepptau langsam zum Schauplatz der bevorstehenden Feier.

»Keine Bange, mit dieser Kiste zwänge ich mich auch in die kleinste Parklücke.« Über das Steuerrad gebeugt, suchte Roy angestrengt nach einer passenden Herausforderung für sein fahrerisches Können. Ganze Menschenhorden trampelten zu den bevorzugten Plätzen in der Bucht, von denen aus sich das Feuerwerk besonders gut beobachten ließ. Am Ende der Straße tanzten auf dem Wasser Boote im Dämmerlicht des Abends.

»Vielleicht hätten wir lieber doch nicht kommen sollen«, meinte

211

Dinah und verschränkte die Arme. »Vielleicht ist es ein Zeichen, wenn wir keinen Parkplatz in der Nähe finden.«

»Es ist eine *Herausforderung*«, knurrte Roy mit gespieltem Ernst und warf Dinah einen kurzen Blick zu, um sich dann sofort wieder auf die Parkreihen zu beiden Seiten der Straße zu konzentrieren. Er war wieder bester Laune, jetzt, da Dinah das kleine Fiasko zwischen ihr und ihm verschmerzt hatte, da im Radio angenehme Musik gespielt wurde, und da er bloß noch als Zuschauer bei den Dramen anderer Leute gefragt war. Er hatte an diesem Tag sowohl mit Cindy als auch mit Karen gesprochen, und beide Unterhaltungen waren im großen und ganzen angenehm und ohne größere Zwischenfälle verlaufen. Beide hatten sich von ihm bezaubern lassen, ohne zu ahnen, daß sein Verhalten zum Teil auf Schuldgefühle wegen des mißglückten Rendezvous' mit Dinah am Abend vorher zurückzuführen war. Es stimmte, daß er die zwei Frauen noch nie betrogen hatte, und deshalb war er heilfroh, daß sein Status als treuer Gatte und Liebhaber nicht gelitten hatte.

Dinah klappte den Blendschutz herunter. Sie sah in den Spiegel und ordnete sich das Haar. Hochmütig und hoffnungsvoll taxierte sie ihr Gesicht und klappte dann enttäuscht den Blendschutz wieder zurück. Es war immer noch ihr Gesicht. Immer nur ihr Gesicht. »Ich versteh gar nicht, warum du so scharf darauf bist, da hinzufahren«, bemerkte sie düster. »Und wenn diese Scheiße in deinem Buch endet, dann bring ich dich um.«

Roy gab ein kurzes, eigenartiges Lachen von sich. »Hey, ich mach diese Scheiße nicht, *um* zu schreiben, sondern *anstatt* zu schreiben, verstehst du?« Auf einmal erspähte er auf einem Sandhügel eine winzige freie Stelle. »Ooooh«, schnaufte er und lenkte den Wagen auf den kleinen Hügel zu.

»Was ooooh?« fragte Dinah. Als sie sah, wo das Auto hinsteuerte, erkannte sie Roys ehrgeizigen Parkplan. »Das ooooh?« Ihre Geste war völlig überflüssig, da sie bereits mit durchdrehenden Reifen den Abhang hinaufpreschten. »Das ist doch kein Parkplatz, das ist höchstens ein...« Das richtige Wort dafür wollte ihr nicht einfallen, denn schon unternahm Roy eine herkulische Anstrengung, um den MG hineinzuquetschen.

»Also, jetzt paß mal auf«, sagte er, sah über die Schulter und riß das Lenkrad herum, daß die Reifen quietschten. »Willst du deinem Ex-Mann nun eins auswischen oder nicht?« Mit einiger Anstrengung manövrierte er den Wagen in die fast aussichtslose Parklücke.

»Ja, aber…«, begann Dinah.

Roy unterbrach sie, obwohl er damit zu tun hatte, die Heckseite des Wagens von einem störenden Baum wegzulenken. Der Sand flog in alle Himmelsrichtungen. Dinah verbarg das Gesicht in den Händen. »Und bist du nun der Meinung, daß Autofahren Männersache ist, wie es deine Definition vorsieht, oder nicht? Und daß ich momentan sozusagen am Ruder bin?«

Dinah gab es widerstrebend zu. Das Gesicht immer noch verborgen, die Beine untergeschlagen, wollte sie sich vor dieser zirkusreifen Parknummer schützen. Der MG jaulte auf und rutschte ein Stück vorwärts. Roy stellte den Motor ab und lehnte sich triumphierend zurück.

»Dann darf ich dir als dein offizieller Typ mitteilen« – er grinste schelmisch –, »daß wir mit dem Auswischen anfangen können.«

So weit das Auge reichte und noch weiter, wo es die Gegenstände nur noch erahnen konnte, hatte ein dichter Teppich von Leuten jeden Quadratzentimeter Boden mit Beschlag belegt. Die Leute stiegen übereinander, aufeinander, lagen Seite an Seite, saßen in Gruppen auf Decken, Handtüchern, warteten in Schlangen vor Getränke- und Imbißständen. An einer Seite stand ein Krankenwagen, ein einsames Omen. Das ganze Ereignis schwebte gefährlich nahe am Abgrund, schwankte, drohte abzustürzen. Die Nacht war klar und warm. Eine sanfte Brise wehte kurz und beruhigend über die Meute.

Roy und Dinah folgten einem Weg, der durch hohe, dunkle Bäume in das Meer von Leuten führte, die alle ungeduldig auf das Feuerwerk warteten. Als sie näher kamen, am Krankenwagen vorbei, schlug Dinahs Herz mit einemmal schneller. Irgendwo in

213

dieser Menge wandelte Rudy Arm in Arm mit Lindsay. Dinah nahm Roys Hand. »Nichts Persönliches«, versicherte sie ihm, als sie sich durch das Gedränge schoben. Babyschreie und Gelächter schwirrten durch das Stimmengewirr. Plastikbecher lagen verstreut auf dem Weg. Der Geruch von – ja was eigentlich? – gegrillten Maiskolben und Hühnchen schwebte über dem Ganzen. Die Silhouetten der Boote draußen auf dem Wasser zeichneten sich dunkel in der Bucht ab.

Oben auf dem Damm stand ein hell erleuchtetes Haus mit einem Buffettisch davor und einem kleinen, verlassenen Weiher. Aus einigen Grüppchen drang der Schein von Kerzen, so daß Dinah, die überall nach Rudy Ausschau hielt, die Gesichter erkennen konnte. Sie klammerte sich an Roy, ihren Nächsten und Komplizen. Hier und da plärrten kleine Radios, bellten Hunde im Dämmerlicht.

»Kaufen wir uns was zu trinken«, schlug Roy vor und zog sie zu einem Stand, vor dem vergleichsweise wenige Leute warteten.

»Du bist so praktisch«, schmeichelte Dinah und lehnte sich an ihn. Mit einer Hand hielt sie seine Hand, mit der anderen seinen Arm. Ihr kurzes, schwarzes Kleid wehte sanft in der Brise. »Manchmal tut es mir fast leid, daß du nicht mein zweiter Mann bist.« Sie lächelte zu ihm auf.

»Fast reicht mir nicht«, flüsterte Roy vorwurfsvoll. Dinah drückte seinen Arm und suchte in der Menge nach Rudys gefährlicher, geliebter Gestalt.

Mit ihren Getränken schoben sie sich vorsichtig durch die Leute und suchten nach einer Stelle, wo sie sich hinsetzen konnten. Sie kamen an einer kleinen, altersgebeugten Frau vorbei.

»So seh ich in vier Jahren aus«, erklärte Dinah. Als die Frau vorbei war, erkannte Dinah plötzlich, daß es die Wahrsagerin war, der sie zweihundert Dollar versprochen hatte. Mit übertrieben abgewandtem Kopf beobachtete sie Mama, die durch die Menge zum Imbißstand ging.

»Stimmt was nicht?« fragte Roy.

»Nein, nein. Alles in Ordnung.« Ein großer Mann mit riesigen

214

abstehenden Ohren kam auf sie zu. »Das bist du in meinem Alptraum beim Tanz mit dem Teufel«, erklärte sie ihm munter. Im gleichen Augenblick traf Roy ein Strahl aus einer Spritzpistole am Bein.

Er nahm es mit heldenhaftem Gleichmut hin. »Es ist nichts, nur eine Fleischwunde.«

Von irgendwoher kam das Knistern eines Mikrophons und dann eine Durchsage. »Guten Abend, meine Damen und Herren. Herzlich willkommen zur zwölften Feuerwerksveranstaltung in der Boys' Bay«, sagte eine undeutlich sprechende Männerstimme. Eine Bostoner Stimme. Der Applaus blieb mit Ausnahme einiger jauchzender Kinder eher spärlich. Dinah und Roy fanden schließlich einen winzigen, feuchten Flecken bei einer Hecke, mitten im Familiengewühl und gingen dort in die Hocke, um sich die Kleider nicht naß zu machen. Sie klammerten sich an ihre Pappbecher und sahen zum Himmel hinauf, warteten darauf, daß etwas passierte. Die Filmmusik aus *Rocky* dröhnte von beiden Seiten aus Riesenlautsprechern auf sie ein.

»Dein Thema«, flüsterte ihm Dinah ins Ohr.

»Schsch«, mahnte eines der Kinder in ihrer Nähe. Roy sah Dinah strafend an, während das kleine blitzende Licht der Eröffnungsrakete den Nachthimmel erklomm. Als die Rakete den Zenit des Blickfelds erreichte, explodierte und in tausend glitzernde Sterne zersprang, ging ein Raunen durch die Menge. Eine funkensprühende Chrysantheme, die einen Augenblick am dunklen Himmel schwebte, eine irrlichternde Aurora Borealis, die ihren flüchtigen Schein auf die Menge am Strand warf. Jubel brach aus, als die leuchtende Blume im Nichts verschwand. Die Feierlichkeiten hatten offiziell begonnen.

Roy und Dinah lächelten sich an. Er zog den Pullover aus und breitete ihn ritterlich auf dem Boden aus, damit sie sich hinsetzen konnten.

»Ich hab dich nicht verdient«, flüsterte sie.

»Sag ich doch immer.«

Der Himmel explodierte von oben nach unten in drei Farben,

pfiff und versank wieder in Dunkelheit. Den Kopf im Nacken und mit gerecktem Hals standen die Zuschauer da. Eine Horde gaffender Amerikaner, die Augen gebannt nach oben gerichtet. Der Himmel glitzerte und funkelte in tausend Farben, was er nach Dinahs Vorstellungen viel zu selten tat. Ein wundersamer Kurzschluß im Himmels-TV. Schäumende, choreographierte Champagnerblitze. Tausend bunte Laternen, die am dunkelblauen Himmel zerschellten. Schmelzende Sterne, flammende Trauerweiden, die auf das Wasser herabweinten und es kurz erleuchteten – silbern, grün, gold, rot, blau, magenta. Ein Schwarm von Leuchtkäfern, von umgekehrten Kometen, die nach oben schossen und dabei kokett ihren Schwanz hinter sich herzogen, elektrisch glimmende Sektflöten, phosphoreszierend und erfrischend.

Der Himmel schimmerte, schwärmte, verströmte sich. Schon nach einigen Minuten konnte Dinah es sich gar nicht mehr anders vorstellen. Wollte es sich nicht mehr anders vorstellen. Sie umschlang die Knie und betrachtete den verzauberten Himmel.

Für das große Finale wurde Neil Diamonds »America« gespielt. Der Himmel erstrahlte in Rot, Weiß und Blau. Die Zuschauer riefen Oooh und Aaah. Das Spektakel erreichte seinen patriotischen Höhepunkt, blieb einen Augenblick in der Schwebe, kam ins Schwimmen und verschwand im Nichts. Im nächtlichen Blau. Blasse Sterne blinkten als schwacher Abglanz des zu Ende gegangenen Feuerwerks.

Dinah und Roy blinzelten noch einen Moment lang erwartungsvoll in den besänftigten Himmel, bis sie den glitzernden Traum abgeschüttelt hatten.

»Das war…« Roy war sprachlos.

»O Mann«, hauchte Dinah. Sie standen auf wackligen Beinen und schüttelten ihre Kleider aus. Roy legte seinen feuchten Pullover zusammen. Und direkt hinter der Hecke, den Blick erst auf Dinah, dann auf Roy gerichtet, stand auf einmal Rudy, Lindsay gleich hinter ihm.

Dinahs Selbstvertrauen stürzte in sich zusammen wie ein Kartenhaus, ihre Fassung löste sich in Wohlgefallen auf. Roy blickte erst Dinah an und dann Lindsay und Rudy.

»Dinah«, sagte Rudy in einer Art gedämpfter Verwunderung. Lindsay strich sich das blonde Haar aus dem klugen, offenen Gesicht. Sie trug einen langen weißen Baumwollkaftan, der am Hals und an den Ärmelenden golden bestickt war.

»Hallo, Rudy«, sagte Dinah mit einem halben Lächeln. Mit der Hälfte, die zuschnappt. *Les jeux sont faits.* Es gab kein Zurück mehr. Gedankenverloren strömten die Leute an ihnen vorbei, während sich der Rauch des Feuerwerks allmählich verzog. Irgendwo in der Nähe schrie ein Kind. Verlegen, wortlos standen die vier da. Roy verlagerte nervös sein Gewicht auf den anderen Fuß. Das Schweigen umkreiste sie, umzingelte sie. Schließlich warf Roy Dinah einen fragenden Blick zu und hielt Rudy die Hand hin.

»Ich heiße Roy Delaney«, sagte er freundlich zu Rudy. »Nett, Sie kennenzulernen.«

Rudy nahm Roys Hand, sah jedoch Dinah an. »Rudy Gendler«, sagte er mißmutig zu Dinah, während er kurz Roys feuchte Hand schüttelte. »Lindsay«, begann er und sah sie mit einem Anflug von Mitleid an, »das ist…« Er zögerte – wer war sie noch schnell? Dinah sprang ungeniert in die Bresche.

»Dinah«, sagte sie höchstselbst und streckte ihr die Hand mit dem bandagierten Daumen entgegen. »Dinah Kaufman – nett, Sie kennenzulernen.«

Lindsay schüttelte höflich Dinahs Hand und sah dabei verstohlen zu Rudy hinüber. Sie spürte seine Anspannung. Dinah bemerkte, daß Lindsay überhaupt kein Make-up trug, ihr Haar umrahmte ein blasses Gesicht mit dichten Wimpern über den grünen Augen und einer frechen kleinen Stupsnase. Beschämt dachte sie an die Grundierung auf dem eigenen Gesicht, das Make-up auf den Augen, die umrandeten und bemalten Lippen. Sie fühlte sich wie eine Fälschung. Wie bemalter Ersatz. Mit dem Handrücken wischte sie sich den Lippenstift vom Mund.

Roy hatte die Hände tief in den Taschen seiner cremefarbenen Hose vergraben und wippte auf den Zehenspitzen hin und her, ein schalkhaftes Funkeln in den Augen. Ihn ging das Ganze ja nichts an. Wenigstens diesmal. Rudy wollte gerade etwas sagen, als ihm Roy das Wort abschnitt.

»Hey! Sagt mal, wart ihr zwei nicht mal verheiratet oder so?« Sein Blick wanderte treuherzig von Dinah zu Rudy. Aus Lindsays ohnehin schon blassem Gesicht wich alle Farbe. Mit kaum verhohlenem Schrecken sah sie Rudy an. Dinah vergrub ihre Fingernägel in Roys Arm.

»›Oder so‹ trifft die Sache wohl genauer«, murmelte Rudy beklommen. Er warf Lindsay einen beinah flehenden Blick zu. Lindsay legte wie zur Beruhigung eine Hand auf den Hals und sah dann von Dinah zu Rudy, vielleicht um sie im Geiste miteinander in Verbindung zu bringen. Schließlich sah sie nochmal Dinah an, um die Verbindung wieder zu lösen.

»Aha«, sagte sie sachlich, »*diese* Dinah sind Sie also.« Sie riß sich zusammen und musterte Dinah kühl.

Roy lachte schnaubend. »Wieviele Dinahs gibt's denn noch?« rief er mit gespieltem Staunen. »Ich meine außer Dinah Shore und der Katze aus *Alice im Wunderland*…«

Dinah brachte ihn mit ihrer Version eines giftigen Blicks zum Schweigen. Eine Durchsage über ein vermißtes Kind kam über die Lautsprecher. Dinah nahm es als Zeichen. Ein Zeichen oder eine Metapher. Etwas.

Lindsay wartete auf einen Hinweis Rudys, wie sie sich benehmen sollte. »Also…« setzte Rudy an, eine Hand irrte zerstreut über sein Hemd, »es war wirklich schön —«

»Hey«, rief Roy und bedachte sie mit einem zuversichtlichen, strahlenden Lächeln, »wie wär's, wenn wir zusammen einen heben gehen und uns erzählen, was es Neues gibt? Ich lad euch ein.«

Rudy und Lindsay und Dinah und Roy saßen um einen winzigen Tisch in einem behelfsmäßigen Café an einem Weiher. Scharfe, in die schwüle, reglose Nacht geschnittene Konturen.

Schweigend saßen sie da, alles, was sie nicht sagten, hing bedrückend in der Luft, die Gedanken fanden die Schwelle zur Sprache nicht mehr. Lustige chinesische Lampions hingen hinter ihnen, am seidenen Faden des fast Gesagten, des noch nicht Gesagten. Der Schweiß auf Roys Stirn glänzte schwach im fahlen Licht der bunten Lampions, sein hellblaues Hemd klebte an seinem feuchten Rücken. Dinah wollte die Beine übereinanderschlagen, überlegte es sich dann aber anders. Sie bemerkte das zarte Schimmern von Lindsays honigfarbenem Haar, den zur Beruhigung in die Ferne gerichteten Blick der traurigen grünen Augen, die leicht geöffneten Lippen und das schmale Gesicht, das nach innen gewandt war, zu Rudy. Dinah sah weg. Es war das Gesicht eines arglosen, betörenden Kindes. Schlank wie ein Reh; sie benutzte ihren Stuhl nicht, sie zierte ihn. Dinah rutschte unbehaglich hin und her, fühlte sich erdschwer, umgeben von Wällen, gefangen, während Lindsay, leicht und schwungvoll wie eine Feder, fast davonflog. Ein Grashalm, ein Lichtpfeil, ein Mondstrahl, der auf Rudys Erde fiel. Und Dinah? Ein anderer Planet mit zuwenig Umlaufbahn, viel zu nah, eine drohende Kollision, ein Weltenbrand. Als sie so Lindsays zartes, hoffnungsvolles Gesicht betrachtete, ein Gesicht, das das Licht der Zukunft tapfer auffing, wurde ihr klar, daß es falsch gewesen war, hierher zu kommen. Was hatte sie sich nur wieder eingebildet? Sie wollte nach Hause. Dorthin, wo Rudy nicht mehr war. Dorthin, wo sie ihr kleines, hilfsbedürftiges Dasein ohne ihn fristen mußte.

Rudy räusperte sich. Als Antwort fuhr sich Dinah mit der Hand durchs Haar. Sie spürte ihren Körper. Plötzlich schlug sich Roy mit beiden Händen auf die Knie und riß sie alle aus der Träumerei zurück ins Jetzt, ins klägliche Jetzt.

»Das Feuerwerk war doch echt super«, rief Roy mit erzwungener Fröhlichkeit und sah die um den Tisch Versammelten erwartungsvoll an.

»Wunderschön.« Dinah erschrak über den Klang ihrer eigenen Stimme. Mit gekünstelter Begeisterung strahlte sie Roy an. Zigarettenrauch zog vorbei. Lindsay hustete.

»Wann seid ihr angekommen?« fragte Rudy und sah dabei Dinah an, hielt sich an seinen einstigen Fixstern. Dinah warf die Stirn in nachdenkliche Falten.

»Wann? Ja, wann sind wir denn angekommen?« fragte sie Roy. Zwei kleine Jungen liefen Slalom durch die Tische und schrien dabei aus Leibeskräften. Einer von beiden hielt eine brennende Wunderkerze über dem Kopf.

»Wir sind gerade angekommen«, erwiderte Roy und wandte sich jetzt an Lindsay. »Und wann seid ihr angekommen?« Lindsay preßte nervös die Hände aneinander, warf Rudy einen schnellen Seitenblick zu und sah dann wieder Roy an. »Wir sind schon fast den ganzen Sommer hier.«

Roy nickte ihr verständnisinnig zu. Die Unterhaltung war schon wieder auf Grund gelaufen, der Motor abgestorben. Roy nickte noch immer, wischte sich nur zwischendurch die Stirn. Rudy beobachtete ihn mit zusammengekniffenen Lippen.

»Was machen Sie beruflich?« fragte er schließlich und verschränkte die Arme vor der Brust. Mit übergeschlagenen Beinen und verschränkten Armen – alle seine Gliedmaßen schützend um sich geschlungen – wartete er auf Roys Antwort.

Roy mußte einen Augenblick nachdenken, bevor es ihm wieder einfiel. »Ich bin Autor. Filmautor. Ölfilm. Nein, war nur ein Scherz – nicht das mit dem Filmautor, sondern das mit dem Ölfilmautor. Ich weiß aber, was Sie machen. Sie schreiben Stükke. Sie sind einer der großen zeitgenössischen Dramatiker.« Rudys Augen verengten sich bei dem Versuch, das Kompliment als ironisch zu entlarven.

»Genau, er hat 'nen Drama-Tick«, zwitscherte Dinah. »Der Mann mit dem Drama-Tick.« Sie raffte sich zu einem gequälten Lächeln auf und spürte, wie sich ihre mit einemmal schweren Wangen hartnäckig dagegen sträubten. Sie wandte sich wieder Lindsay zu. »Rudy sagt, Sie sind Innenarchitektin?«

Lindsays Augen weiteten sich ein wenig vor Überraschung. »Wann hat er Ihnen das erzählt?« Sie blickte von Dinah zu Rudy und dann wieder zu Dinah.

Rudy öffnete vorübergehend das Bollwerk seiner Gliedmaßen und hüstelte. »In L.A.«, teilte er ihr beiläufig mit. »Ich hab sie getroffen, als ich in L.A. war. Das hab ich dir doch erzählt. Oder nicht?« Lindsay hatte es die Sprache verschlagen.

Roy trug einen spöttisch unschuldigen Ausdruck in seinem gutaussehenden Gesicht, als er fragte: »Wer von euch hat Durst?« Die Augenbrauen erwartungsvoll hochgezogen, eine gesellige Biene, die ihre Lieblingsblumen mit dem Nektar ihrer guten Laune beträufelt. »Ich weiß ja nicht, wie's euch geht, aber mich hat dieses Feuerwerk schier ausgetrocknet. Rudy? Eine kleine Erfrischung?«

Rudy sah ihn fast erleichtert an. »Gern.« Seine Hände lagen gefaltet im Schoß, seine blauen Augen glitzerten unergründlich. »Ich glaube, wir müssen sie selbst holen. Da drüben.« Er zeigte über Dinahs Kopf auf das Haus. Roy stand sofort auf und sah Rudy an.

»Ich würde vorschlagen, die Männer holen die Getränke, und die Frauen halten inzwischen die Stellung.«

Rudy schien nicht gerade begeistert und erhob sich zögernd. »Na schön.« Er schob den Stuhl zurück.

Der Lautsprecher verkündete, daß der Beginn der Tombola unmittelbar bevorstand. Als erster Preis wurden ein Motorrad und eine Woche kostenloser Urlaub in Gurney's Inn versprochen.

»Ich hätte gern eine Cola mit Rum.« Dinah legte soviel Munterkeit in ihre Stimme, wie sie konnte.

»Ein Glas Wein, bitte«, sagte Lindsay zu Rudy. Ein winziger Anflug von Panik stahl sich in ihren Blick, als sie sich eine Strähne aus dem Gesicht strich. Die hohe, bleiche Stirn kam zum Vorschein. Roy und Rudy schoben sich durch das Gedränge auf das Haus zu. Dinah blickte kurz zu Lindsay, holte schon zu einem Lächeln aus. Aber plötzlich wandte sie noch einmal den Kopf um und rief den beiden nach: »Und vielleicht noch Zigaretten!«

Lindsay sah sie traurig an, ein Grashalm, der sich klagend in der schwülen Luft wiegte. »Ich glaub nicht, daß sie Sie gehört haben«, sagte sie zögernd.

Dinah streckte den schmerzenden Rücken. »Eigentlich rauche ich sowieso nicht. Zumindest nicht absichtlich. Ich dachte nur, vielleicht…« Ihre Stimme verlor sich. Sie zuckte die Schultern. »Naja, vielleicht besser so.« Sie lehnte sich zurück und starrte hinauf zum Sternenhimmel.

»Sie schreiben Fernsehserien«, sagte Lindsay fast fröhlich. Die zwei Frauen sahen sich vorsichtig an, Moskitos summten um ihre Köpfe. Ein zarter Geruch nach Hot Dogs wehte durch die Nachtluft.

»Naja, eine«, sagte Dinah. »Ich schreibe eine Schnulzenserie. *Herzenswunsch.*«

Lindsay bekundete ihr Verständnis mit einem Nicken. Sie saß aufrecht auf ihrem Stuhl. Der offene Kragen des weißen Baumwollkleids enthüllte einen winzigen runden Diamanten, der sanft glitzerte, wenn sie sich bewegte. »Ich glaub, ich hab schon mal davon gehört«, sagte sie. »Aber eigentlich seh ich nicht viel fern. Tagsüber arbeite ich normalerweise. Und wenn nicht, dann… bin ich lieber draußen. Ich arbeite gern im Garten.«

Dinah schlug nach einem Moskito, der sich auf ihrem Arm niedergelassen hatte. »Stimmt, das hat mir Rudy schon erzählt.« Sie wischte sich den Kadaver von der Hand.

»Was?« Ein Gedankenstrich zitterte zwischen Lindsays hellgrünen Augen. Die Tombola hatte begonnen.

»Daß Sie gern im Garten arbeiten.«

»Aha.« Der Strich stand unverändert an seinem Platz. Dinah hatte das Gefühl, daß sie niesen mußte. Sie legte die Hand an die Nase. Lindsay sah ihr dabei zu. »Haben Sie irgendwelche Hobbies?« fragte sie schließlich.

»Hobbies? O Mann, ich weiß wirklich nicht. Hobbies haben sich für mich immer so nach Briefmarkensammeln angehört, oder Kajakfahren oder –«

»Oder Gartenarbeit«, unterbrach sie Lindsay heftig, den Mund nach vorn geschoben. Die Furche zwischen den Augen hatte sich vertieft.

Dinahs Magen gab ein hinterwäldlerisches Geräusch von

sich; sie legte die Hand darauf, um ihn zu beruhigen. »Nein«, rief sie und machte mit der anderen Hand eine beschwörende Geste. »Gartenarbeit nicht. Das ist irgendwie bei weitem nicht so... republikanisch.« Sie sah sich hilfesuchend nach dem Haus um. Aber es kam keine Unterstützung. Sie legte die Hand an die Wange, die Stirn. Genau, ihr war übel. Dieses Gerede über Hobbies machte sie ganz kribbelig. Und das Feuerwerk und die Männer. »Gartenarbeit hat irgendwie was ziemlich... Zenmäßiges an sich. Was Beruhigendes, Einfaches.«

»Beruhigend ist es auf jeden Fall. Aber einfach könnte ich nicht sagen.«

»Nein, ich meine auch nicht einfach im Sinne von leicht, sondern grundlegend. Rein«, beeilte sich Dinah zu versichern. Lindsays Diamant funkelte, zog Dinahs Blick auf sich. »Nein, also, ich wäre froh, wenn ich ein Hobby hätte. Schreiben war für mich früher so eine Art Hobby, aber jetzt, wo aus dem Hang zum Schreiben ein Zwang geworden ist...« Sie schüttelte hilflos den Kopf.

Lindsay warf ihr einen offenen, immer noch ein wenig gekränkten Blick zu und fuhr sich mit der Zunge über die Lippen. »Vielleicht sollten Sie es auch mal mit Gartenarbeit probieren.«

»Werd ich bestimmt.« Dinah lehnte sich nach vorne, um zu unterstreichen, wie ernst es ihr damit war. Ein Schweißtropfen rann von unterhalb ihrer linken Brust in Richtung Taille. Sie schlug die Beine übereinander. Lindsay schnippte einen Moskito weg, der ihren Kopf umsummte. Zum erstenmal war ihnen der Gesprächsstoff ausgegangen, sie hatten die Mauer am Ende der Sackgasse erreicht.

Rudy paßt hervorragend zu diesem Mädchen, dachte Dinah. Und ich sollte mir einen weniger männlichen Typen suchen. Für einen wirklich männlichen Typen bin ich einfach nicht weiblich genug. Ein einziger Wettstreit und kein Sieger. Zwei Yangs und kein Yin. Die Wahrsagerin hat gesagt, daß viele weiche Männer zu mir kommen werden. Ein weicher Japaner... zum Streicheln.

»Was führt Sie eigentlich nach Long Island?« Lindsays Frage schreckte Dinah aus ihrer Träumerei.

Sie runzelte die Stirn und seufzte. Warum mußten alle Leute die gleiche Frage stellen? Paßte sie so wenig in die Umgebung? Wahrscheinlich. »Nichts Besonderes eigentlich«, räumte sie schließlich verlegen ein. »In L.A. ist Autorenstreik, und da... dachte ich, ich komm einfach her.«

»Kennen Sie viele Leute hier?«

»Viele? Nein, eigentlich nicht. Nein. Und Sie?«

»Ein paar«, sagte Lindsay. »Aber auch nicht viele. Ich bin eben zusammen mit Rudy hier.«

Dinah nickte rhythmisch. »Ich weiß«, fügte sie überflüssigerweise hinzu, immer noch nickend. »Wie schön für Sie.«

»Ja«, sagte Lindsay betont. »Es ist wirklich schön.« Gefaßt blickten sie einander in die Augen, gefaßt auf fast alles.

Wozu bin ich hierher gekommen? fragte sich Dinah. *Was hatte ich vor?* »Wie schön«, sagte sie noch einmal traurig und verscheuchte eine nicht existierende Mücke. Der Ansager verlas die Gewinnummer der Tombola. Das Motorrad hatte einen Besitzer gefunden. Unten am Wasser schrie und tobte jemand vor Freude. Dinah schielte durch die Menge, um einen Blick auf den Glücklichen zu erhaschen.

Lindsay strich sich über das Kleid und lehnte sich zurück. »Roy ist nett, glaub ich.«

Dinah nickte zerstreut. »Ja, ich glaub auch. Roy und ich, wir sind nicht zusammen, wir haben uns erst vor kurzem kennengelernt. Er ist mein Nachbar draußen in Salter's Cottages.«

»Ach so. Eigentlich schade.«

»Naja, vielleicht, vielleicht«, sagte Dinah. »Aber ich kenne ihn eigentlich viel zu wenig, um mir darüber klar zu sein, was ich verpasse, wenn ich nicht mit ihm zusammen bin.«

»Verstehe.«

»Roy hat ein ziemlich kompliziertes Privatleben. Er braucht bestimmt niemanden, der die Sache noch schwieriger macht.«

»Ich dachte, Sie kennen ihn nicht so gut?«

»Naja, manche Leute muß man gar nicht so gut kennen, um sie gut zu kennen.«

Lindsays Augen verengten sich. »Was wollen Sie damit sagen?«

Dinah erschrak, als sie merkte, wie sich ihre Bemerkung auffassen ließ. »Nichts, überhaupt nichts, ich…«

»Da wären wir!« Die Getränke in der Hand, kam Roy über sie wie ein Raubvogel und zerschmetterte die Spannung in tausend unsichtbare kleine Scherben, die die Atmosphäre anreicherten. Roy stellte die Cola mit Rum vorsichtig vor Dinah ab, Rudy den Weißwein vor Lindsay. Beide hatten ein Bier in der Hand.

»Tut mir leid, daß es so lang gedauert hat«, bemerkte Rudy und sah erst Lindsay prüfend in die Augen, dann Dinah mißtrauisch in die ihren. »Da war eine Schlange«, erklärte er und setzte sich hin. Roy nahm einen tiefen Schluck und ließ sich ebenfalls nieder. Der Stuhl knarrte.

»Na, habt ihr euch gut unterhalten?« fragte er Dinah aufgedreht.

Dinah schenkte ihm einen ihrer grimmigsten Blicke, als ob das alles irgendwie sein Fehler wäre. Lindsay. Rudy. Männer. Frauen. Einfach alles. »Ja«, erwiderte sie kurz angebunden. »Wir haben uns über Hobbies unterhalten.«

»Hobbies.« Roy nickte mit gespieltem Ernst. »Wirklich? Wir haben uns ein bißchen übers Schreiben unterhalten.« Er sah beide Frauen nacheinander an. Dinah unterdrückte erfolgreich ein Lächeln.

»Schreiben und Sport«, ergänzte Rudy und nahm Lindsays Lilienhand.

Dinah fühlte sich schlecht und einsam. Wie ein Alien; ein Cyborg; ein unerwünschtes Wesen aus dem Weltraum. Alle Menschen um sie herum bewegten sich in Paaren – oder in Roys Fall, im Trio –, jederzeit bereit zur Abfahrt mit der Arche.

»Was wären wir Männer bloß ohne Sport? Kann mir das jemand verraten?« sagte Roy. Er schlug nach einem Moskito auf seiner Hand und wischte ihn am Hosenbein ab.

Dinah rutschte auf dem Stuhl nach vorne, blickte kurz zu Rudy und Lindsay, die beide mit gefalteten Händen dasaßen, dann wieder weg. »Das ist doch einfach schön für Männer, dieses Gemeinschaftserlebnis beim Sport«, warf sie kläglich ein. »Frauen haben so etwas nicht.«

Rudy sah Dinah giftig an und nahm einen Schluck Bier. »Und was ist mit Frauenbasketball?«

»Und Volleyball?« stimmte Roy ein.

Lindsay sah beklommen drein, Wolken brauten sich in ihrem klaren Gesicht zusammen. Dinah blieb die Spucke weg. In der Reihenfolge der blöden Bemerkungen sah sie die beiden Männer an. »Habt ihr euch schon mal ein Frauenspiel angesehen?« fragte sie mitleidig, die Vorsitzende des Wohltätigkeitskomitees für geistig Minderbemittelte.

Lindsay nickte zustimmend. »Die sind wirklich furchtbar«, sagte sie mit leiser, verschwörerischer Stimme und setzte ein zartes Lächeln auf.

»Frauenteams, deren Mitglieder aussehen wie diese Damen am Flughafen, die dich filzen«, sagte Dinah.

»Genau!« Lindsay lächelte Dinah zu, die Schmähung ihres Hobbies schon fast vergessen. »Ihr wollt doch nicht allen Ernstes behaupten«, sagte Dinah, »daß Frauen etwas haben, das mit Männersport vergleichbar wäre.«

»Und was ist mit dem Müttergenesungswerk?« fragte Roy und zwinkerte Rudy zu. »Und den Wohltätigkeitsvereinen? Und der Frauenliga gegen Alkoholismus?«

»Ernsthaft«, sagte Dinah. »Was haben wir Frauen für Gemeinschaftserlebnisse?«

»Ich weiß nicht«, sagte Rudy. Er hätte am liebsten das Thema gewechselt; die Unterhaltung drohte in eine von Dinahs Problemdiskussionen abzugleiten. »Frauen freunden sich doch eh so leicht an. Männern fällt das viel schwerer. Also reden wir über Sport – aber nicht nur.«

»Sport und Arbeit«, sagte Roy wehmütig.

»Und Frauen sprechen über Männer«, bemerkte Lindsay.

»Eben«, lächelte Dinah.

Roy und Rudy tauschten einen langen, gelangweilten Blick. Roy wandte sich zu Dinah: »Ich dachte, ihr habt über Hobbies geredet.« Spöttisch hielt er den Kopf geneigt.

»Hobbies als Mittel zum Zweck, sprich Männer«, konterte Dinah.

Rudy seufzte. »Du kannst dir gar nicht vorstellen, wie sehr mich diese ständigen Männer-Frauen-Diskussionen, die von Frauen angezettelt werden, anöden.«

»Was für eine Männer-Frauen-Diskussion?« Dinah warf ihm einen herausfordernden Blick zu. Auch Lindsay betrachtete ihn aufmerksam von der Seite.

»Ich weiß auch nicht«, sagte er leicht enerviert. »Dieses ewige Gerede, daß wir in einer Männerwelt leben.« Hilflos sah er zu Roy hinüber.

»Aber wenn du es von so vielen Frauen zu hören kriegst, dann ist ja vielleicht doch was dran...« meinte Dinah.

Roy schüttelte den Kopf und lachte. »Willst du mir erzählen, daß ihr die Wahrheit gepachtet habt? Die objektive Wahrheit?«

Dinah rutschte auf ihrem Stuhl nach vorn und wandte sich jetzt an Roy. »Nicht unbedingt. Da spielen einfach zu viele Emotionen mit rein. Wahrscheinlich muß man eine Frau sein, um das zu verstehen.«

Auch Lindsay lehnte sich jetzt aufgeregt nach vorn, Rudys Hand in der ihren. »Frauen sind Bürger zweiter Klasse.« Sie sah Rudy an und verbesserte sich: »Zumindest zwischen erster und zweiter Klasse.«

»Es ist einfach eine Männerwelt«, faßte Dinah zusammen und schlug dabei mit der flachen Hand auf den Tisch. Rudy wollte etwas darauf antworten, überlegte es sich dann aber anders und wandte sich an Lindsay. »Und inwiefern?«

Lindsay begann mit ihrer freien Hand, an ihrer Halskette zu nesteln. »Naja, eigentlich in fast jeder Hinsicht.« Rote Flecken erschienen auf ihrem cremefarbenen Hals. »Ökonomisch, politisch – die Männer bestimmen über alles auf der Welt.« Nach dieser kurzen Wortmeldung konzentrierte sie sich auf die Betrachtung ihres Weinglases.

»Verdammt«, rief Dinah, »man hat's eben leichter auf diesem Planeten, wenn man ein Mann ist. Und zwar in jeder Hinsicht. Biologisch: ihr könnt euch fortpflanzen, soviel ihr wollt. Wir nicht. Ihr könnt noch 'ne Familie gründen, wenn ihr schon blind seid und keine Zähne mehr habt. Ihr könnt euch Zeit lassen mit dem Heiraten und Kinderkriegen, aber bei uns rückt die Grenze in immer bedrohlichere Nähe. Hey, das ist doch sonnenklar. Männer verdienen für die gleiche Arbeit mehr Geld als Frauen.«

Rudy zeigte zum erstenmal eine Reaktion. »Das stimmt, das halte ich aber auch für falsch.«

Dinah ließ sich zurückfallen. »Na prima. Vielleicht kannst du ja mal mit den entscheidenden Leuten ein ernstes Wörtchen reden und das abstellen. Ich pfeif auf deine Frauenliga gegen Alkoholismus!«

Roy blickte treuherzig zu Dinah hinüber. »Frauenpornostars kriegen mehr Kohle als Männerpornostars.«

Dinah machte eine Grimasse, aber Rudy bekundete Interesse. »Stimmt das?«

Roy nickte beglückt. Dinah seufzte. »Na, wunderbar. Dafür, daß sie sich erniedrigen.«

Rudy zuckte mit den Achseln. »Na, hör mal, du kannst doch den Männern nicht die Schuld für ihre biologische Überlegenheit geben –«

»Es ist nicht eure Schuld, aber es ist eure Welt, die immer so weitergeht«, sagte Dinah.

»Aber da sind doch alle dran schuld«, meinte Roy.

»In fast allen Regierungen sitzen nur Männer«, warf Lindsay ein. Ihr blasses Gesicht war nicht mehr ganz so rot. Mit der freien Hand berührte sie beschwörend Rudys Arm.

Roy trank aus und stellte die leere Flasche schwungvoll auf dem Tisch ab. Ein Schachmatt.

»Und was ist mit England?« schnarrte er, den Blick auf Lindsay. »Und mit Pakistan?« fügte er zu Dinah gewandt hinzu. Ihr Herz pochte.

»Eben«, mischte sich Rudy ein.

Dinah sah ihn an. Was hatte sie je an ihm gefunden? Dann fiel ihr Blick auf Roy. Was fand sie eigentlich an all diesen Typen?

»Eben. Und was ist mit dem bekloppten Island?« lachte Dinah. »Und gibt's da nicht auch diese seltsamen amazonenartigen Stämme im nördlichen Teil von Südamerika? Aber wir sprechen von überall sonst!« Sie war beim Sprechen außer Atem gekommen. Lindsays Diamant funkelte an ihrem Hals. Nervös griff sie danach. Zigarrenrauch zog an ihrem Gesicht vorüber. Sie hielt sich vier Finger vor den Mund und hüstelte.

Rudys Stuhl knarzte unter seinem Gewicht. »Vielleicht hat das auch zum Teil etwas damit zu tun, daß viele Frauen einander nicht viel zutrauen. Wenn eine Frau Präsidentin werden will, glaubt ihr, daß sie von vielen Frauen gewählt wird?«

Lindsay warf ihm einen sonderbaren Blick zu.

»Wahrscheinlich nicht. Weil die Frauen, wie du so schön sagst, einander normalerweise nicht viel zutrauen.«

»Stimmt«, sagte Dinah. »Weil wir in einer Zivilisation aufgewachsen sind, die uns weismacht, daß die Männer überlegen sind. Einer Welt, in der die Männer ihre ältere Frau gegen eine jüngere auswechseln können, ohne daß sich jemand einen Dreck drum schert.«

»Und wir wollen euch ja gar keinen Vorwurf draus machen«, meinte Lindsay sanft zu Rudy und legte ihm die Hand auf den Arm. Dann riskierte sie einen schüchternen Blick zu Roy hinüber. »Wir sagen ja nicht, daß es richtig oder falsch ist. Wir wollen bloß festhalten, wie es in Wirklichkeit aussieht.«

»Ja! Und so sieht es leider nun mal aus.« Dinah begleitete ihre Worte mit einem heftigen Nicken.

Roys Arme legten sich um die leere Bierflasche wie ein kreisförmiger Hafen. »Hat nicht diese Frau, die sich für das Amt des Vizepräsidenten beworben hat – diese Geraldine Ferraro –, bittere Tränen vergossen, als sie's nicht geschafft hat?«

»Ach hör mir doch damit auf, das ist doch bloß die typische Scheiße«, protestierte Dinah. »Auf solche Dinge stürzen sich dann die Männer bei Politikerinnen. Ich weiß nicht mal, ob es stimmt, daß sie geweint hat. Und Nixon? Hat der vielleicht nicht geflennt, du Penner? Davon spricht natürlich niemand –«

»Was soll das heißen, niemand spricht davon? Mein Gott, schau dir den Typen doch an«, unterbrach Roy sie hitzig.

»Schau ihn dir erstmal selbst an, bevor du weiterredest.«

Rudy schaltete sich ein. »Sieh mal, Männer müssen eben Erfolg haben im Leben. Das ist ihre Hauptaufgabe. Frauen müssen natürlich auch Erfolg haben, aber sie stehen nicht unter diesem extremen Druck. Für Frauen ist es keine solche Katastrophe, wenn sie nicht Karriere machen, das liegt doch auf der Hand.«

»Genau«, sagte Dinah. »Der Mann ernährt die Familie, die Frau stillt die Kinder. Männer müssen reich sein, Frauen schön. Alte Mummelgreise mit jungen, knackigen –«

Rudy unterbrach sie mit versteinerter Miene. »Extrem schöne Menschen sind mir ein Greuel. Sie kommen mir vor wie jemand, der über eine große Gabe verfügt, ohne daß er etwas dafür kann.«

Lindsay saß an seiner Seite und trank in nervösen kleinen Schlucken von ihrem Wein. Dinah warf ihm einen kurzen gereizten Blick zu. »Wenn ein reicher alter Knacker ein junges, armes, schönes Mädchen heiratet, dann ist es die Geschichte vom Aschenputtel. Wenn ich mir das gleiche rausnehme, dann heißt es, ich laß es mir von einem Papagallo besorgen. Denkt bloß an das Gerede über Cher, als sie mit dem jungen Typ zusammen war –«

»Rob Camilletti.«

»Egal.« Dinah nahm Lindsays Einwurf kurz zur Kenntnis und richtete ihre Aufmerksamkeit wieder auf Rudy und Roy. »Es hieß, daß sie, als sie ihn zum ersten Mal sah, gesagt hätte, man solle ihn waschen und dann zu ihrem Zelt bringen. Aber Cher sagt, daß das überhaupt nicht stimmt. Das ist einfach bloß die typische Männerscheiße. Ein einziger Kuhhandel. Männer werden an ihren Leistungen gemessen – also an Macht, Geld, Erfolg – und Frauen an ihrer Schönheit – also an einem Geburtszufall.«

»Oder an einer guten Schönheitsoperation«, sagte Lindsay. »Wenn eine Frau nicht heiratet, ist es ein Fiasko. Man nennt sie eine alte Jungfer. Bei einem älteren unverheirateten Mann heißt es dagegen, er sei eine gute Partie.«

»Aber nur, wenn er reich ist«, sagte Roy niedergeschlagen. »Und Geld erben genauso wenige wie gutes Aussehen.«

Dinah verzog die Lippen. Lindsay sah sie kurz an und senkte dann wieder den Kopf. »Nicht zu vergessen die sieben Extrajahre«, sagte Rudy lächelnd.

»Was für Extrajahre?« fragte Lindsay.

Auch Dinah sah Rudy verständnislos an. In der Ferne ertönte eine Bootshupe.

»Frauen leben durchschnittlich sieben Jahre länger als Männer«, erklärte Rudy. »Ich würde liebend gern meine sogenannte Macht in dieser Welt gegen eure sieben Jahre tauschen.«

Dinahs Lippen wurden blaß. »Na prima.«

Rudy lachte spöttisch. »Na klar, jetzt sagst du prima, aber ich habe schon Leute gesehen, die nicht mehr lang zu leben hatten. Und dann sind die sieben Jahre auf einmal ganz furchtbar wichtig.«

Dinah lehnte sich noch weiter nach vorn, die Hände zusammengepreßt, bis die Knöchel weiß hervortraten. »Neulich war ich beim Arzt, und ich hab ihm von dem Typ in der Arbeit erzählt, und er fragt mich, wie alt er ist, und ich sag zweiundvierzig, da sagt er: ›Das ist ja noch jung – für einen Mann.‹ Und wißt ihr, warum das jung ist für einen Mann, aber nicht für eine Frau? Genau, die Sache mit der zweiten Familie. Mit vierzig sterben die Eier allmählich ab, doch die Samen bleiben frisch bis zum Schluß. Also scheiß auf deine sieben zusätzlichen Jahre. Ihr könnt euch ewig zieren, bis ihr euch auf eine feste Bindung einlaßt, bis ihr eine Familie gründet – und wenn's euch nicht mehr paßt, dann könnt ihr euch wieder 'ne Jüngere suchen und noch eine und noch eine–«

Roy klopfte ihr leicht auf die Schulter. Ihr kam es vor wie ein besonders herablassender Beschwichtigungsversuch.

»Und was ist mit Haarausfall?« fragte er sie sanft. »Frauen verlieren ihre Haare nie, aber wir Männer –«

Diesmal war es Lindsay, die Roy unterbrach. »Nicht alle Männer verlieren ihre Haare. Zwanzig Prozent verlieren sie mit zwanzig, dreißig Prozent mit dreißig, vierzig Prozent mit vierzig und so weiter.« Sie sah Dinah in die Augen. »Mein Bruder ist Dermatologe. Ein kahlköpfiger Dermatologe.«

»Das heißt doch, daß wir alle spätestens mit hundert keine Haare mehr auf dem Kopf haben«, bemerkte Rudy mit steinerner Miene.

»Das heißt bloß, daß die Hälfte von euch in den mittleren Jahren eine Glatze hat, während wir alle einen Hängebusen kriegen«, konterte Dinah.

Roy nickte zerstreut und lehnte sich wieder zurück. »Na schön. Aber eins muß man doch auch sehen, nämlich, daß diese ganzen Sachen sich zur Zeit in einem Übergangsstadium befinden. Die meisten Frauen gehen schon zur Arbeit, die Verteilung der Macht ändert sich. Die Frauen sind dabei, sich zu nehmen, was ihnen zusteht.«

»Du sagst es«, bemerkte Dinah. »Jetzt müssen die Frauen arbeiten *und* dafür sorgen, daß in der Beziehung alles stimmt.«

»Ach komm, Dinah, ich bitte dich«, sagte Rudy gereizt, »hast du dich je um unsere Beziehung gekümmert?« Er schielte kurz zu Lindsay hinüber und nahm dann einen Schluck aus seiner Flasche.

»Ob ich mich um unsere Beziehung gekümmert habe? Hast denn *du* dich drum gekümmert? Wahrscheinlich ist sie deswegen gescheitert, weil ich meine Seite der Vereinbarungen nicht eingehalten habe. Aber die waren auch recht einseitig – ich hatte nämlich die ganze Verantwortung. Eine ziemlich unfaire Vereinbarung, das kannst du mir glauben.« Alle Farbe war aus ihrem Gesicht gewichen und hatte sich dem Anschein nach auf den Hals verlagert. Sie berührte ihn mit einer Hand. Er war heiß. Ein leichtes Schwindelgefühl hatte sie erfaßt. Grimmig starrte sie geradeaus auf ihr Glas. Lindsay betrachtete sie mitleidig.

»Wir sind auf die Schnauze gefallen«, sagte Dinah fast ängstlich. »Wir sind die Übergangsgeneration, die im Glauben an eine aussichtsreiche Heirat und ans Kinderkriegen erzogen worden ist, und dann mußten wir uns auf einmal auch noch nach einer Arbeit umsehen. Oder statt dessen. Mir war nie ganz klar, was von beidem. Die Aussagen waren so widersprüchlich.«

»Hey, Mädels«, rief Roy putzmunter, »hört doch endlich mit dem Gejammere auf. Das bringt doch nichts. Ihr müßt es eben nehmen wie ein Mann.«

Rudy kämpfte gegen ein Lächeln an und verlor.

»Ihr solltet eine Frauenzeitschrift rausgeben.« Roy konnte nicht mehr an sich halten. »Unter dem Motto: ›Es gibt nichts Schöneres, als eine Frau zu sein.‹« Rudy lachte jetzt ganz offen und stimmte ein: »Oder wie wär's mit: ›Frauen, zeigt eure Zähne!‹«

Beide schüttelten sich vor Lachen. Rudy hatte eine Hand vor dem Mund und Tränen in den Augen. Lindsay und Dinah blickten sich bedeutungsvoll an. Lindsay zog ihre Hand aus der Rudys und trank ihr Glas aus.

»Aber, meine Damen, wer wird denn gleich«, sagte Roy, wieder um einen etwas ernsthafteren Ton bemüht. »Wir wollen nicht vergessen, daß Frauen multiple Orgasmen haben können.«

»Und ihre Periode und dreiundzwanzig Prozent mehr Fett im Gewebe«, sagte Dinah.

»Und die Wonnen des Wochenbetts«, ergänzte Rudy. »Und einen länger dauernden, späteren sexuellen Höhepunkt.«

»Genau, als Ausgleich für die Wechseljahre«, sagte Lindsay und schob eine Seite ihres glatten Haars hinter ein Ohr.

»Und wie viele Frauen kennst du, die multiple Orgasmen hatten?« fragte Dinah Roy.

»Und zwar ohne technische Hilfsmittel?« lachte Lindsay.

Auch Dinah mußte lachen und warf Lindsay aus strahlenden Augen einen liebevollen Blick zu. »Denn Gott hat dir verboten, den Mund zu Hilfe zu nehmen. Cunnilingus gibt's nur in den ersten paar Wochen oder wenn er glaubt, daß sie ihn verlassen will.«

Rudy wurde rot und sah Dinah mißbilligend an. Lindsay lachte hilflos, stumm, die Augen voller Tränen. Rudys strafender Blick fiel auch auf sie. Sie senkte den Kopf, lachte aber immer noch mit zitternden Schultern in ihren Schoß hinein.

Roy wandte sich eifrig Dinah zu. »Okay, aber wenigstens müßt ihr keine Erektion kriegen. Denn was ist, wenn's nicht klappt? Natürlich kriegt man immer eine im unpassendsten Augenblick. Aber dann geht wieder überhaupt nichts mehr – und manchmal schon vorher –, und das ist wirklich demütigend.«

Dinah starrte auf das Glas vor sich, ohne es zu sehen. »Dreiundzwanzig Prozent zusätzliches Fettgewebe«, intonierte sie und schüttelte bestürzt den Kopf. »Und alles nur, damit es das Ungeborene im Mutterleib schön warm hat. Da lob ich mir eine schlichte Decke.«

»Oder einen Ofen«, ergänzte Lindsay. Einen leuchtenden Augenblick lang lächelten sich die beiden Frauen offen an, dann sahen sie verlegen weg.

»Und was ist mit dem Herzanfall, den wir schon mit neununddreißig kriegen können?« fragte Roy. »Während ihr geschützt vom Östrogen locker über Fünfzig werdet?«

»Verfolgt vom Östrogen, meinst du wohl«, entgegnete Dinah, den Blick auf ihre Hände im Schoß gesenkt. Besonders auf die Hand ohne Ehering. Das Thema war erschöpft. Allgemeines Schweigen. Betretenes Schweigen. Rudy blickte vor sich hin ins Nichts; Lindsay auf die gefalteten Hände; Roy auf seine leere Bierflasche; Dinah auf einen Moskito auf ihrer ringlosen Hand.

Roy seufzte und streckte sich. »Im Grunde läuft es darauf hinaus, was mein Vater immer gesagt hat: ›Die Männer halten die Frauen für verrückt, und die Frauen halten die Männer für Kinder.‹«

»Na, von der Sorte Sprichwörter gibt's 'ne Menge«, meinte Dinah. »Wie wär's zum Beispiel damit: ›Die Männer hassen die

Frauen für das, was sie tun, und die Frauen hassen die Männer für das, was sie sind.‹«

Lindsay grinste. »Oder zum Beispiel: ›Beim Kennenlernen hofft der Mann, daß sich die Frau nie ändert, und die Frau hofft—‹«

Roy unterbrach sie. »Darf ich auf etwas zurückkommen, was Sie vorher gesagt haben?«

»Klar«, meinte sie zweifelnd.

»Ich hab mir nämlich gerade überlegt, mit welchem technischen Hilfsmittel man multiple Orgasmen kriegt. Sollte es sich dabei um einen Vibrator handeln?«

Sie standen an der Kreuzung – beide Paare auf dem Weg zu ihren Autos. Dinah hielt Lindsays blasse, kühle Hand und hoffte irgendwie, die Fackel weitergegeben zu haben, die sie jahrelang getragen hatte. »Es war schön, Sie kennengelernt zu haben«, sagte sie. Sie versuchte, ihr etwas mitzugeben, etwas zwischen den Worten – Wohlwollen, viel Glück, Frieden – irgend etwas. »Ehrlich.« Sie drückte Lindsays Hand, um zu unterstreichen, wie ernst sie es meinte.

»Für mich auch«, sagte Lindsay und nickte immer wieder mit dem blonden Kopf. »Für mich auch.«

Dinah nahm Roys Arm und hob die Hand zum Abschiedsgruß.

»Gute Nacht«, sagte Roy fröhlich.

»Gute Nacht«, sagte Rudy zu Dinah.

Sie lächelte. »Mach keine Dummheiten. Vor allem keine, die wir schon zusammen ausprobiert haben.«

»Ich fang gleich an zu weinen«, rief Roy melodramatisch. »Wie Nixon.«

Während ihnen Lindsay und Rudy nachschauten, wanderten Roy und Dinah über den Hügel und durch die Bäume zu ihrem Auto.

Sie sagte gute Nacht zu Roy, Strich drunter, und ging nach Hause in ihr Versteck. Tony überschlug sich vor Freude, und sie ließ ihn hinaus. Sie machte sich fertig zum Schlafengehen, demontierte die Person, die sie den ganzen lebenslangen Tag so mühsam aufrechterhalten hatte. Bevor sie das Licht ausschaltete, wählte sie noch einmal die Nummer ihres Vaters und folgte dem rhythmischen Klingeln hinaus ins Nichts.

Nilpferde legen bisweilen ein ziemlich seltsames Verhalten an den Tag. Es kann vorkommen, daß ein Vater seinem Sohn den Kopf zermalmt oder daß ein Jungtier durchdreht und seine Mutter mit seinen riesigen Fangzähnen zu Tode beißt. Um sich das Familienleben ein wenig zu erleichtern, bleiben die Kühe daher immer zusammen und geben sich mit den Bullen nur zu Paarungszwecken ab.

10

Dinah träumte, daß sie ein Kind bekam und nicht wußte, wer der Vater war. Zwei Männer kamen dafür in Frage. Aber das wirklich Bemerkenswerte an der Geburt war, daß sie so reibungslos verlief. Sie wunderte sich noch, warum alle immer so eine große Affäre daraus gemacht hatten. Und das Baby – es war unglaublich: Glückstrahlend und putzmunter. Was für ein Glück, daß sie solch ein Kind bekommen hatte! Ein prima Baby, bei dem sie sich gar nicht erst ins Zeug legen mußte, damit etwas aus ihm wurde. Als sie genauer hinsah, stellte sie fest, daß es zum Teil schwarz war. Auf dem winzigen Kopf hatte es kurzes, drahtiges schwarzes Haar. Sie konnte sich nicht erinnern, wie es dazu kommen konnte, aber für sie war das auch kein Problem. Dann gab sie dem Baby die Brust, und auch das war ganz anders, als sie erwartet hatte. Es war nicht besonders hungrig. Anscheinend viel zu sehr mit seiner Umgebung beschäftigt. Sie erinnerte sich an ihre Hoffnung, daß Rudy sich nicht zu sehr darüber ärgern würde, daß es nicht seines war. Daß es diesmal nicht seines war und daß es trotzdem noch ein anderes Mal geben würde. Eigentlich hoffte sie ja, daß die Sache überhaupt nicht zur Sprache kam. Die Sache mit dem prima Baby.

Dann träumte sie, sie sei im Gerichtssaal der Bundesflugbehörde, wo die Jury eine Entscheidung über den Absturz der Beziehung zwischen Dinah und Rudy fällen mußte. Der Flugschreiber lag auf dem Richtertisch. Gespannt verfolgten die Juroren, wie der Richter das Gerät öffnete, um das Band mit ihrem letzten Gespräch vor dem Absturz abzuspielen. Dinah beugte sich nach vorn, um etwas zu sehen, zu hören, um sie aufzuhalten. Der Richter drückte auf ›Play‹, und Dinah erwachte schweißgebadet im hellen Sonnenlicht.

—

Mit einem Seufzer hievte sie sich aus dem Bett. Was uns nicht umbringt, macht uns stärker. Stammte dieser Ausspruch nicht von Nietzsche? Dem Frauenhasser, der an Syphilis gestorben war? Was die Männer nicht umbrachte, machte sie stärker. Was die Frauen nicht umbrachte, machte… den Männern das Frühstück. Sie ging in die Küche und nahm drei Eier aus dem Kühlschrank. Sie schlug sie nacheinander auf, verrührte sie in einer Schüssel und schüttete das Ganze in eine Bratpfanne mit Butter. Sie schnitt drei Scheiben Speck ab und ließ sie über kleiner Flamme anbraten. Dann holte sie sich eine Dose Diätcola aus dem Kühlschrank und machte sie auf. Sie rief nach Tony, der träge aus dem Schlafzimmer zur Haustür wanderte, die sie ihm aufhielt. Plötzlich lief er schwanzwedelnd durch die Tür, direkt auf Rudy Gendler zu, der draußen auf dem Weg stand und aussah wie jemand, der angestrengt versucht, die Musik aus dem Nebenzimmer zu hören. Leise, schöne Musik.

»Darf ich reinkommen?« rief er.

Dinah strich sich mit der Hand durch das vom Schlaf verfilzte Haar und glättete halbherzig den knittrigen Morgenrock. »Klar«, sagte sie leise. »Ich war grad dabei, dich zu vergessen… aber… klar, komm rein.« Sie hielt ihm die Tür auf, und Rudy streifte sie im Vorbeigehen. Tony folgte ihm ganz aufgeregt. »Ich mach gerade Frühstück. Willst du auch was?«

»Ja«, sagte er. »Natürlich. Du kochst?«

»Hab zur Zeit so 'ne Phase.« Sie häufte die Eier auf einen Teller und stellte ihn vor Rudy hin, der schon am Tisch Platz genommen hatte. Sie drehte den Speck um und ging zum Kühlschrank, um sich noch eine Portion zu machen und Rudy ein Glas Saft einzuschenken. Sie nahm noch einmal drei Eier heraus und verrührte sie. Dann ließ sie den Speck ablaufen, legte die Scheiben vorsichtig auf Rudys Teller und stellte das Glas Saft daneben. Bedächtig begann Rudy zu essen und betrachtete wohlwollend Dinahs ungewohnte Geschäftigkeit in der Küche. Langsam, fast hypnotisch, bewegte sie die Eier in der Pfanne herum. »Wie hast du mich gefunden?«

»Meine Schwester«, erwiderte er kauend.

»Ah«, machte sie. »Natürlich.«

Die Worte klangen blutleer. Wie einbalsamiert.

»Wenn ich früher auch schon gekocht hätte, wären wir vielleicht noch zusammen«, fuhr sie fort, während sie die Eier aus der Pfanne auf den Teller hob. Als ob sie über ein anderes, ihr nur flüchtig bekanntes Paar spräche, für das sie sich nur rein theoretisch interessierte.

Rudy schluckte und seufzte. »Es geht doch nicht ums Kochen, Di... Es ist einfach ihre schlichte, unumstößliche Überzeugung, daß sie mich braucht. Sie ist sich sicher. Du warst dir nie sicher. Du hast mich geliebt, klar, aber du hast nie so genau gewußt, ob du mit mir zusammen sein willst. Und sie will es mehr als alles andere – nicht so, daß nichts anderes mehr zählen würde, aber mehr als alles andere eben. Und das ist wirklich ein schönes Gefühl. Du warst mir eine ebenbürtige Gefährtin, aber du wolltest nicht bleiben.«

Dinah blickte nach unten auf ihre rechte Hand. »Mein Nagel bricht«, sagte sie leise und hob zum Beweis den Zeigefinger. »Da! Direkt am Ansatz...«

Rudy hielt abwehrend die Hand hoch. »Bitte laß mich ausreden. Sie ist mir vielleicht nicht ebenbürtig, aber sie ist *bei mir*. Ich hatte einfach nicht mehr die Kraft, ständig auf dich zu warten. Ich brauche ein Heim. Und sie will mich so sehr, daß sie mir gibt, was ich brauche. Du liebst mich, aber du schenkst mir keinen Frieden. Meine ganze Arbeit war in unseren letzten Monaten in einer Sackgasse. Andauernd diese Aufregung und Hyperaktivität. Ich konnte nicht mehr richtig arbeiten, und das hat mich ganz krank gemacht. Das würde mich immer noch krank machen, und das ist einfach Gift für mich.« Er hielt jäh inne und holte Luft.

Dinah stellte ihren Teller auf den Platz gegenüber von Rudy. Als sie sich setzte, sah sie ihn kurz an. Nachdenklich nippte sie an ihrer Diätcola. Rudys Blick wanderte an der glatten Kurve des Tellerrands entlang. Irgendwo in der Ferne ertönte eine Hupe. Tony starrte bettelnd auf Rudy, in der Hoffnung, seine standhaft pathetische Miene würde ihm einen kleinen Bissen einbringen. Rudy beachtete ihn nicht, er wollte seine Ruhe haben. Seine Ruhe vor Verpflichtungen aller Art, damit er bequem vor sich hin arbeiten konnte. Er war mitfühlend, ja sogar hellsichtig, aber er mochte keine Probleme. Er warf Dinah einen Blick zu, nahm einen Großteil davon wieder zurück, hielt ihn in Reserve, räusperte sich.

»Ich muß mir einen Namen machen«, sagte er und bemerkte endlich den Hund. »Vielleicht wird das nächste Stück ein großer Erfolg, und dann ist wahrscheinlich auch der Druck nicht mehr so groß.« Er riß ein kleines Stück Speck ab und hielt es dem wartenden Hund hin, der es dankbar und gierig verschlang. Rasch zog Rudy die Hand zurück. Dinah beobachtete ihn, als wollte sie es für später aufzeichnen. Gelassen, allein.

»Du hast dir doch schon längst einen Namen gemacht.«

Rudy seufzte und verscheuchte eine Fliege. »Ich weiß auch nicht. Vielleicht ist das alles nur ein Spiel für mich, damit ich meine Kreativität nicht verliere – aber so ist es nun mal. Ich habe so viel Energie, und die muß ich schließlich auf etwas richten.« Er blickte sie beinahe flehend an. »Ich muß einfach was machen, sonst weiß ich nicht, was ich anstellen soll.«

Traurig lächelnd sah Dinah zum Fenster hinaus, den unvermeidlichen Ausgang dieses Gesprächs vor Augen. Wenn es ihr nur nichts ausmachen würde!

»Eigentlich hat doch von Anfang an alles dagegen gesprochen, daß wir zusammenpassen.« Sie zuckte mit den Schultern. »Irgendwie hab ich… immer versucht, Argumente für uns zu sammeln. Wie heißt es noch: ›Besser den Spatz in der Hand…‹ Wenn du nicht mit ihm leben kannst und auch nicht ohne ihn, dann leb in seiner Nähe.«

»Dinah, versteh doch, ich kann mich nicht noch einmal so

intensiv auf jemanden einlassen. Ich bin kein Spieler. Ich habe mich richtiggehend zerfleischt, weil ich mich bei dir so blöd angestellt habe. Beides hat eben was für sich – daß man zusammen ist und daß man nicht zusammen ist. Du hast es doch eigentlich nie so richtig mit mir zusammen ausgehalten – du hast immer gesagt, ich bin so... kritisch.«

Dinah rutschte auf dem Stuhl hin und her. »Ich hatte immer den Eindruck, daß ich dir nicht gut genug bin. Daß ich immer alles... vermassle. Entweder warst du wütend auf mich oder ... nicht. Und nie wirklich glücklich. Ich meine, es gab bei dir entweder Strafe oder gar nichts. Nicht-Strafe war die einzige Belohnung. Verstehst du, da werden ja sogar Hunde besser behandelt! Wenn du nicht genau gekriegt hast, was du wolltest, dann hat es dich nicht die Bohne interessiert.«

Rudy schob die Eierreste auf dem Teller hin und her und räusperte sich. »Na schön, Dinah.... Warum fährst du mir dann nach? Wenn ich wirklich so schlimm war, warum bist du nicht ganz woanders und freust dich des Lebens?«

Dinah lachte. »Ich gehöre nicht zu der Sorte, die sich so leicht freut. Und außerdem liebe ich dich wahrscheinlich immer noch.«

»Ja schon«, seufzte er, »ich liebe dich auch, aber –«

Dinah unterbrach ihn. »Also gut, ich bin die, die du brauchst, aber ich kann dir nicht geben, was du willst –«

Rudy fuhr dazwischen. »Wir können einfach nicht miteinander leben. Wir machen uns nicht –«

»Ich weiß.« Dinah sprach hastig und mit vollem Mund. »Ich kann es auch nicht rational erklären, daß ich hier bin. Und daß ich dich liebe.«

»Dein Paradox ist eben, daß du dich von Leuten angezogen fühlst, die im Mittelpunkt der Aufmerksamkeit stehen, obwohl du selbst im Mittelpunkt der Aufmerksamkeit stehen möchtest.«

Dinah lachte. »Wie wenn man Öl mit Öl vermischt.«

»Honey, du hast nun mal nicht besonders viel übrig für häusliche Angelegenheiten. Und dann kann es natürlich auch kein Heim zum Teilen geben.«

Sie schluckte ein wenig Kohlensäure. »Aber es ist bestimmt einfacher, eine Intellektuelle zu domestizieren, als einen Domestiken zu intellektualisieren.«

Rudy nickte unbestimmt. »Schon, aber auch so was kann durchaus interessant sein. Verstehst du, man hilft einer Person, sich zu bilden, man leitet sie an und sieht, wie sie lernt, wie sie allmählich zu einer Persönlichkeit reift.«

»So 'ne Art Liebesuniversität? Na egal, jedenfalls lernt sie nur, um dir einen Gefallen zu tun. Und nicht unbedingt aus eigenem Antrieb. Und ich spreche jetzt gar nicht von Lindsay. Ich mag sie nämlich. Sie ist gar nicht dumm.«

»Ist sie auch nicht. Sie ist nur etwas in sich gekehrt und... ein lieber Mensch. Aber sieh mal, es ist doch normal, wenn ich will, was ich brauche, oder? Andere Leute nehmen es sich doch auch. Und ich will auch nicht, daß man mir einen Vorwurf daraus macht. Ich will gar nicht dauernd herumkritteln. Ich brauche einfach eine, die zu mir steht – und ich bin der erste, der zugibt, daß das keine leichte Aufgabe ist. Und ich ertrage es auch nicht, wenn ich mich ständig beklagen muß. Ich sage mir: ›Du mußt es aushalten! Du mußt! Sag einfach, was du denkst!‹ Denn meistens sage ich nicht, was ich denke.«

Dinah sah ihn unverwandt an. Mit der rechten Hand hielt sie sich an ihrer Cola fest, und mit den Fingern der linken Hand zupfte sie an ihrem wunden Daumen. Sie lächelte. »Es ist schon komisch«, sagte sie leise. »Du hast Angst, blöd zu wirken, und ich hab Angst, mich blöd zu fühlen.«

Rudy runzelte die Stirn, entspannte sich wieder und zog die Mundwinkel ein wenig herab. »Da muß ich dir recht geben.«

»Das dachte ich mir, du alter Zyniker!«

Er schenkte ihr ein amüsiertes Lächeln. »So alt auch wieder nicht. Für mein Alter und meine Erfahrung besitze ich genau das richtige Maß an Zynismus.« Er hatte die Arme auf dem Tisch liegen und sah sie offen an. »Dinah, dein Leben ist einfach größer als meins, und ich hatte immer Angst, daß du mich überrollst. Und ich möchte mich ja auch mitreißen lassen, aber... auf meine

Weise, die mir weiterhilft. Klar, jede Bindung erfordert Kompromisse – glaubst du vielleicht, ich weiß das nicht? Es zeichnet sich schon ab, wie sie bei Lindsay aussehen werden, und ich weiß wirklich nicht, ob ich es schaffen werde....« Er seufzte. »Mein Gott, die Ehe. All die Illusionen, die sich die Leute bei der Hochzeit gegenseitig auftischen. Dabei ist das Ganze so furchtbar kompliziert und aufreibend, daß man einfach nicht sagen kann: ›... und ich werde dir... und wir werden beide... und wir... und unser Leben wird...‹ Wenn ich so was höre, würde ich am liebsten laut losbrüllen: ›Woher zum Teufel wollt ihr das denn wissen?‹ Wer weiß schon, was passieren wird? Das ist genauso wie die Weisheit, daß die Netten langweilig sind und die Klugen schwierig; letzten Endes sind sie dann doch alle schwierig.«

Dinah kaute, den Mund jetzt voller Eier und Speck, und schluckte das Ganze hinunter. Der Bissen blieb ihr im Halse stecken, der Speck hatte sich wohl quergelegt, die Eier erschwerten die Sache noch. Sie lief rot an und begann zu würgen. Sie legte die Hand vor den Mund und stand auf. Rudy sah immer noch auf den Teller.

»Ich finde das gar nicht so komisch«, sagte er. Er sah auf und bemerkte, daß sie nicht lachte. »Was hast Du? Ist alles in Ordnung?«

Dinah wankte zum Spülbecken und versuchte zu atmen. Sie schaffte es nicht. Ihre Augen füllten sich mit Tränen. Sie verfiel in Panik. Wandte sich zu Rudy. Konnte nicht sprechen. Nicht atmen.

»O Gott, was ist denn?« Dinah, rot wie eine Ampel, kippte vornüber. Rudy stand hinter ihr und gab ihr einen Schlag auf den Rücken. Nichts. Dinah japste nach Luft. Erfolglos. Rudy legte jetzt seine Arme von hinten um sie und stieß sie mit beiden Händen fest zwischen die Rippen. Einmal. Zweimal. Dreimal, und der zerkaute Frühstücksbissen flog aus Dinahs Mund. Keuchend stand sie da, Rudys Arme lagen immer noch um sie und hielten sie von hinten fest.

»Atme«, mahnte er sie sanft. »Atme.« Dinah ließ sich langsam zu Boden gleiten und senkte den Kopf. Ihr Herz schlug wie wild, und der Kopf tat ihr weh. Rudy kniete sich neben sie, und sie legte die Arme um seine Taille und den Kopf auf seine Schulter. Arm in Arm saßen sie schweigend auf dem Hüttenboden.

»Dein schwarzer Höllenschwan muß nicht sterben«, sagte sie schließlich.

»Auch für dich gibt es nicht nur den Einen – du wirst schon sehen«, flüsterte er nach einer Weile.

Dinah brannten die Augen, ihre Kehle fühlte sich trocken und entzündet an. »Ich glaub es nicht. Wenn ich es nur glauben könnte, aber ich kann nicht.« Sie seufzte. »Ich glaube, daß Liebe etwas... ganz Seltenes ist, und... wenn man sie gefunden hat –«

»Du würdest doch in New York niemals glücklich werden. Du würdest immer wieder davonlaufen und nach L.A. zurückkehren.«

»Woher willst du das so genau wissen. Bist du Hellseher? Du solltest an der Börse spekulieren.«

»Ich hab doch Augen im Kopf.«

»Augen oder Angst?«

»Beides wahrscheinlich. Aber an einer Beziehung sollte man Spaß haben.«

»Klar, Hauptsache, du kommst auf deine Kosten.«

»Di – okay, Spaß ist nicht das Entscheidende, sondern mehr ein Nebenprodukt, aber...« Er räusperte sich und setzte neu an. »Versteh doch, es ist doch schon einmal schief gelaufen zwischen uns beiden. Und mein Therapeut sagt, daß sich die Menschen nicht verändern – nicht grundlegend jedenfalls.«

»Warum gehst du dann überhaupt zu einem Seelenklempner?«

Rudy schüttelte den Kopf. »Naja... ein bißchen kann man sich schon ändern. Ich glaube, du sagst all die Sachen zu mir, die du als Kind nicht zu deinen Eltern sagen konntest. Die Einwände, die du nie vorbringen oder artikulieren konntest.« Rudy hielt inne und seufzte. »Weißt du, Dinah, ich will auch mal nicht verstanden werden. Ich will einfach... jemand sein. Wenn man immerzu verstanden wird, fühlt man sich so... bedrängt.«

»Und was hättest du gern? Daß man dich bewundert, bedient, dich immer wieder für jemand anderen hält?«

Rudy blickte sie nur an und strich ihr eine Haarsträhne aus der Stirn. Ließ die Hand über ihre Wange gleiten. Dinah ließ ihn schweigend gewähren. Er beugte sich zu ihr. Seine Lippen bewegten sich auf die ihren zu. Sie stieß ihn von sich. Überrascht saßen sie da und starrten sich an.

Rudy gab ihr den Stoß zurück. »Wenn du mich nicht willst, warum läufst du mir dann dauernd nach?«

Dinahs Gesicht glühte vor Zorn. Der knittrige Morgenrock klebte auf dem ovalen Schweißfleck auf ihrem Rücken. Diesmal versetzte sie Rudy einen festeren Stoß. Sie hatte das Gefühl, um ihr Leben zu kämpfen. »Ich? Ich lauf dir nach?«

Beide atmeten schneller, als Rudy sie abermals ziemlich grob, wenn auch noch zurückhaltend, von sich stieß. Sie war ja nur eine Frau. Dinah stürzte sich jetzt geradezu auf ihn und legte die Hände um seinen Hals.

»Du hast doch angefangen!« rief sie. »Du bist nach L.A. gekommen und hast mit mir –«

Rudy zerrte an Dinahs Händen, sein sonnengebräuntes Gesicht war leichenblaß, seine Augen quollen hervor. Er zog ihre Hände weg und schob sie von sich.

Dinah setzte sich wieder auf den Boden, den Morgenrock um die Knie gebauscht. »Du willst ja nur, daß ich irgendwie –«

Rudy schnitt ihr das Wort ab und ordnete sein Hemd. »Ich will überhaupt –«

Dinah zerrte den Morgenrocksaum wieder über die Knie. »– auf dich warte. Mein ganzes Leben soll ich auf dich warten, mit dir schlafen, und du –«

Rudy winkte heftig ab und erhob sich. »Ach mach doch, was du willst! Mein Gott, du bist es ja gar nicht wert, daß –«

Er konnte den Satz nicht zu Ende führen, weil Dinah sich plötzlich mit solcher Heftigkeit auf ihn warf, daß er auf den Rücken fiel.

Ungeschickt versuchte sie, sich rittlings auf seine Brust zu setzen, und zerriß sich dabei am Rücken von oben bis unten den Morgenrock. Er stieß sie von sich, diesmal mit sichtlicher Anstrengung. Schwach und atemlos fiel sie zur Seite. Tony kam schwanzwedelnd dazugerannt, wollte auch mitspielen. Mit rotem Gesicht und weißen Fingerknöcheln hielt Rudy sie nieder, hielt sie sich vom Leib. Als er davon überzeugt war, daß ihm keine unmittelbare Gefahr mehr drohte, ließ er sie los und richtete sich auf.

»Du egoistischer…«, sagte sie.

Die Hände auf den Knien, rang Rudy um Fassung. »So was kann ich einfach nicht mehr machen«, sagte er halb zu sich selbst, erleichtert über diese Erkenntnis.

»Unflexibler…«, murmelte sie. Sie setzte sich auf und zog ihre Beine an und den Morgenrock über die Knie. Ruckartig schob sie sich zurück, bis sie die Wand erreicht hatte, und beobachtete ihn schwer atmend aus zusammengekniffenen Augen.

»Jetzt ist Schluß damit«, sagte er.

»Von mir aus.« Sie schluckte.

»Na schön, Dinah. Was wäre denn, wenn ich mich verändern würde und nicht mehr unflexibel wäre oder unzufrieden oder arrogant – wenn ich all das nicht mehr wäre, was du mir immer vorwirfst? Wer sagt denn, daß du mich dann überhaupt noch haben wolltest? Angenommen, ich hätte einen Autounfall und bekäme einen Schlag auf den Kopf, so daß ich auf einmal ein ganz anderer Mensch bin…«

»Klingt gut. Na und? Was willst du damit sagen?«

»Ich will damit sagen, daß… daß es dich vielleicht anmacht, wenn du jammern und rumschimpfen kannst.«

Dinah starrte Rudy einige Sekunden lang an, verdaute seine Bemerkung, versuchte, sein Gesicht in den richtigen Kontext einzuordnen. Sie fühlte sich wie ein Geist, der zwar dasselbe Haus heimsucht, nur daß inzwischen alles umgestellt worden ist. Sie senkte den Blick auf die rechte Hand. »Mein Nagel ist ab«, bemerkte sie. »Jetzt ist er ganz abgebrochen.«

Rudy hatte sich wieder gefangen. Gelassen stand er in der Tür.

Dinah blickte wieder zu ihm auf. Von den Füßen aufwärts bis zu seinem vertrauten, Abschied nehmenden Gesicht. »Das wär's dann also. Kein Kontakt mehr.«

Rudy, der sich schon langsam durch die Tür geschoben hatte, hielt noch einmal inne.

»Ich sehe nicht ein, warum wir nicht manchmal miteinander… reden sollten«, sagte er mit leiser Stimme, ohne sie anzusehen. Dinah starrte ihn so unbewegt an, wie sie konnte, das Kinn auf den Knien. Tony saß zwischen den beiden und blickte ratlos vom einen zum anderen. Rudy kratzte sich seufzend am Kinn. Er räusperte sich ein letztes Mal und sagte: »Weißt du, wenn du nach New York gekommen wärst, damals, als ich dir gesagt habe, du sollst nicht kommen, dann wären wir wahrscheinlich noch zusammen.«

Die Tür knallte, und der Besen fiel auf das Radio, aus dem gedämpfte Musik drang.

> Love brings such misery and pain;
> I know I'll never be the same since I fell for you.

Mit wackelndem Schwanz lief Tony auf Dinah zu und versuchte, ihr zwischen Armen und Beinen auf den Schoß zu kriechen und das Gesicht zu lecken. Dinah streichelte ihn zerstreut, als hielte sie nicht einen Hund, sondern kühle, dichte Luft in den Händen. Liebeskummer. Sie krampfte die Hände ineinander und rang sie wie eine Frau aus einem französischen Roman. Dabei saß sie wie eine Frau aus einem amerikanischen Roman mit einem Hund im Schoß da und hörte sich das traurige Spottlied von Genesis an. »Bye«, sagte sie noch einmal, die Augen auf Tonys braunweißes Fell gerichtet. Sie hatte das beklemmende Gefühl, festzustecken. Sie zog den Hund an sich und weinte in sein staubiges Fell. Tony leckte ihr das Gesicht, und Dinah mußte noch mehr weinen, weil es ihr vorkam, als würde Tony sie für ihren Schmerz bemitleiden. Schließlich legte er sich auf den Rücken, weil er gekrault werden wollte. Dinah brach erneut in Schluchzen aus und stieß ihn von sich. »Alles hat seinen Preis!« jammerte sie. Schwankend stand sie auf und schaltete das Radio aus. Dann schlurfte sie mit letzter Kraft ins Schlafzimmer, ließ sich ins Bett fallen und vermummte sich in die Decke.

Sie fürchtete sich und war doch völlig ruhig. Sie verzehrte sich vor Verlangen und langweilte sich dabei. Sie erreichte den Kern in sich nicht, der verletzlich war und sicher und sie selbst. Sie machte es sich bequem in ihrer Furcht. Sprach in verschlüsselten Sätzen. Lauerte irgendwo zwischen einem Pronomen und einer Präposition.

Sie gehörte zu der Sorte von Leuten, die gern irgend etwas ausbügeln, daher suchte sie immer nach knittrigen Situationen. Jetzt fand sie sich wieder einmal in einer Hölle, die ihr wie der Himmel erschien. Bis zum Hals in der Scheiße. Ihre Schwäche war eigentlich ihre Stärke. Ihre Stärke ergab sich aus ihrer Schwäche. Wie auch immer. Ihre Liebe zog sie da hin, wo sie unerwünscht war. Also durfte sie nicht mehr mitgehen.

Sie krümmte sich zusammen, wollte den Aufruhr in sich zur Ruhe bringen. Die Gedanken wälzten sich durch ihren Kopf. Was hätte ich tun sollen, was kann ich Gutes tun? Ein Mann wie ein Regenschirm, der mich vor allem Unheil bewahrt... so darf es nicht sein, das ist verkehrt. Und sie ließ sich fallen in den dunklen Wald der Wörter, ohne Heimat, ohne Ziel. Ohne Chance, das in sich zu finden, wonach sie bei ihm gesucht hatte. So darf es nicht sein, das ist verkehrt. Sie klammerte sich an eine Stange inmitten des tobenden Ozeans. Die Stange war Rudy, und sie war der Ozean.

Durch ihren Kopf wälzten sich Feuerbälle... sie lechzte nach einem kühlenden Hoffnungsschimmer. Sie rollte sich auf den Bauch und griff nach dem Telefon, um es noch einmal mit der Nummer ihres Vaters zu versuchen. Gebannt hörte sie dem wiederkehrenden Klingeln zu.

Sie wollte gerade aufhängen, da meldete sich eine Stimme. Die wehleidige Stimme ihres Vaters. »Daddy?« Das Wort kam über ihre Lippen wie ein Gebet aus ihrem tiefsten Innern. »Daddy – ich bin's.«

»Hallo, Kleines, lange nichts mehr von dir gehört.« Seine Stimme klang ein wenig verschlafen.

»Hab ich dich aufgeweckt?« Sie legte den Kopf auf die Knie und hielt das Telefon wie eine schützende Decke fest.

»Nein, nein – ich hab mich nur einen Moment hingelegt – was ist los?«

»Daddy, glaubst du, eine Ehefrau sollte kochen können?«

Er lachte. »Naja, was weiß denn ich, Kleines – schaden kann's bestimmt nicht, aber es ist auch nicht unbedingt notwendig, würd ich sagen. Deine Mutter zum Beispiel kann garantiert nicht kochen. Von meinen Frauen konnte eigentlich keine kochen.«

»Schon, aber du bist ja auch mit keiner von ihnen mehr verheiratet.«

»Das kannst du laut sagen!« rief er lachend. »Aber mit ihren Kochkünsten hat das gar nichts zu tun.«

»Womit dann?«

Er seufzte. »Ich bin wohl ein unverbesserlicher Romantiker. Ich weiß, es ist kindisch. Ich gehöre eben zu den Narren. Aber... wenn man liebt und wiedergeliebt wird, das ist einfach unschlagbar. Und wahrscheinlich suche ich heute noch, was ich immer gesucht habe – leidenschaftliche Liebe. Auch wenn ich weiß, daß es nicht hinhaut. Aber ich habe leidenschaftlich geliebt und ich werde mich wahrscheinlich immer danach sehnen. Aber, weißt du, Leidenschaft ist eine kurzlebige Sache. Drei Jahre sind bei mir die Schallmauer. Und eins der Probleme heutzutage ist einfach, daß die Leute zusammenleben, weil sie länger leben.« Eine kurze Pause folgte, und Dinah hing still ihren grübelnden, verrückten Gedanken nach, lechzte nach der seltenen väterlichen Stimme. »Was ist denn, mein Kleines, hat jemand von dir verlangt, daß du kochst?«

Dinah lachte und machte die Augen zu. »Nein, Dad, eigentlich nicht. Ich habe nur... « Ihre Stimme verlor sich.

»Dinah«, sagte ihr Vater, »manche Leute sind für die Ehe geschaffen und manche für die Liebe.«

Dinah fuhr auf. »Was meinst du damit?«

Ihr Vater ließ ein langes, verunsichertes Lachen hören. »Naja, daß du vielleicht so bist wie ich. Ich hab mich immer von Frauen angezogen gefühlt, die mich nicht wollten. Ich fand ihre... Gleichgültigkeit attraktiv. Ich weiß auch nicht, es war irgendwie, als ob ich da falsch gepolt wäre. Frauen, die sich für mich interessierten, waren für mich vollkommen uninteressant. Langweilig. Naja, jetzt, wo ich alt bin, merke ich, daß es viel besser gewesen wäre, wenn ich mich hätte langweilen lassen, anstatt umbringen.« Dinah versuchte angestrengt, ihn zu verstehen. Mit der freien Hand liebkoste sie den neben ihr schlafenden Tony. Ihr Vater fuhr fort. »So liegen die Dinge für mich, jetzt nach vier Ehen, wo wahrscheinlich alles zu spät ist. Vielleicht müssen sich manche Leute eben bei der Wahl ihres Lebensgefährten ein bißchen mehr auf ihren Kopf verlassen und nicht so sehr... auf die Gefühle... auf das Herz. Dieses... Prickeln, das uns überkommt, wenn wir bestimmten Leuten begegnen, ist ja keine Liebe, sondern ein... neurotisches Aufflackern. Man sollte die Finger davon lassen. Das hab ich irgendwie nie fertiggebracht, aber ich kann dir nur sagen, mach's mir nicht nach, mach, was ich dir sage. Geh dorthin, wo du gebraucht wirst. Eine Beziehung sollte sich auch um Geborgenheit drehen, um... um ja... und nicht nur dieses ganze andere Zeugs. Weil das sowieso nicht lange hält, und dann stellt es sich auf einmal heraus, wen man da erwischt hat. Schau mich an. Ich bin ganz allein. Nicht daß ich meine Erfahrungen missen möchte. Die Leidenschaft. Die Frauen. Aber du bist ja noch so jung, so jung. Du bist nicht dumm. Benutz deinen Verstand, wenn du dir einen aussuchst. Ich würde dich gern mit einem Mann sehen, mit dem du glücklich bist.«

»Ich mich auch«, sagte sie leise. »Daddy?«

»Ja, mein Kind.«

»Wärst du gern eine Frau?«

Seine Antwort war kaum zu verstehen, weil er ein Gähnen

252

unterdrücken mußte. »Ob ich gern eine Frau wäre? Nein, ich glaub, als Frau hat man's noch schwerer. Ich bin sowieso schon so kompliziert. Wie heißt es so schön? Die Männer sind das Opfer ihrer Sexualität, und die Frauen sind das Opfer der Männer.«

»Wer sagt das?«

»Weiß nicht mehr, mein Freund Sidney in Palm Springs, glaub ich.« Er seufzte. »Viermal verheiratet. Kaum zu fassen. Weißt du, manchmal glaub ich, es war für mich so 'ne Art Jungbrunnen. Wenn du in ein altes Gesicht siehst – ein Gesicht in deinem Alter –, dann denkst du, ich bin alt. Wenn du in ein junges, neues Gesicht siehst, denkst du, ich bin jung! Vielleicht ist es so, daß man sich von der Jugend anderer etwas borgt. Manchmal bin ich mir vorgekommen wie ein Vampir, auch wenn mir die Beziehungen am Anfang immer gefallen haben. Ich hab einfach die Zähne immer wieder in ein anderes Opfer geschlagen. In jeder Ehe gab's am Anfang viel zu nagen, bis am Schluß nur noch der blanke Knochen stehengeblieben ist. Die nackten Tatsachen sozusagen.« Er lachte. »Verstehst du mich überhaupt? Ich hab nämlich die Brücken im Unterkiefer nicht drin.«

Dinah lächelte und umarmte die Knie noch fester. Sie liebte ihren Vater noch mehr, liebte ihn, um die Liebe zu spüren, um geliebt zu werden, um die Entfernung zwischen sich und – was? – allem zu überbrücken.

»Geht's dir gut, mein Liebling?« fragte ihr Vater.

»Ja, Daddy. Mir geht's gut. Ich... ich warte nur gerade auf den Durakkord nach dem Mollakkord. Du weißt doch, wenn ich mich nicht mit irgendwas rumschlage, dann hab ich das Gefühl, daß sich nichts tut.«

Ihr Vater lachte. »Ich kann dir nur eins sagen, mein Kleines, versuch bloß nicht, den Knackpunkt bei der ganzen Sache zu finden. So weit ich sehen kann, ist der wie ein Chamäleon. Aber ich versprech dir – wenn ich ihn jemals entdecken werde, dann geb ich dir was ab. Das bringt dich schon auf Trab. Hey, das reimt sich ja! Was sagst du nun?«

Dinah lachte. Sie machte das Licht aus und deckte sich wieder zu. »Das ist prima, Daddy.«

»Okay, mein Liebling – ich schlaf jetzt noch ein bißchen.«

»Ich auch, Dad. Gute Nacht.«

»Ich liebe dich, mein Kleines.«

»Ich dich auch, Dad.«

Dann machte sie, was jeder Mensch mit Liebeskummer und in ihrer labilen Lage vielleicht getan hätte. Sie schaltete den Fernseher ein. Es lief gerade eine Sendung über Leute mit häßlich entstellten Gesichtern. Der Moderator sagte: »Wenn alle Leute ihre Probleme hier auf den Tisch legen könnten, ich wette, daß sie froh wären, wenn sie sie wiederkriegen würden.«

Ja, dachte Dinah. Ja. Liebeskummer oder Mißbildung? Ja. Was sagten sie gerade? Kinder mit solchen Behinderungen sind oft sehr sensibel und begabt. Ja? »Ich will, daß die Leute hinter mein Aussehen blicken und daß sie erkennen, daß ich auch ein guter Mensch bin.« Okay. Das Leben gibt den Menschen oft etwas, indem es ihnen etwas nimmt. Sie überlegte sich das Arrangement für ihre Probleme. Mein Gott, sie war gesund. Sie hatte Arbeit, ein Auto, einen Hund, ein Haus, kein entstelltes Gesicht. Was würde sie mit einem *wirklichen* Problem anfangen? Irgendwie hatte sie den Verdacht, daß sie mit anderen Problemen besser zurande kommen würde. Sie würde mit der Herausforderung wachsen. Hohe Erwartungen, wenig Ertrag. Sie mußte ja nicht gerade darauf warten.

»Wir laufen um die Wette bis zum Ende meines Kummers«, sagte sie zu Tony. Aufgeregt wedelte er mit dem Schwanz. Dinah kraulte seinen flaumigen Kopf. »Du hast gewonnen.«

—

Rose sitzt auf dem Vordersitz eines Autos und beobachtet durch das offene Fenster Blaine, der vor ihr im Schnee steht. Wie gebannt starren sie sich durch die großen weißen TV-Schneeflokken an, die sich, ohne zu schmelzen, auf Blaines Jacke sammeln. Rose schreibt ihre Telefonnummer auf ein Stück Papier und reicht es dem blonden Mann im Schnee durch das Fenster. Er schiebt es in die Tasche. »Du bist so mädchenhaft«, sagt er, lehnt sich durch das Fenster und gibt ihr einen flüchtigen Kuß auf den Mund. Sein helles Haar ist mit Schnitzeln aus Papierschnee übersät. »Wie... mädchenhaft?« fragt Rose bescheiden und senkt die dicht bewimperten Lider. »Im besten Sinne.« Blaine setzt sein erschrockenes, knabenhaftes Lächeln auf und stakst, die Hände tief in den Taschen, durch den wirbelnden Schnee davon. Rose sieht ihm nach, ein verträumtes Lächeln spielt um ihre lieblichen, traurigen Lippen. Die Kamera fährt heran, bis man ihr Gesicht in Großaufnahme sieht. Schnitt. Oil of Olaz-Reklame.

—

Dinah wühlte in ihrer Tasche nach einem Stift und durchsuchte dann das Haus nach Papier. Als sie nichts fand, schrieb sie auf die Rückseite eines rötlich-braunen Briefumschlags.

Wie ein Auto fährt mein Gehirn durch deine Worte. Um mich herum kann ich es hören, mitten drin, nickend. Das Dröhnen meines Gehirns, das auf Hochtouren läuft. Ich fahre, fahre in den nächsten Augenblick, drehe mich um meine Achse, fühle die Brise. Das Wagendach, mein Schädeldach, Windschutzaugen, der Mund lenkt. Wir rasen über die Autobahn. Schleudernd. Mein alter Freund und Kupferstecher. Er ist mein alter Freund und Kupferstecher. Ich habe mich durchs Leben gequält und wie ein Staffelläufer die ganze Zeit gehofft, jemand würde mich ablösen, mir etwas abnehmen von meiner Aufgabe, die so subtil ist und voll stummer Verzweiflung. Mein Gehirn schnurrt, läßt den Motor warm laufen und fährt schnurstracks über meine Hand. Weich fließe ich in dich, krieche in deine Winkel zu einem Stelldichein, Stell-dich-bald-ein.

Dieses Liebesgetue steht mir schlecht zu Gesicht. Paßt nicht zu mir. Ein ungeschickter Tanzpartner, der mich zum Veitstanz bittet. Ich liebe dich, eine runde Sache, ein rund laufender Motor. Irgendein Klugscheißer dort draußen schwingt die Peitsche sei-

nes Wahns, hinterläßt schwellende Schwielen auf meinen Hüften, reitet mich bis in die Dämmerung, reitet mich wie die große Bestie.

Ich bin, was du willst, aber mein Was ist schadhaft und schädigt mein Wer-Sein. Mein Ich-glaubte-dich-zu-lieben-Sein. Mein Ene-mene-Miste-es-rappelt-in-der-Kiste.

Es kann wirklich entspannend sein, den Weltknäuel zu entwirren. Laß das Garn davonrollen, rollen, die Treppe der Buchseite hinunterrollen.

»Hallo?«

Eine Stimme vor ihrem Fenster. Roys Stimme. Eine warme Sonne ging in ihrer kalten Welt auf. Dinah richtete sich auf und legte den Stift weg. »Roy?« rief sie zögernd.

»Derselbe. Noch was übrig vom Loyalitätssoufflé?

Dinah lächelte, schwang die Beine aus dem Bett und tappte zur Tür. Öffnete. Roy stand sonnenbeschienen im Türrahmen, die Zeitung in der Hand, lächelnd. Dinah strahlte ihn an. »Du siehst aus wie ein Held.«

»Was für ein Held?« fragte er argwöhnisch.

»*Mein* Held.«

Roy sah sie prüfend an. »Geht's dir gut?« Dinah zuckte die Schultern und ging, gefolgt von Roy, zurück in die Küche. »Der Göttergatte war hier, nicht? Ich glaub, ich hab ihn auf dem Weg gesehen.«

Dinah schenkte ihnen beiden Saft ein. »Ich werd noch als alte Jungfer enden.« Sie seufzte.

»In deinem Alter solltest du ein Wort wie ›enden‹ gar nicht kennen.«

»Ja, aber du kennst ja das Sprichwort – je älter man wird, desto magerer die Ausbeute, was man von den Menschen allerdings nicht gerade behaupten kann.« Dinah setzte sich und legte den Kopf auf den Tisch.

»Wer sagt das?«

»Meine Freundin Connie.« Dinah sah jetzt mit offenem Gesicht und fast flehend zu ihm auf.

»Er sagt, er liebt mich, aber...«

Roy setzte sich auf den Platz ihr gegenüber. Er beugte sich zu ihr und sah sie eindringlich an. »Es spielt keine Rolle, ob er dich liebt; nur wie er dich behandelt, zählt. Es gibt Ehemänner, die ihre Frauen lieben, und dann bringen sie sie trotzdem um. Und manche Eltern schlagen ihre Kinder und lieben sie trotzdem. Liebe ist zweitrangig. Es kommt nur darauf an, wie du behandelt wirst.«

Dinah nickte kläglich. »Stimmt. Mein Vater hat mich geliebt, und ich hab ihn nie zu Gesicht gekriegt. Genausogut hätte er mich nicht lieben können. Ich bringe einfach Liebe mit Abwesenheit durcheinander. Wie schön für mich. Ich kann eine Beziehung zu jemandem unterhalten, ohne daß der andere dabei ist. Und wenn nichts schon genug ist, dann ist ein klein bißchen mehr schon eine Überdosis. Rudy ist mir auf seine Art genauso verbunden wie ich ihm, nur legt er größeren Wert darauf, wie er behandelt wird – ganz offensichtlich im Gegensatz zu mir.« Sie seufzte und schüttelte trübsinnig den Kopf. »Aber ich versteh immer noch nicht, wie er mich so behandeln kann.«

»Wahrscheinlich weil du es zuläßt«, sagte Roy. »Und außerdem, was bringt es dir schon, wenn du seine Motive verstehst? Ich meine, wenn er dich erschlagen würde, wärst du erleichtert, wenn du seine Gründe kennen würdest? Bloß weil er sich vielleicht auf deine Fehler berufen kann, ist es doch noch lange nicht okay, oder? Gibt's überhaupt so was wie eine gerechte Sache? Und wenn der Grund in einem Konflikt in seiner Persönlichkeit liegt, für den du nichts kannst – dann ist das vielleicht ein Grund, aber doch keine gerechte Sache.«

»Mein Vater sagt, ich sollte mir mit dem Verstand jemanden aussuchen und nicht mit dem Herzen, weil ich emotional total falsch gepolt bin.«

Roy schüttelte den Kopf. »Nein, bestimmt nicht. Und wenn du nun zu der Sorte gehörst, die sich nicht entscheiden kann und die erst Jahrzehnte später merkt, daß dieser eine der Richtige für sie gewesen wäre, was dann?«

»Seh ich vielleicht so aus?« fragte sie. »Und außerdem,

glaubst du wirklich, daß sich so jemand überhaupt einmal durchringt?«

»Ich hab mich eigentlich immer davor gefürchtet«, begann Roy nachdenklich, »daß ich am Tag, nachdem ich eine Frau aus bloßen Vernunftgründen geheiratet habe, der Liebe meines Lebens über den Weg laufe. Ich meine, wir dürfen die Suche nicht so einfach aufgeben.«

»Aber irgendwann *muß* es eben sein.«

»Nein und nochmals nein. Das glaube ich einfach nicht. Es gibt Leute, die ziehen das große Los.«

»Ja – aber nur drei.«

»Na gut, wenn du dich gern rumstoßen läßt, dann solltest du –«

Dinah unterbrach ihn. »Ich laß mich eigentlich nicht besonders gern rumstoßen, sondern lieber aushungern.« Ihre Augen füllten sich mit Tränen und sie sah zu Boden.

Roy lehnte sich zurück und sagte mit sanfter Stimme: »Ist doch alles halb so wild.«

Dinah wischte sich die Tränen aus den Augen und stützte das Kinn auf beide Hände. Sie warf ihm einen seltsamen Blick zu. »Bist du glücklich?«

Roy schmunzelte. »Meistens schon. Glück gehört zu meiner Grundausstattung, die ich immer dabei habe. Und das wird auch bei dir wieder so werden, verlaß dich drauf. Auch wenn du's mir jetzt nicht glauben willst.«

Dinah lächelte. »Du bist lieb.«

»Klar, genau die Sorte Mann, auf die du überhaupt nicht stehst.«

»Naja«, sagte sie, »vielleicht, wenn es mir wieder besser geht und du nicht gleichzeitig zwei Beziehungen am Hals hast...« Sie zuckte mit den Achseln. »Wer weiß?« Sie lächelte. »Wer weiß was? – Naja, wer vielleicht, aber nicht was.«

»Bitte?«

»Ach nichts.«

»Darf ich dich etwas fragen?« sagte er. »Wenn du einen Eins-

Minus-Typen triffst, der dich nicht ausstehen kann, und einen Zwei-Plus-Typen, der dich wirklich gern hat, für wen entscheidest du dich?«

»Für den Eins-Minus-Typ«, sagte sie ohne Umschweife. »Und du?«

»Ich?« Er nippte an seinem Saft. »Ich stürz mich erstmal auf die Zwei-Plus-Frau, bis ich die Eins-Minus kriegen kann.«

Epilog

Jenseits des Knackpunkts

—

Rose steht mit ernstem Gesicht an Blaines Bett. Aus Flaschen, die mit einer hellen Flüssigkeit gefüllt sind, führen dünne Infusionsschläuche zu seinen Armen. Der Fernseher in der Ecke des Zimmers zeigt ein stummes Basketballspiel. Blaines Lieblingsmannschaft, die Knicks, sind auf der Verliererstraße. Doch er hat die Augen ohnehin geschlossen, weiß nichts von der drohenden Niederlage, weiß nicht, daß Rose hilflos an seinem Bett steht und dem schwachen Auf und Ab seiner Atemzüge zusieht. Eine Schwester fühlt ihm den Puls und überprüft das Signal auf dem Monitor, das seine Lebensfunktionen überwacht. Sie sieht gelangweilt und tüchtig aus. In der Ferne hört man, wie Ärzte ausgerufen und Essenswagen vorbeigeschoben werden.

»Wie geht es ihm?« fragt Rose zögernd.

»Sind Sie mit dem Patienten verwandt?«

Rose richtet sich ein wenig auf. »Seine Frau.« Sie erwidert den Blick der Krankenschwester. »Seine geschiedene Frau«, gibt sie wie unter Zwang zu.

Die Schwester sieht sie streng an und glättet ihren gestärkten weißen Rock. Dann tritt ein weicher Zug in ihr Gesicht. »Sein Zustand ist kritisch«, teilt sie Rose kurz und bündig mit. »Ehrlich gesagt, ich weiß nicht, wie er so lange durchgehalten hat.« Roses Augen füllen sich mit Tränen, als ihr Blick von der Schwester auf Blaines bleiches, schlafendes Gesicht fällt, sein strähniges Haar, das ein wenig absteht, und seine edel gewölbte Stirn. Die Schwester überprüft ihre Liste und verläßt das Zimmer. »Die Besuchszeit ist in zehn Minuten um, Miss«, sagt sie im Hinausgehen zu Rose und läßt die Tür angelehnt.

Rose bricht in Tränen aus. Ihre Schultern zittern, und sie wird von Weinkrämpfen geschüttelt wie ein ungezogener Schüler vom erbosten Lehrer. »Blaine!« ruft sie leise, »Blaine!«

Behutsam setzt sie sich zu ihm aufs Bett. Ihr blondes Haar fließt über eine Schulter bis fast zur Taille. Ihre Hand sucht die seine; sie greift danach und küßt sie. Der Anblick des Eherings läßt sie in erneutes Schluchzen ausbrechen. Blaine rührt sich, und seine Lider flattern leicht. Schließlich stellen sich seine Augen auf die unruhigen Bewegungen über seinem Kopf ein und spiegeln ungläubiges Erstaunen wider. »Rosie?« sagt er mit heiserer Stimme. »Bist du das, Rose?« Die Anstrengung des Sprechens ist zu groß für ihn, und er beginnt zu husten. Ein fürchterlicher Hustenanfall erschüttert ihn. Rose schreckt zusammen und sieht ihn besorgt an.

»Sprich nicht – o verzeih… ich dachte…« sagt sie mit tränenerstickter Stimme. Husten und Schluchzen vermischen sich.

Blaines Husten legt sich zuerst. »Ich bin froh, daß du gekommen bist«, sagt er mit schwacher Stimme. »Ich hab… dich vermißt.«

Rose weint noch lauter und faßt nach Blaines magerer Hand. Heiße Tränen fallen auf seine Finger. »Weißt du noch damals, wie ich dir eine Nachspeise gemacht habe? Irgendwas mit Bananen, und ich hab die Bananen auf einer der Holzabdeckungen geschnitten?« Sie hält kurz inne, um sich die laufende Nase zu putzen. »Und am nächsten Morgen hast du mich ganz streng angesehen und gesagt: ›Hast du die Bananen vielleicht *hier* geschnitten? Mein Gott, sieh dir das bloß an!‹ Und hast auf die kleinen Einschnitte im Holz gezeigt. Ich hab mich so elend gefühlt, so elend und dumm. Du hast gesagt: ›Du hättest ein Küchenbrett nehmen sollen‹, und ich hab geantwortet: ›Kannst du's nicht abschleifen oder so was?‹, und du hast irgendwie so unheimlich gelacht, und ich hab gesagt: ›Tut mir leid, ich hab gedacht, es ist Holz, und da kann man drauf schneiden.‹ Und du hast gesagt: ›Du hast eben keine Ahnung‹.« Rose wird von neuerlichen Weinkrämpfen geschüttelt. Ihre Schultern beben. Blaine sieht müde und verwirrt aus.

»Du kommst an mein Sterbebett, um mir das zu erzählen?«

Rose lehnt sich zum Bett vor und holt sich mit der einen Hand zwei Tempotaschentücher, ohne mit der anderen Blaines Hand loszulassen. Sie schneuzt sich geräuschvoll. Blaine wendet höflich den Blick ab. »Ich bin nur gekommen, um dir zu sagen, wie leid es mir tut... das mit den Kerben im Holz und daß ich damals das Sonnendach offen gelassen habe. Es tut mir leid, daß es mit uns beiden nicht geklappt hat.«

Blaine seufzt und muß wieder husten. Das Geräusch eines Aufzugs dringt zu ihnen ins Krankenzimmer. »Rose«, beginnt er fast unhörbar und drückt mit aller ihm noch verbliebenen Kraft ihre Hand. Rose schluchzt und trocknet sich die Augen. »Rose...«

»Tut mir leid, daß ich die Liebe für etwas Kostbares hielt, das man sich erkämpfen muß. Für dich war sie ja nur ein Gebrauchsartikel, den man auswechseln kann, wenn er nicht mehr richtig funktioniert.«

Blaine fängt an zu husten und hustet und hustet. Nur der Tod kann diesem Hustenanfall noch Einhalt gebieten. Aber dann wird der Vorrat an Luft erschöpft sein. In ihrer Panik will Rose ihm den Rücken klopfen. Blaine schüttelt krampfhaft den Kopf.

»Kannst du nicht die Arme hochheben – willst du einen Schluck Wasser?« Blaine schüttelt weiterhin beharrlich den Kopf. Mit bleichem Gesicht steht Rose neben seinem Bett und ballt abwechselnd die Hände zu Fäusten und öffnet sie wieder. »O Gott«, murmelt sie vor sich hin, »erst mach ich dich unglücklich, und jetzt bring ich dich auch noch um.« Blaine muß neben dem Husten nun auch noch lachen, aber beides legt sich allmählich, und er wird wieder ruhig. Rose steht reumütig an seinem Bett. Blaines schweißglänzendes Gesicht sieht gespenstisch aus. »Weißt du, was mich am Sterben fast am meisten freut?« fragt er mit schwacher Stimme. Folgsam schüttelt Rose den Kopf. »Daß ich nicht mehr über Beziehungen diskutieren muß.«

Roses Augen füllen sich erneut mit Tränen, und sie beugt das goldene Haupt. »Du darfst nicht sterben, Blaine«, bittet sie. »Oder wenn du schon sterben mußt, dann erscheine mir als Geist. So wie du's Zeit meines Lebens gemacht hast.«

Blaines Lippen umspielt ein zartes Lächeln. Er schließt die Augen. »Eines Tages werden wir uns im verschneiten Hochmoor begegnen – im Leben nach dem Tode, nach einem Leben miß- glückter Beziehungen. Du und ich und Heathcliff und Cathy. Oben auf der Sturmhöhe. Und wir werden uns gegenseitig in den Wahnsinn treiben – bis in alle Ewigkeit.« Er öffnet kurz die Augen und betrachtet sie teilnahmslos, dann schließt er sie wieder. Sanfte, traurige Klaviermusik setzt ein. »Weißt du noch, damals, als wir kußsüchtig waren«, flüstert er mit versagender Stimme.

Rose setzt sich ganz vorsichtig auf sein Bett und nimmt seine Hand. »Ja.« Sie wirft ihm einen glühenden Blick zu, als wollte sie ein Loch in seine Stirn brennen.

»Vielleicht sterbe ich ja daran. An der Kußsucht.«

»Daran, daß du mich geküßt hast.« Die Musik wird lauter, aufwühlender, steuert unaufhaltsam auf den nahenden Werbe- spot zu.

»Du bist mich nicht losgeworden, als ich nicht mehr bei dir war«, flüstert er mit geschlossenen Augen. »Wie kannst du glau- ben, daß du es jetzt schaffen wirst?«

In der Tür erscheint eine Frau. Schön, dunkelhaarig, erstaunt. »Blaine?« ruft sie schockiert. An der einen Hand hält sie ein kleines Mädchen, in der anderen eine selbstgemachte Torte.

Rose wirbelt mit fliegenden blonden Haaren herum und be- gegnet dem Blick der Frau. »Leslie«, sagt sie.

Einen langen, dramatischen Augenblick lang starren sich die beiden Frauen an. Die Musik schwillt an, und die Einstellung erstarrt zum Standbild.

—

»Schnitt«, rief Dinahs Stimme aus dem Kontrollraum hinter dem Tonstudio.

»Schnitt«, wiederholte Nick, der Regisseur. Melissa und Josh, die beiden Schauspieler, die Rose und Blaine darstellten, sahen erwartungsvoll an der Kamera vorbei zu Nick hinüber, der über Kopfhörer Dinahs Kommentar hörte. »Okay. Ich sag's ihnen.« Nick ging auf die beiden Schauspieler zu. »Die Damen finden die Szene sehr gelungen und euch beide ganz großartig. Wie wär's also mit einem kleinen Imbiß in der Küche?«

Dinah und Connie saßen im Kontrollraum. Sie rauchten und starrten auf den leeren Monitor. Nachdem Rudy aus ihrem Leben verschwunden war, glühte Dinahs Liebe weiter wie ein kleines Kontrollicht und beleuchtete eine leere Bühne. Sie wurde zur Wirkung ohne Ursache. Dinah und ihre verlorene Ursache. Sie schlug wie wild mit den Flügeln, ein gefangener Kolibri in einer Schuhschachtel. Sie fand sich allmählich mit ihrer Lage ab, ohne daran zu glauben, ohne sie zu verstehen. O natürlich, sie glaubte es, weil er nicht da war, wenn sie sich umsah; und sie verstand es, weil sie sprechen konnte. Aber letzten Endes durfte es einfach nicht wahr sein. Wie einen zerknitterten, ungeöffneten Brief trug sie die Liebe zu Rudy stets bei sich.

Connie beugte sich herüber und versetzte Dinah einen sanften Schlag auf den Rücken. »Sollen wir uns beim Thailänder was zum Essen bestellen?«

»Gute Idee.« Sie atmete eine Rauchwolke aus. »Irgendwas mit Erdnußbutter und so gut wie keinem Nährwert. Alibiessen.«

Connie ging zum Telefon und rief Tommy Tang an. Sie bestellte. »Chinesischen Hühnchensalat für zwei Personen und vier doppelte Portionen Hühnchensatay. Zweimal Diätcola und Glücksrollen. Genau. Super. Sorkin und Kaufman. Zweiter Stock, NBC – ja, super, Sie denken dran, kein Problem. Danke.« Connie legte auf und sah Dinah mit schmerzverzerrtem Gesicht an. »Hast du vielleicht ein Aspirin da?« sagte sie mit leicht weinerlicher Stimme, als sie sich wieder neben Dinah niederließ. Der Stuhl gab ein lautes Ächzen von sich.

»Ich bezweifle es«, sagte Dinah, als sie in den Tiefen ihrer vollgestopften Handtasche herumwühlte. »Aber ich hab ja sowieso einen Hang, alles zu bezweifeln.«

Connie legte die Arme auf das Schaltbrett und den Kopf auf die Arme. »Ich habe meine Periode. Oder vielleicht nicht *meine* Periode, sondern die von jemand anderem«, stöhnte sie. »Eine Maxibinde hab ich schon durchgeblutet und…«

Dinah reichte Connie eine Packung Tabletten. »Connie, bitte keine eingehenden Beschreibungen deiner Menstruationsabläufe.«

Dankbar nahm Connie die Tabletten und schluckte sie ohne Wasser hinunter.

»Roy Delaney an Apparat Zwei für dich, Dinah«, gab eine Männerstimme über die Gegensprechanlage durch. Dinah und Connie sahen sich mit hochgezogenen Augenbrauen an. Dinah ging zum Telefon hinüber und hob ab.

»Also, so wahr ich hier stehe und atme und Schnulzen fürs Fernsehen fabriziere, wenn das nicht der längst verloren geglaubte Roy Delaney ist!«

»Verloren vielleicht«, versicherte ihr Roys jungenhafte Stimme, »aber der Längste bestimmt nicht. Wer hat dir denn das eingeredet? Ich glaub, ich bin höchstens Durchschnitt. Wenn du einen suchst, der von der Natur reichlich gesegnet ist, dann solltest du dich vielleicht –«

Dinah fiel ihm ins Wort. »Ein Man mit Riesenpenis hat noch nie zu meinen ausgesprochenen Wunschträumen gezählt. Da könnte er genausogut ein unschlagbarer Billardspieler sein. Großer Penis, großartiger Billardspieler, die stehen auf meiner Prioritätenliste noch nicht mal ganz unten. Sie fallen eher in die Kategorie von: Was vermeide ich bei der Suche nach dem idealen Partner?«

»Wie geht's dir?« fragte Roy wieder ernst. »Du hörst dich fast an wie früher.«

Dinah lachte, warf Connie einen Blick zu und senkte ihn dann zu Boden. »Klingt ja nicht besonders gut. Ich hab damals eine ziemlich schwierige Phase durchgemacht.« Ein kurzes, fast unmerkliches Schweigen trat ein.

»Hast du seither mit Rudy gesprochen?«

»Seit neun Monaten nicht mehr«, sagte sie. »Er hat ein paar Mal angerufen, aber…«

»Toll, daß er diesen Theaterpreis gewonnen hat.«

»Mhm«, sagte sie zerstreut. »Für sein Stück über das Ende der Welt.« Dinah zupfte an einem unsichtbaren Fädchen auf ihrem Ärmel.

»Ist er eigentlich noch mit Lindsay zusammen?«

»Nein!« Fast wäre sie in Triumphgeheul ausgebrochen. »Von seiner Schwester hab ich gehört, daß das vorbei ist. Sie arbeitet wieder. Und er soll mit einer anderen zusammen sein. Eine, die genauso 'ne Karriere hat wie ich und auch nicht in New York lebt. Da sieht man, was an seinen Einwänden gegen mich dran war: nichts. Und du? Bist du noch mit… deinen Frauen zusammen?« Sie zündete sich eine Zigarette an und nahm einen tiefen Zug. Wartete neugierig auf seine Antwort.

»Nein, eigentlich nicht«, meinte er unbestimmt. »Und da dachte ich, wo ich schon mal relativ frei bin, und wenn du relativ frei bist, dann könnten wir doch… Ich meine, ich könnte dich richtig schlecht behandeln, so wie du's magst. Wir könnten Pläne schmieden, und ich könnte zu spät kommen. Du bist doch die, die auf Enttäuschungen steht, oder?«

Dinah lachte. »Was machst du in unserer Gegend?«

»Sie drehen meinen Film. Und da spuke ich bei den Dreharbeiten rum.«

»Aha. Ein Ghostwriter.«

»Klar erkannt«, sagte er, »also…«

»Naja. Wahrscheinlich haben wir's wirklich lang genug ohne einander probiert.«

»Gehört zu meiner Strategie, um dich rumzukriegen: Ich laß dich warten.«

»Und ich hab mir schon den Kopf zerbrochen, was ich eigentlich die ganze Zeit mache.«

»Jetzt weißt du's.«

»Anscheinend hab ich schon mehr als die Hälfte meines Lebens damit verbracht, auf irgend 'nen Typ zu warten. Und jetzt stellt sich raus, daß ich es sogar mache, wenn ich gar nichts davon weiß.«

»Genau«, sagte Roy. »Wie hypnotisiert oder ferngesteuert.«

»Ja...« Sie drückte die Zigarette aus und nahm den Hörer in die andere Hand. »Ich glaub, unser Leben hat sich doch noch zum Besseren gewendet.«

»Da sind wir aber sehr erleichtert, oder?«

»Mit wem hab ich gleich noch mal das Vergnügen?«

»Spielt das eine Rolle?«

»Ich glaub nicht.«

»Ich hol dich um acht ab.«

»Also um zehn.«

»Das weiß nur ich allein, und du darfst dir deswegen die Haare raufen.«

»Wie wunderbar.«

»Dabei weißt du noch nicht mal die Hälfte.«

»Jetzt mach aber mal halblang«, protestierte sie. »Natürlich kenn ich die eine Hälfte. Besser als jeder andere. Ich kenne die eine Hälfte in- und auswendig.«

»Naja, du weißt ja, wie es so schön heißt«, begann er.

»Wie?«

»Sag ich dir später«, versprach er. »Aber ich wette, du wirst enttäuscht sein.«

»O Baby, du weißt wirklich, was gut für mich ist.«

»Nur nicht zu nahe kommen«, sagte er mit singender Stimme und hängte ein. Dinah legte den Hörer auf die Gabel und sah Connie an.

»Er weiß doch gar nicht, wo ich wohne«, wunderte sie sich. Connie schüttelte inmitten einer Rauchwolke den Kopf, als der Lieferant mit zwei Tüten voller pikant riechender Alibileckereien durch die Tür kam. Durch den Spalt hörte man aus der Ferne ein Radio...

Love brings such misery and pain; I know
I'll never be the same since I fell for you.

Connie und Dinah packten die Tüten aus und leerten den Inhalt der Pappschachteln auf die Teller. Ein einladender Geruch stieg ihnen in die Nase. Dinah machte ein Bier aus dem Kühlschrank auf. Connie leckte sich hungrig verschüttete Sauce von den Fingerspitzen. »Ist die Welt so klein geworden«, sinnierte sie, »oder ich so breit? – Überleg dir genau, was du antwortest.«

Dinah nahm einen großen Schluck Bier und setzte die Flasche ab. »Das erinnert mich an damals, als ich ein Déjà-vu hatte.« Sie wischte sich mit dem Handrücken über den Mund.

»Gut gebrüllt, Löwe!« meinte Connie anerkennend und biß in ihr Hühnchensatay. »Konservativ, aber gut.« Ihr Mund war so voll, daß ihre Worte kaum zu verstehen waren. Das Telefon klingelte, und Dinahs Blick begegnete kurz dem Connies, ehe sie verlegen wegsah. Sie ging an den Apparat und meldete sich.

»Ich bin's«, sagte die Stimme am anderen Ende. »Gilt das noch mit dem gemeinsamen Nachtisch?«

»Ja«, sagte Dinah. Sie hatte Connie den Rücken zugewandt und den Blick gesenkt. »Prima.«

Sie hängte ein und sagte: »Bitte, Con, versprich mir, daß du dich nicht über mich lustig machst.«

»Wieso sollte ich?« lachte Connie. »Liebe Dinah, jede Frau sollte eine Affäre mit einem jüngeren Mann haben, bevor sie zu alt ist. Und außerdem ist er einfach schnuckelig, so verknallt wie er ist. Und er paßt zu dir – zumindest zum Teil. Mehr kannst du doch gar nicht verlangen, es sei denn, du willst draufzahlen.«

»Ich hasse es eben, wenn ich mir vorkomme wie so 'ne Art Abenteuer für ihn.«

»Na hör mal, du mußt ihm doch nicht seine erste lange Hose kaufen oder mit den Hausaufgaben helfen. Du bist doch nur fünf Jahre älter, oder?«

»Aber wo soll das Ganze hinführen?«

»Ach, Dinah, genieß es einfach. Und, wenn es nicht geht,

dann genieß ihn. Die Sache kann natürlich jederzeit kippen, aber fürs erste solltest du die Fahrt einfach auskosten.«

Dinah trank aus und salutierte vor Connie wie ein braver Soldat. »Heil, Hippie!« rief sie und stolzierte aus dem Kontrollraum.

Eines Tages hatte sich Dinah dabei ertappt, wie sie Wäsche kaufte, Wäsche für eine eingebildete Aussteuer. Hauchdünne, durchsichtige Nachthemden, Mieder, die den Busen nach oben schoben, Strumpfbänder und schwarze Strümpfe. Sie wollte dieses Bollwerk der Weiblichkeit erstürmen. Wenn sie schon eine kinderlose Karrierefrau bleiben mußte, dann wollte sie sich wenigstens ganz offen den Liebesvorstellungen ihres Herrn und Meisters unterwerfen.

Seine flache warme Hand auf ihrem Rücken – aber nicht die Rudys, oder? Nein, ganz und gar nicht, sondern eine neue Hand. Nicht die Rudys. Er hatte die Gabe besessen, lähmende Unsicherheit zu verbreiten. Aber dieser Mann ist fast selbstsicher. Er zieht den Vorhang der Unsicherheit auf. Sein Auge ist blauer, eine zartere, zögernde Note. Verstohlen. Verhohlen. Immerzu muß sie raten, aber sie errät immerzu das Richtige. Rudy, der sie als Abwesender geliebt hatte, ihr Komplize in der Verstellung, der ihrer Maske eine Nase gedreht hatte, nach dessen Ferne sie sich nun nicht mehr sehnte. Rudy war Vergangenheit.

An seine Stelle war Josh getreten, mit dem sie in seinem Umkleideraum lag. Josh, der Schauspieler, den sie nach Rudys Bild geschaffen hatte und der Blaine MacDonald darstellte. Dinah trug den Bademantel, den Josh so haßte, und er hatte nur Shorts an, seine Bermudashorts, und die Kette mit der Kennkarte aus der Fernsehserie. Flüchtlinge aus einer Welt bewegter Bilder.

Er wirkte verunsichert; nicht in seinem Element, sondern in ihrem. Zärtlich zauste sie ihm das Haar. »Was ist denn los? Ist dir eine Laus über die Leber gelaufen? Ist unser Schnulzenheld ein wenig belämmert?«

Verlegen schob er ihre Hand zur Seite. »Könntest du nicht mal in eine andere Rolle schlüpfen? Ich meine, änderst du dich eigentlich nie?«

Dinah drehte sich und suchte an der Decke nach einer Antwort. »Doch, ich glaub schon. Und du?«

»Ja, ich ändere mich, und das macht mir angst. Aber mehr vor dir als vor mir. Ich meine, was kann dich davon abhalten, daß du...« Er verzog die Lippen zu einem Schmollmund.

Dinah zog ihn an sich. »Was soll mich wovon abhalten?«

Josh zuckte mit den Schultern. »Was weiß ich –, daß du zu Rudy zurückgehst, oder so. Ich meine, das ist ja alles erst vor kurzem passiert.«

Dinah fuhr dazwischen. »Und was soll dich davon abhalten, mit einer Frau auszugehen, die so alt ist wie du?«

»Du«, sagte er schlicht.

Sie lächelte. »Also, ich schlage vor, wir bleiben so lange liegen, bis wir wissen, wo wir stehen.«

Sie küßten sich. Süße Umschlingung der Arme, Begegnung der Gesichter. Der reife, dunkle Pfirsich. Als sie sich dem Kuß öffnete, überlegte sie, ob Roy sie später abholen, in ihr Leben treten, hineinwaten... ob er eine Rolle darin spielen, ob ihr Verstand ihm eine Rolle zuweisen würde?

Sie atmete in Joshs nachsichtiges blondes Haar. »Soll ich dir sagen, was ich mag?« flüsterte sie. Er lächelte an ihrem Hals. »Bereit?« Der Katechismus nahm seinen Lauf. »Keine Berührung wirklich empfindlicher Körperstellen, bevor es unbedingt sein muß. Und dann nur ganz ganz wenig, bis es fast zu spät ist. Dann bin ich dein Geschöpf, dein kleines Monster.«

Joshs Finger streifte leicht über ihren Oberschenkel.

»Warm und wartend«, fuhr sie gelassen fort.

»Wenn weniger mehr ist, dann bist du endlos.«

Dinah schloß lächelnd die Augen und wandte sich ihm zu. Seite an Seite lagen sie nun auf der Couch. Seine warme flache Hand strich über ihren Rücken.

»Was ich mag«, flüsterte sie. »Nein, nicht was, sondern wen.«

Keine wirkliche Liebe, sondern eher ein Kostümstück, eine

emotionale Urkundenfälschung. Nicht das Leben, sondern eher ein Traum vom Leben. Ein vielversprechender Nachwuchssänger.

Vielleicht hatten die vielen Jahre, in denen er Rudy porträtiert hatte, ihn in besonderer Weise in diese Rolle hineinwachsen lassen. Oder er war einfach dazu geboren. Aber wie auch immer, er war ihr Loverboy, ihr brandneuer Beau.

Joshs Hand strich ihr leicht über den Rücken; die ersten zwei Finger seiner rechten Hand zogen auf der Baumwollbluse die Linie ihres Rückgrats nach. »Es macht mich ganz unglücklich, daß du weißt, wie sehr ich dich mag«, sagte er.

»Warum denn?« fragte sie und küßte ihn auf das Kinn. Sie schmiegte sich an ihn und fühlte sich wie ein Voyeur.

»Ach weil«, begann er, »ich weiß auch nicht. Normalerweise mache ich es eben so, daß ich es sie – die Frauen – nicht merken lasse, daß ich sie mag. Aber bei dir – naja, auf einmal ist es dazu viel zu spät.« Er bewegte sich ein wenig unter Dinah, die sich nach oben stemmte und ihn ansah. Josh wich ihrem Blick aus.

In Dinahs Augen trat ein weicher Glanz und sie zeigte den Anflug eines Lächelns. »Du bist so…« Sie fuhr ihm gedankenvoll mit der Hand durchs Haar. »Du bist so ein *Genuß* für mich«, sagte sie schließlich.

»Mmmmmm«, murmelte Josh. »Hmmmm.« Langsam schüttelte er den Kopf.

»Was denn?«

»Nichts«, sagte er.

»Also was?«

»Nichts.« Er zog sie an sich, schlang ihr die Arme um den Rücken, drückte sie an sich. »Ich hab nur befürchtet, daß du so was sagen wirst.«

»Was, so was?«

»Vergiß es.«

»Was glaubst du eigentlich, warum ich das mache?« fragte sie rhetorisch.

Josh zögerte einen Moment und sagte dann mit fester Stimme: »Zu Forschungszwecken.«

Dinah fuhr zurück, als hätte er sie mit dem Finger im Marmeladenglas ertappt. Sie lachte beschämt und aufgebracht zugleich. »Da hast du mich. Ein Versuchskaninchen, das sich in einem Experiment zur Erforschung menschlicher Liebesgewohnheiten aufopfert.«

Bei Josh hatte sie das Gefühl, ihr sei noch einmal eine Galgenfrist oder die Begnadigung gewährt worden. Eine Heimat ohne Heirat. Und wenn sie dazu ansetzte, ihn zur Maus in einer feindseligen Versuchsanordnung ihres Verstands zu degradieren, dann mußte sie sich eben in die Schranken weisen. Vielleicht hatte er schon so lange ihre Version von Rudy mimt, daß es nun stimmte, daß er nun stimmte. Daß er ans Ziel gelangt war mit seinem gutaussehenden, gelassenen Gesicht und seiner Unergründlichkeit. Sie hatte eine Sorte von Gleichgültigkeit gegen eine andere eingetauscht und war dabei auf wundersame Art geheilt worden. Josh griff nach oben und schaltete das Licht aus, wandte sich ihr wieder zu und küßte sie jetzt richtig. Er zog ihr das Hemd über den Kopf und warf es ins Zimmer.

Dinah hielt vor lauter Aufregung den Atem an. Joshs Umarmung hatte so etwas unbeschreiblich Warmes. Als ob sie sich in einem Luftschutzbunker lieben würden, den Lärm angreifender Flugzeuge im Ohr. Ein leidenschaftliches, zärtliches Zusammensein, als ob es jedesmal das letzte Mal wäre.

»Wieviel Zeit noch?« fragte sie aufgeregt.

Josh grinste, als seine Hände den Rock hochwanderten, ihrer Scham gefährlich nah. »Es reicht nicht mehr ganz. So wie du's gern hast.«

Dinah sog die Luft pfeifend durch die Zähne und legte eine Hand mit dem Rücken gegen die Stirn. »Lang hast du ja nicht gebraucht, um rauszufinden, auf welche Nummer ich stehe.« Sie lächelte mit geschlossenen Augen.

»Stimmt.« Josh lächelte, den Mund an ihrem Hals, dann ganz nah am Ohr.

»Jetzt brauchst du bloß noch die anderen sechs Zahlen, dann kannst du mich anrufen. Dann könnten wir Telefonsex miteinander haben. Aber erst dann...«

Josh gab ihr einen kurzen, fordernden Kuß. »Da müssen wir's wohl oder übel in persona erledigen.« Seine Lippen glitten allmählich über ihren Körper. Vom Hals an immer tiefer, küssend, atmend, schmeichelnd, Dinah wehrte sich, machte einen Buckel.

»Was heißt in persona?« fragte sie verträumt und begann, ihren Verstand abzuschalten, begann den Vorstoß in die Folgsamkeit. »Was?«

Josh hielt rechts an einer Brust inne. »Du steckst bis zum Hals drin.« Dann küßte er sie wieder auf die Brust, nahm sie in den Mund, atmete ein, atmete aus.

Erwartungsvoll ließ Dinah den Kopf zur Seite rollen. Sie legte die eine Hand über den Kopf, die andere glitt zum Mund; sie biß sich in den Zeigefinger. Die Berührung klopfte wie eine alte, täppische Motte gegen ihre Flamme. Sie seufzte und legte eine Hand sanft auf seinen Kopf. Sie sonnte sich in seiner Wärme. Dieser Mann wollte bei ihr sein. Und zumindest fürs erste konnte sie ihm keinen Vorwurf daraus machen. Vor der Tür hörte sie eine entstellte Männerstimme, die irgendwas durchsagte, irgend jemanden ausrief. Josh legte sich wieder neben sie. Dinahs Augen öffneten sich, stellten sich kurz ein, schlossen sich sofort wieder. Such dir einen aus und sorg dafür, daß es klappt.

Sein Mund glitt sanft und neckend über ihre Seite. Sie zitterte und geriet ins Sinnieren, verlor sich in Träumereien. Was passierte mit ihr? Wer war das? Oder spielte das keine Rolle? Roy? Nein. Rudy? Hmmm.

—

Sie saß mit Rudy in einem Auto; er fuhr. Es war ein strahlend schöner Tag. Sonnenstrahlen funkelten in den Bäumen. Ihre Hand lag zwischen den Sitzen auf der seinen, während sie auf der Straße über einen Hügel rasten. Sie trug keine Pflaster an den Daumen, aber dafür einen goldenen Ehering. Der Himmel verfinsterte sich, als sie an einer Mautstelle anhielten. Irgendwo unten toste ein Fluß. Dinah zählte 39,50 Dollar ab und reichte sie ihrem Vater, der in dem Häuschen saß. Sie fand es nicht seltsam, ihn hier zu finden, allerdings wunderte sie sich, daß die Zahlstelle auf der falschen Seite war. Nicht auf der Fahrerseite, sondern auf der Beifahrerseite. Als er den Wagen langsam über die Brücke lenkte, glitt Rudys Hand aus Dinahs, und er sah zum Fenster hinaus auf den dahinwirbelnden Fluß.

Das Auto ließ die Brücke hinter sich und gelangte wieder an Land. Sie fuhren durch Wald. Durch dunklen Forst. Plötzlich geriet der Wagen ins Schleudern und schoß auf die Bäume zu. Dinah bemerkte, daß Rudy nicht mehr da war, daß niemand das Auto steuerte. Sie riß das Lenkrad herum, strich um Haaresbreite an einem Baum vorbei, setzte sich ans Steuer. Die ganze Zeit über fragte sie sich, wo Rudy hingekommen war und wie sie je die Hauptstraße wiederfinden sollte. Sie fuhr auf dem holprigen Weg durch die Bäume, die nur von ihren Scheinwerfern beleuchtet wurden. Verirrt. Verirrt in Amazonien. Weit vorne bemerkte sie einen hohen Baum auf einer Lichtung. Als sie näher kam, sah sie einen Mann unter dem Baum. Einen Schwarzen. Dinah fuhr hin und hielt an. Der Mann stieg ein. Er erzählte ihr, sein Name sei Shakespeare und er habe schon lange an dieser Stelle gewartet. Lange bevor der Himmel mit Zahlen übersät war, hatte er sie erkannt und war bereit, ewig auf sie zu warten. Er zeigte ihr den Weg zur Hauptstraße, und dort war der Himmel auch wieder klarer. Die Straße schien sich ohne Ende hinzuziehen. Mit dem Blick nach vorn steuerten sie auf den Horizont zu. Über der rotglühenden und tiefstehenden Sonne am Himmel stand in diagonaler Schnörkelschrift das Wort: »Herzenswunsch«.

—

Die Beziehung zwischen Rudy und Dinah ging nun ohne sie weiter, und sie blieben zurück. Hatten den Anschluß verpaßt, das Boot, den Bus. Den launischen Bus, der, jede Menge Staub aufwirbelnd, immer weiter die Straße hinunterfuhr in Richtung

Sonne. Und der Staub sammelte sich dann auf ihren folgenden Partnern, juckte Dinah in den Augen und Rudy in der Nase.

Sie hatten sie also aufgegeben, ihre stets so eifersüchtig gehütete Gemeinschaft. Jawohl, und trotzdem und seltsamerweise konnte ihre Gemeinsamkeit nicht vollständig zerfallen. Sie existierte immer noch irgendwo dort draußen als ferne, aber unleugbare Tatsache. Vorbei – und doch nicht weniger gewaltig. Es war Ceylon, die Insel der Löwen und Liebenden. Verändere die Landkarten, vertausche die Eintragungen, und dennoch wirst du dein Schiff nach diesem Sternbild steuern. Sicher lenkst du es durch diese einst verseuchten und nun friedlich plätschernden Gewässer. Weitab von zu Hause und völlig zerschunden, verwandelte sich ihre Gemeinsamkeit und nahm neue Gestalt an. Der Löwe, einst der königliche Herrscher der Savanne, der Schrecken der Steppe, graste nun alt und zahnlos – ein fahler Schatten vergangener Tage.

Denn es ist niemals wirklich zu spät. Nur später.

Der weibliche Mensch wird – unter ungünstigen Kindheitsvoraussetzungen im Zusammenhang mit der Abwesenheit des männlichen Elternteils – nach der Erlangung der Geschlechtsreife stark auf nicht erreichbare Männer fixiert sein und ihnen bis zum Tod voller Sehnsucht nachtrauern. Einige erholen sich, indem sie sich mit Freunden zusammentun und lernen, sie zu »lieben«. Die anderen können beachtliche Karriereerfolge im Bereich Fernsehen vorweisen.

-Danksagungen-

Für meine Mutter – eine großartige Freundin und eine unerschöpfliche Hilfe, wenn es darum geht, was die Leute denken. Für meinen Freund und – durch einen glücklichen Zufall – Agenten, Kevin Huvane, der mit mir durch dick und dünn gegangen ist. Für meine Lektorin, Trish Lande, die mich angespornt hat, wie es nur jemand unter Dreißig kann, und meinen Cheflektor, Michael Korda, der mich angespornt hat, wie es nur jemand über Dreißig kann. Für meinen Verleger, Charles Hayward, der mir gesagt hat, ich soll mir ruhig Zeit lassen, und wenn das nicht reicht, dann soll ich mir seine nehmen. Für meinen buddhistischen Anwalt und Weggefährten, Michael Gendler – Worte können nicht beschreiben (aber einige Tätowierungen)... Für meine Vertraute, Gloria Crayton, die mir Gesellschaft leistet und einen beachtlichen Anteil an meinem leichten Übergewicht hat. Für meine Assistentin, Cindy Lee Rogers, die mir die Welt vom Leibe hält und mir ein unrealistisches Bild über die tatsächlichen Ereignisse vermittelt. Für Bonnie Wells, die mit mir zusammen die Paarungsgewohnheiten der Tierwelt erforscht und den Kampf mit dem Computerdrukker aufgenommen hat. Und für meinen Stamm guter Freunde: Harper Simon, Meryl Obelesque, Bruce Wagner, Meg Wolitzer, Chana Ben Dov, Dr. Arnold Klein, Gavin de Becker, Buck Henry, David O'Connor, Beatriz Foster, Todd Fisher, Melissa North, Julian Ford, Owen Laster, Dan Melnick, Ed Moses, Rosalie Swedlen, Jack Winter, Mary Douglas, Seven, J.D., Sidney, Chas, Arlo Sandbora, Jay, Shelly, Ilene, Geffen, Maggie, May usw.

AMERIKANISCHE LITERATUR

Tama Janowitz
Sonnenstich
9554

Alice Hoffman
Die Nacht der tausend
Lichter   9378

Carrie Fisher
Bankett im Schnee
9310

Kaye Gibbons
Ellen Foster
oder Tausend Arten,
meinen Vater zu töten
9477

Madison Smartt Bell
Ein sauberer Schnitt
9635

David Feinberg
Abgestürzt
9564

GOLDMANN

Moderne Frauenliteratur

Patricia Castet
Silvie Thomas, Die Träume
der Frauen   9588

Sue Townsend
Mit einem Schlag war alles
anders   9549

Fiona Pitt-Kethley
Reisen in die Unterwelt
9563

Danièle Sallenave
Phantom Liebe
9646

Jane LeCompte
Mondschatten
9715

Sherley Anne Williams
Dessa Rose
9650

GOLDMANN

Die Waffen der Frauen

Kunst und Leben

Anne Delbée
Der Kuß
8983

Hilda Doolittle
HERmione
9295

Jeanne Champion
Sturmhöhen
9342

Ingeborg Drewitz
Bettina von Armin
9328

Jeanne Champion
Die Vielgeliebte
9634

Maurice Lever
Primavera
9700

AMERIKANISCHE LITERATUR

Alice Hoffman
Wo bleiben Vögel im
Regen
9379

Kristin McCloy
Zur Hölle mit gestern
9365

Pete Dexter
Tollwütig
9410

Tama Janowitz
Nervensägen
9423

Margaret Diehl
Die Männer
9435

Madison Smartt Bell
Heute ist ein guter Tag
zum Sterben
9288

GOLDMANN

JUNGE LITERATUR

Michael Schulte
Führerscheinprüfung
in New Mexiko
9353

Manfred Maurer
Sturm und Zwang
9219

Akif Pirinçci
Felidae
9298

Karl Heinz Zeitler
Die Zeit des Jaguars
9368

Gerald Locklin
Die Jagd nach dem
verschwundenen
blauen Volkswagen
9456

Jörn Pfennig
Das nicht gefundene
Fressen
9376

GOLDMANN